ANTONIO MACHADO, POETA DE LO NIMIO

ALTERACIÓN DE LA PERSPECTIVA

REYES VILA-BELDA

ANTONIO MACHADO, POETA DE LO NIMIO

ALTERACIÓN DE LA PERSPECTIVA

VISOR LIBROS

BIBLIOTECA FILOLÓGICA HISPANA/79

Cubierta: Caligrafía persa del siglo XIX

© Reyes Vila-Belda

© Visor Libros
Isaac Peral, 18 - 28015 Madrid
www.visor-libros.com

ISBN.: 84-7522-879-8
Depósito Legal: M. 42.497-2004

Impreso en España - *Printed in Spain*
Gráficas Muriel. C/ Buhigas, s/n. Getafe (Madrid)

A mi madre

Agradecimientos

La lista de personas que de alguna forma han contribuido a este proyecto es larga y, a pesar de que forzosamente queden nombres en el tintero, no puedo dejar de citar algunos. Quiero expresar mi agradecimiento especialmente a Frances Wyers y Maryellen Bieder. Frances Wyers animó desde el primer momento este proyecto y lo mantuvo vivo con sus comentarios, su paciencia al escuchar mis ideas y con sus muchas y valiosas recomendaciones. Maryellen Bieder lo enriqueció iluminando mi trayectoria con sus consejos, planteando insospechados retos y, en definitiva, abriendo mi mente a nuevos horizontes. Este trabajo no habría sido posible sin la ayuda de ambas. El germen de esta investigación surgió en una conversación en el despacho de Willis Barnstone. Geoffrey Ribbans, a quien tanto debemos los estudiosos de la poesía machadiana, se prestó a leer el bosquejo original y sus consejos sirvieron para marcar el rumbo. He tenido la suerte de contar con dos expertos machadianos, Nancy Newton, que leyó detenidamente el original, y Jordi Doménech, a quien le agradezco de manera especial sus muchas correcciones. Quiero dar también las gracias a Enrique Merino por sus comentarios sobre geología. La concesión de una beca de ayuda para la investigación de Indiana University hizo posible mi visita al Museo del Prado. Por último, quiero reconocer a Andrew P. Debicki que durante el seminario de poesía del National Endowment of the Humanities, celebrado en Kansas durante el verano de 2003, leyó y comentó mi trabajo. Su entusiasmo, sus palabras de ánimo y sus comentarios incisivos me han ayudado mucho en la edición final de esta obra.

Índice

Introducción:
Concepto de lo nimio

> «El maestro de nimiedades es como el que escribe grabando en piedra; el de grandezas es como el que escribe en agua.»
>
> JAFUDÁ BONSENYOR
> *Libro de las palabras y dichos de sabios y filósofos.* VI

Antonio Machado, en su conocido poema dedicado «A un olmo seco» (CXV) de *Campos de Castilla*[1], sorprende con la descripción de un árbol que rompe los moldes clásicos de la estética tradicional. Se trata, como adelanta el título, de un árbol seco, destrozado y «en su mitad podrido». Estos efectos sensoriales transmiten una idea de deterioro y presentan una aproximación a la muerte que contrastan fuertemente con el incipiente rebrotar de vida y esperanza, con el nacimiento de «algunas hojas verdes»:

> Al olmo viejo, hendido por el rayo
> y en su mitad podrido,
> con las lluvias de abril y el sol de mayo,
> algunas hojas verdes le han salido. (1-4)

En los versos siguientes Machado continúa detallando el estado de descomposición, dando una visión casi microscópica, ofreciendo imágenes inusitadas desde el punto de vista poético, de lo que acontece en el interior del olmo:

> Ejército de hormigas en hilera
> va trepando por él, y en sus entrañas
> urden sus telas grises las arañas. (12-14)

---

[1] Las citas de *Campos de Castilla* y de *Soledades. Galerías. Otros poemas* son de las ediciones de Geoffrey Ribbans. En las citas de estas obras incluyo la numeración de los versos. Las citas de otras obras de poesía de Machado están tomadas de *Poesías completas* de Espasa-Calpe. Sus versos no están numerados.

Versos como éstos, que muestran los aspectos más comunes de la naturaleza y las cosas de todos los días, abundan en el *corpus* poético machadiano. Aparecen ya en algunos poemas de *Soledades. Galerías. Otros poemas,* especialmente en los últimos que escribió, como «El viajero» (I) o «En el entierro de un amigo» (IV), aunque Machado los incluiría luego al principio de su colección. Son versos que anticipan su transición del subjetivismo de las «galerías del alma» a la búsqueda del «otro» y la objetividad del mundo exterior, tan evidente en su obra castellana. Pero el énfasis en los aspectos insignificantes de la realidad lo encontramos fundamentalmente en *Campos de Castilla.*

Muchas de las descripciones de *Campos de Castilla* corresponden a visiones del campo, de Soria y Baeza primordialmente[2], en las que destaca lo ordinario: zarzas, pedregales, margaritas. Rompen con la tradición porque no aspiran a idealizar la naturaleza, como la poesía pastoril; ni buscan su representación estilizada, como la poesía renacentista; no proyectan una visión de la realidad desmesurada, como la barroca, ni grandiosa como la de los poetas románticos; ni pretenden alcanzar el ideal de belleza parnasiano. Por el contrario, y sin caer en el prosaísmo de Ramón de Campoamor[3], presentan personajes vulgares, escenas rutinarias, aspectos despreciados o no bellos de las cosas o del paisaje.

---

[2] De acuerdo con Aurora de Albornoz, el paisaje apenas aparece en sus primeras obras, las dos ediciones de *Soledades,* a excepción de algún poema aislado como «Orillas del Duero» (IX) en la segunda edición (143, nota 11). A esta afirmación quiero añadir el carácter de ensoñación o de recuerdo de muchas de las descripciones contenidas en poemas de la segunda edición de *Soledades* como «Yo voy soñando caminos» (XI), «¡Oh, dime noche amiga, amada vieja» (XXXVII), y «Algunos lienzos del recuerdo tienen» (XXX). Antonio Sánchez Barbudo encuentra que los lugares encantados o los bellos paisajes que aparecen en los poemas de esta obra pertenecen a una «realidad modificada» por el sentimiento (19). Para Barbudo, el poeta da prioridad sobre todo a sus emociones y, muchas veces, poco tienen que ver con el paisaje (19). J. M. Aguirre no ve en ellos paisajes sino símbolos. Carlos Blanco Aguinaga tampoco considera que hay paisajes en las primeras obras de Machado (318). Si bien estos paisajes son imaginarios, es preciso resaltar, de acuerdo con Steven L. Driever, que se apoyan en bases de la realidad: fuentes, plazas, escuelas y caminos (44). Para Albornoz, las muchas alusiones a «las plazas», «los naranjos encendidos», «el patio donde madura el limonero» son objetos dispersos que le ayudan a recordar su infancia. Por el contrario, Kevin Krogh difiere de estos planteamientos y basa su lectura del paisaje machadiano en los referentes sensoriales del poema y su conexión dialógica con la experiencia de los lectores. Su postura le lleva a considerar poemas de *Soledades. Galerías. Otros poemas* como poesía paisajística. En mi opinión, hay paisajes en algunos poemas de esta obra, especialmente en los últimos poemas que escribió. Sin embargo, coincido con los demás críticos que, en general, los paisajes suelen estar filtrados por el sentimiento o la ensoñación personal.

[3] Luis Cernuda afirma que Campoamor se ha convertido en «el poeta prosaico por excelencia, y su expresión y lenguaje por ejemplo de vulgaridad». Sin embargo reconoce su mérito principal: «haber desterrado de nuestra poesía el lenguaje preconcebidamente poético» (31).

La predilección de Machado por las descripciones insignificantes no se limita a la naturaleza. También alude a la ciudad en estos términos, como en «Campos de Soria» (CXIII): «¡Muerta ciudad de señores» (85):

> de galgos flacos y agudos,
> que pululan
> por las sórdidas callejas, (90-92)

Con frecuencia, retrata escenas de la vida corriente del hombre y su entorno: viajes en tren en vagón de tercera, el hospicio ruinoso, los alrededores de la ciudad provinciana[4]. Por sus versos desfilan labradores, burgueses aburridos en el casino del pueblo, criminales y locos. Así refleja aspectos inusitados precisamente por lo que tienen de ordinarios, mientras rechaza deliberadamente los monumentos de las viejas ciudades castellanas o los elementos sublimes y grandiosos de la naturaleza.

Estos aspectos inusitados conforman un conjunto heterodoxo de elementos cotidianos que sirven de base a su representación de la realidad y que podemos clasificar en tres grandes grupos: las cosas de uso corriente, los personajes marginados o de clases sociales bajas y el paisaje ordinario. Todos ellos frecuentemente rechazados o relegados a un segundo plano en las creaciones de poetas, escritores o artistas.

Machado emplea los elementos insignificantes —a los que propongo llamar lo nimio— con propósitos distintos. Lo nimio sitúa al poema en un lugar concreto y, a menudo, retrata espacios humildes marginados, tanto interiores —una cocina de una venta, una pensión provinciana—, como exteriores —«sierras calvas», «cerros cenicientos»—. Otras veces, transmiten la sensación del paso del tiempo —un muro agrietado, la llegada de las cigüeñas, la trashumancia del ganado—. En ocasiones, el poeta emplea lo vulgar para dar un nuevo enfoque a un *topoi* clásico, como hace con el *fugit irreparabile tempus* en «Las moscas» (XLVIII) de *Soledades. Galerías. Otros poemas,* tratamiento originalísimo que analizaré en otro capítulo, semejante a los empleados en esa misma época por los pintores impresionistas. En otros casos, lo sencillo es un vehículo para comunicar su emoción poética ante realidades concretas, como vemos en «Las encinas» (CIII): «¿Qué tienes tú, negra encina / campesina» (58-59), rompiendo así con la poesía grandilocuente y abstracta de Campoamor y Núñez de Arce. También, mediante lo cotidiano propone un nuevo modo de representación que se opone abiertamente a las propuestas de los modernistas: frente al cosmopolitismo parisino, el localismo del campo soriano; frente a la musicalidad y el

---

[4] Pedro Laín Entralgo afirma que Machado canta, entre otros temas, a «las cosas sencillas que decoran y acompañan la vida del hombre» (33).

exotismo, la sencillez de la rima y la repetición de imágenes cotidianas; frente al lenguaje sofisticado, el uso de expresiones campesinas[5]. Con frecuencia, mediante trivialidades diarias refleja preocupaciones históricas y sociales, al dar cabida en los versos a la emigración de los labradores, o a las andanzas de criminales o cazadores furtivos. Así, lo insignificante representa la apertura del texto a lo marginal. En ocasiones, estas mismas menudencias son instrumento de crítica, como vemos que hace en «Del pasado efímero» (CXXXI) con el hombre del casino provinciano «sobre el verde tapete reclinado» (16). Todos estos detalles introducen en el texto un tono anecdótico que rompe las fronteras de lo literario y conectan al poema con los entresijos de la vida diaria.

Las teorías literarias recientes suministran maneras muy útiles para explicar cómo funciona lo nimio en una obra. De acuerdo con Edward Said, estos textos «están siempre atrapados en una maraña formada por las circunstancias, el tiempo, el lugar y la sociedad del momento —es decir, están en el mundo y forman parte de él—» (35)[6] y, por tanto, no se pueden desintegrar del entorno social e histórico en que se producen y se interpretan. En esta misma línea, el Nuevo Historicismo surge como un ataque frontal al Nuevo Criticismo, ya que considera que los textos literarios no están aislados de la cultura en que se producen. Por el contrario, están conformados por ella y, a su vez, los textos configuran a esa cultura en la que se han creado. De esta forma, el texto literario se convierte en un artefacto cultural que refleja el intercambio de discursos sociales del momento y lugar en el que se escribió[7]. Stephen Greenblatt va más lejos al poner en evidencia la distinción intrínseca establecida dentro del texto entre un «primer plano literario» y el contrafondo político, o entre la producción artística y la social, proponiendo una alteración de esa perspectiva tradicional («Introduction» 6). Catherine Gallagher y Stephen Greenblatt afirman que la representación de la realidad es un fe-

---

[5] Es interesante el testimonio de la recepción de Dámaso Alonso al leer *Soledades. Galerías. Otros poemas*: predominio de lo sencillo, colores no brillantes; versos tenues, rima pobre, poemas breves; «contra lo suntuoso, lo modesto; y nada exótico o pintoresco, lo próximo y lo diario estaba lleno de posibilidades y podía ser elevado también a alto plano estético» (*Cuatro poetas* 141). Y añade, «muchos adoradores de Rubén tuvieron que preguntarse qué arte desnudo y al parecer pobre» era el que ofrecía Machado (*Cuatro poetas* 143). Machado acentuó estos rasgos en su obra posterior.

[6] Todas las traducciones de las citas son mías.

[7] De acuerdo con John Brannigan, los críticos nuevo-historicistas estudian la literatura en relación con la historia. Pero lo hacen no como fuente incontrovertible de hechos históricos, que proveen un marco de fondo a sus temas o contenidos del texto literario, sino como forma de cuestionarse la función que desempeña ese discurso en la estructura de una cultura determinada (81).

nómeno estético pero especialmente social y político (45). Para Greenblatt, los modos de representación no son neutros y reconoce que tanto los individuos, como las culturas, cuentan con poderosos mecanismos de asimilación, «que funcionan como encimas», alterando los significados culturales (*Possessions* 4). Según la visión de este crítico, cualquier representación es reflejo, y a la vez causa originadora, de las relaciones sociales de un momento dado, ya que está vinculada a las formas de comprensión de un grupo, a sus jerarquías, resistencias y conflictos existentes en otras esferas de esa cultura en la que circula (*Possessions* 6). De este modo, las representaciones son productos pero también son productoras, capaces de originar y alterar esa cultura (*Possessions* 6)[8]. Partiendo de estos planteamientos, mi propósito es explorar los detalles nimios en *Campos de Castilla* como representaciones de la realidad que configuran al texto y alteran la perspectiva poética introduciendo en el primer plano otros discursos del contexto histórico, social y cultural[9]. Al mismo tiempo, la representación de lo nimio es una respuesta del texto literario al contexto social en el que se produce la obra.

El Nuevo Historicismo se caracteriza por hacer de la anécdota el instrumento de su metodología[10]. En general, se considera a la anécdota como un elemento retórico, de carácter accidental, que sirve para ilustrar un texto. La anécdota conecta al texto con lo concreto y lo trivial, atributos que si bien fueron apreciados en épocas como la Edad Media, se recha-

---

[8] Greenblatt se ha interesado especialmente en la interrelación de discursos —literarios y sociales— como parte de una negociación de intercambios de poder. Pero los practicantes del Nuevo Historicismo han rehusado formular teorías y establecer principios cerrados y reconocen su resistencia a la sistematización (Gallagher y Greenblatt 1). John Brannigan recoge ejemplos diversos de cómo practicarlo.

[9] El propio Machado, en *Los complementarios*, afirma: «¿Pintar de memoria? Desatino. Ningún pintor lo ha hecho. ¿Pintar del natural? Menos aún. El modelo es necesario. ¿Para copiarlo? No; para pensar en él» (3: 1281).

[10] Han informado mi pensamiento sobre el Nuevo Historicismo la lectura de *Practicing New Historicism* de Gallagher y Greenblatt, así como otras contribuciones de este último, como su «Introduction» a la revista *Genre* y «Towards a Poetics of Culture», y *Marvelous Possessions*. También han contribuido a ello la introducción de Aram H. Veeser y varias de las colaboraciones recogidas en su edición de *New Historicism*, especialmente las de Joel Fineman, «The History of the Anecdote: Fiction and Fiction», y Louis Montrose, «Professing the Renaissance: The Poetics and Politics of Culture». Mi análisis de lo nimio, como detalles representativos que reflejan los intercambios entre el texto literario y la sociedad en la que se producen, está inspirado en la lectura de *Mimesis*, de Erich Auerbach, obra que Greenblatt considera como un trabajo seminal. También me baso en el concepto de «circulación de los discursos» en una sociedad que, adoptado de Michel Foucault, Veeser identifica como un aspecto esencial de esta postura crítica. Por último, también me han influido las teorías de Hayden White sobre la reconceptualización de la historia como narración desarrolladas especialmente en *Tropics of Discourse*.

zaron en otras, como el Clasicismo. Precisamente como herencia de esta mentalidad, la anécdota fue ignorada durante largo tiempo. Sin embargo, Gallagher y Greenblatt reconocen su importancia como instrumento marginal pero iluminador de una obra y valoran su contribución buscando, mediante ella, una lectura más enriquecedora de la representación de la realidad (47)[11]. El uso de la anécdota es una técnica antropológica, adoptada del «thick description» o «descripción gruesa» de Clifford Geertz, que posibilita el análisis del texto literario para determinar sus importaciones del plano social (20). Una anécdota puede ser una microhistoria pero, de acuerdo con estos críticos, también puede serlo un conjunto de detalles que muestran la unidad orgánica histórica o social de un ambiente (39). El uso de la anécdota como base para el análisis del texto literario lo practicó anteriormente Erich Auerbach en *Mimesis*. Auerbach favoreció el interés por los detalles anecdóticos más insignificantes por su capacidad como instrumento de representación artística de la realidad. De hecho, como destacan Gallagher y Greenblatt, el análisis del crítico alemán no se centra en obras completas, sino en pequeños fragmentos narrativos, en anécdotas textuales que son «momentos de plenitud representativa» en los que convergen la forma en que una cultura aprehende, vive y, a la vez, representa la realidad (41). Además, el estudio de la anécdota interesa porque reclama la atención del lector y, de esta forma, destaca del plano del fondo. Como resaltan estos autores, lo anecdótico establece un puente con el mundo diario o crea el espacio dentro del texto donde se juntan lo literario y lo social (48).

Mi análisis de lo nimio, desde una perspectiva nuevo historicista, se basa en los detalles como elementos anecdóticos representativos de la cultura de la que forman parte y a la que también conforman. Es preciso recordar que el propio Machado, en *Los complementarios,* niega el valor poético de lo insignificante cuando afirma que: «Lo anecdótico, lo documental humano, no es poético por sí mismo» (3: 1207)[12]. Afirmación que le llevó a borrar la historia humana en los poemas de sus dos primeras obras y a aspirar, en cambio, a contar sólo la pura emoción, como hace por ejemplo en «Los cantos de los niños» de *Soledades,* que luego aparecería en la segunda edición sin título (VIII). Con respecto a esta segunda obra, él mismo proclamaría que era el primer libro español en que «estaba íntegramente proscrito lo anecdótico» (3: 1207). Sin embargo, y coincidiendo con Michael P. Predmore, aunque en estas primeras dos obras Machado se esforzara por eliminar la historia anecdótica, las huellas de esa so-

---

[11] Gallagher y Greenblatt buscan descubrir en la anécdota o en un pasaje de un texto canónico, de forma comprimida, todo un sistema de representaciones (47).

[12] Las citas de las obras en prosa de Machado son de la edición de Oreste Macrì.

ciedad en decadencia están captadas en «imágenes profundamente impregnadas de sensibilidad histórica y social» que se manifiestan, precisamente, en los detalles más insignificantes (79). De acuerdo con Predmore, esto es más evidente en su obra posterior. Una de las características más sobresalientes de *Campos de Castilla* es la presencia de la historia, que en sus dos obras anteriores no estaba directamente contada pero sí de forma implícita, y ahora aparece en forma de imágenes sin paliativos dentro de su hondo contexto histórico (122).

Texto y contexto

En este trabajo estudio la presencia de lo nimio en *Campos de Castilla*, deteniéndome en algunos de sus poemas. La primera edición de esta obra se publicó en 1912. Era ésta una edición mucho más reducida a la que manejamos hoy pues sólo consta de dieciocho poemas. Machado escribió la mayoría de estos versos al trasladarse a Soria. Traslado que coincide y acentúa una transformación personal. La preocupación por la situación de España, el desastre del 98 y el descubrimiento del paisaje y la realidad económica y social castellanas son la base de su inspiración. La mayoría de los poemas de la segunda edición[13], considerablemente ampliada, fueron escritos en Baeza. La muerte de su mujer, los recuerdos de Soria, la vida monótona baezana, así como la crítica social, inspiran muchos de los poemas añadidos. La obra comparte las preocupaciones de otros escritores de la época, especial-

---

[13] En 1917 se publicó la primera edición de sus *Poesías completas* en la que no figura una sección *per se* titulada «Campos de Castilla». Sin embargo, los poemas de ese libro castellano se recogen en los apartados «Varia» y «Elogios». En cambio, la segunda edición de *Poesías completas* (1928) ya incluye una sección titulada «Campos de Castilla (1907-1917)». Esto ha planteado problemas. A pesar de la falta del rótulo en la edición de *Poesías completas* de 1917, la mayoría de los críticos considera que ésta es la segunda edición de *Campos de Castilla*, en su versión más ampliada, porque recoge los casi cuarenta poemas nuevos —posteriormente incluidos en la edición siguiente, la de 1928, bajo el rótulo de «Campos de Castilla»— y, además porque mantiene, en líneas generales, la numeración de los poemas. Algunos de estos críticos atribuyen la ausencia del rótulo a un descuido, como afirma Ribbans (*Campos* 15) o, como Macrì, a una «distracción» (I: 60). Por el contrario, otros estudiosos, como Carlos Moreno Hernández o Jordi Doménech («Antonio Machado» 27), defienden que, técnicamente, no hay más edición de *Campos de Castilla* que la de 1912. Para ellos, los poemas publicados en las diferentes ediciones de las poesías completas no son más que «secciones» de otros libros. Es decir, distinguen entre *Campos de Castilla* (1912), como libro, y «Campos de Castilla (1907-1917)», como una sección que aparece en la segunda edición de *Poesías completas* de 1928, así como en las ediciones posteriores. Aunque esta diferencia de criterios plantea problemas interesantes, en este estudio sigo la opinión de la mayoría de los críticos y considero a la primera edición de *Poesías completas* (1917) como segunda edición de *Campos de Castilla*.

mente con Miguel de Unamuno y Azorín[14]. Muchos de ellos, como afirma E. Inman Fox, encuentran en el campo castellano «la realidad social y económica, política y espiritual de España» (*Invención* 153). Les mueve la búsqueda de una identidad nacional, preocupación que les lleva a indagar en el pasado, mediante la recuperación de los autores clásicos literarios y de los maestros de la pintura, con el ánimo de que ésta se proyecte en el futuro. Parten de un común rechazo a la sociedad del momento pero, a la vez, se hacen eco de sus avances y tendencias culturales.

La crítica recoge opiniones diferentes respecto a la representación de la realidad en la obra machadiana. Mi postura está en la línea de Geoffrey Ribbans, Arthur Terry, Antonio Sánchez Barbudo y Bernard Sesé, entre otros muchos, que reconocen una evolución en su producción poética —del simbolismo a la búsqueda del otro—, y en la que la progresiva aproximación del poeta a la realidad y su interés por lo nimio es, precisamente, el rasgo que marca ese giro. Evolución que Ribbans define como la «tendencia a ocuparse de asuntos y objetos externos» (*Niebla* 227). Por el con-

---

[14] La bibliografía sobre la obra machadiana en general y de *Campos de Castilla* en particular, es vastísima. Especialmente en el último cuarto del siglo XX ha sido muy abundante debido a la popularidad del poeta y a los múltiples aniversarios que han dado ocasión a ediciones conmemorativas y celebración de congresos, como el cincuenta aniversario de su muerte, o los centenarios de su nacimiento y de la generación del 98. Destacan, entre otros, *Antonio Machado y Soria*, con motivo del primer centenario de su nacimiento; *Antonio Machado*, colección de artículos editada por Ricardo Gullón y Allen W. Philips; *Estudios sobre Machado*, editado por José Ángeles; el *Curso en homenaje a Antonio Machado*, editado por E. Eugenio Bustos y organizado en la Universidad de Salamanca, y las actas del congreso conmemorativo del cincuentenario de su muerte, editadas por Jorge Urrutia. Sin embargo, toda esta avalancha de contribuciones se ha frenado con la llegada del nuevo siglo. Desde entonces, se han publicado escasos libros sobre su obra, y sólo algunos estudios en relación a otros poetas, como el artículo de Terence McMullen, que compara la visión del paisaje castellano de Machado y Guillén; el estudio de la influencia de Machado en los poetas escorialistas de Araceli Iravedra, o el de su presencia en la poesía española desde la guerra civil de José Olivio Jiménez y Carlos Javier Morales. Este decaimiento coincide, además, con un interés por la literatura de la periferia y de las autonomías, y la globalización frente a Castilla como representación de España. Este cambio también se observa en las tesis doctorales. En los últimos años, sólo ha habido una tesis en Estados Unidos sobre su poesía, la de Kevin Krogh de 1998, de reciente publicación, en la que hace una lectura dialógica de los paisajes de Machado desde la teoría de la recepción. Otras tesis anteriores, relativamente recientes, son la lectura psicológica junguiana del inconsciente machadiano de Susan Jane Joly, defendida en 1994, así como el estudio misceláneo de varios temas, entre ellos el paisaje, de Antonio Barbagallo de 1986. En el Reino Unido, Philip Gerard Johnston comparó las contradicciones y paradojas en la prosa y la poesía machadiana en 1991, tesis que acaba de publicarse recientemente. Por último, en el campo de las ediciones de originales ha habido contribuciones importantes. Sobresalen las dos ediciones de Ribbans de las dos obras de poesía más populares; la de Oreste Macrì, que incluye las obras en poesía y prosa; y la reciente aparición de la voluminosa *Prosas dispersas*, que recoge los escritos machadianos, compilados por Jordi Doménech.

trario, un grupo, entre los que cabe mencionar a Ramón de Zubiría y Pedro Cerezo Galán, concibe toda su obra como una unidad, en la que impera el valor concedido al símbolo, y para ellos no existe una evolución. Destaca José María Aguirre que considera toda la producción machadiana como simbolista y para quien su obra castellana es una continuación de sus *Soledades*. Este enfoque es muy útil, especialmente con respecto a la lectura de sus primeras obras, porque da primacía al símbolo, al que conecta con el misterio y las emociones humanas. Para Aguirre, la realidad en los versos machadianos sirve para evocar lo inefable e intuitivo. Sin embargo, su interpretación no considera el aspecto material de los objetos cotidianos, los paisajes y los seres marginales, y pasa por alto la importancia que tienen esas realidades nimias, sobre todo en su obra posterior. Carlos Bousoño y Ricardo Gullón también han analizado las descripciones machadianas de la realidad desde planteamientos simbolistas. Bousoño las interpreta como símbolos disémicos y Gullón las limita a su capacidad como transmisoras de emociones. Frente a ellos, Rafael Ferreres rechaza esa lectura simbolista y, en cambio, en los cipreses, fuentes y jardines de las obras primeras no ve símbolos sino la representación de elementos reales. Ángel González mantiene una postura semejante. González defiende, de forma convincente, la importancia del mundo exterior y de los objetos, tan relevante en su obra castellana en la que, según este crítico, la realidad es esencial pues hace salir al poeta de su ensimismamiento y, de este modo, la contemplación del mundo real se convierte en el «argumento primero del libro» (112). Por su parte, en el extremo opuesto a la interpretación simbolista, Manuel Tuñón de Lara reconoce a su autor como «poeta del pueblo» y hace una lectura de la vida y la obra del poeta teniendo como marco la historia del país.

En los últimos años se ha planteado una nueva aproximación al estudio de la producción de los escritores españoles de fines de siglo XIX. Esta nueva lectura crítica de la obra de la generación del 98 se resume, en palabras de Jesús Torrecilla, en una nueva «contextualización externa» de sus obras, superando las anteriores críticas de «interpretación españolista o nacionalista», y con ello el «lamentable aislamiento» en el que se ha encerrado a esa literatura finisecular y, en cambio, aspira a resaltar sus conexiones con la cultura europea de la época (9, 5). Desde una perspectiva nuevo historicista mi intención es relacionar la producción machadiana, más que con una generación, con preocupaciones compartidas con otros escritores de la época y con otros discursos del momento, reflejados en obras de autores no necesariamente afiliados con el noventayochismo o la literatura. Además, de acuerdo con Carlos Blanco Aguinaga, no hay que olvidar que esas preocupaciones comunes —con Azorín, con Unamuno— responden a trayectorias distintas.

Planteo esta investigación en dos partes. En la primera, estudio el precedente de lo nimio en los poetas primitivos y en el Romancero. Machado

descubre en los escritos de los primitivos y en los romances esos detalles nimios que introducen en el texto una representación de la realidad contextual, y que rompen las barreras entre la obra literaria y la sociedad. Frente a
la concepción linear de la historia tradicional, los seguidores de la nueva escuela historicista proponen una más dinámica y discontinua. Desde este
planteamiento, Machado rompe con esa linealidad ya que las cosas vulgares
de sus versos se identifican más —como veremos en dos capítulos de este
trabajo— con las convenciones empleadas por los poetas medievales —sobre todo con Jorge Manrique— y, especialmente, con el Romancero tradicional, del que parte adoptando y modificando algunas de sus contribuciones. En este sentido, el poeta sigue corrientes artísticas operantes en otros
países europeos, en particular las propuestas por el movimiento *Arts and
Crafts* de Inglaterra que iniciaron el reconocimiento de las artes industriales
y los oficios artísticos, posteriormente consagrados en las dos exposiciones
universales de París. Estas artes menores fueron muy apreciadas en España
por los miembros de la Institución Libre de Eseñanza. Además, Machado
no busca la reconstrucción histórica del pasado, sino que hace una lectura
de textos del pasado desde el presente —el *Poema del Cid*, Berceo, las *Coplas* de Manrique y el Romancero— y, al mismo tiempo, hace una lectura
crítica del presente como prolongación de ese pasado que todavía pervive
en la sociedad española. Machado descubre en estos primeros poetas, artesanos del verso, el interés por lo nimio y aprende de su configuración para
la representación de la realidad. El análisis de varios romances tradicionales
sirve de base para el estudio de los romances machadianos así como para
hacer una nueva lectura de *Campos de Castilla* como romancero.

En la segunda parte de este trabajo analizo, por un lado, el interés de
Machado por lo nimio con el de otro escritor de su época, Azorín y, por
otro, estudio la influencia de discursos contextuales del momento, como la
geología y la pintura, en la obra machadiana. Greenblatt rechaza los planteamientos monológicos de los historiadores tradicionales («Introduction» 5)
y Louis A. Montrose niega la posibilidad de acceder a un pasado completo y
auténtico, cuestionando los documentos considerados como objetivos (20).
Así, frente a la visión única y objetiva de la Historia, con mayúscula, estos
críticos proponen una concepción subjetiva y plural, basada en una variedad de documentos, anécdotas y fuentes culturales diversas que muestran
los conflictos y configuran los códigos que moldean una sociedad. Azorín es
un precursor de estas ideas. La comparación de *Campos de Castilla* con *Castilla* de Azorín, tema de otro capítulo, muestra cómo ambos autores prefieren una visión «microhistórica». Los dos parten de un libro viejo, un cuadro antiguo, la contemplación de un paisaje o de un personaje marginal,
para componer sus «microhistorias». Por medio de ellas, construyen un mosaico de historias que incorporan nuevos aspectos sociales y, de este modo,

reemplazan a la Historia oficial. Aunque hay grandes diferencias entre ellos, destaca la importancia que ambos conceden a las cosas, así como su común predilección por recrear la emoción de personajes anónimos, reales o literarios, en lugar de relatar las gestas de los héroes históricos.

En los últimos capítulos estudio la importancia del paisaje en los versos machadianos y lo relaciono con otros textos y artefactos del discurso social del momento. Para ello me sirvo, por un lado, de una colección de ensayos geológicos, *Los males de la patria* del ingeniero Lucas Mallada. Por otro, confronto los poemas con cuadros de los pintores de la época, especialmente con los paisajes de Carlos de Haes y Aureliano Beruete. De acuerdo con Greenblatt, la estética no pertenece a una esfera diferente, sino que «es una forma de intensificar la realidad única que compartimos» («Poetics of Culture» 6-7). La pintura de la época es otro discurso social y su representación influye en los poemas de Machado. Por su parte, Machado reconoce esos discursos —el geológico y el impresionista— y los apoya incorporando en sus representaciones préstamos adoptados del contexto cultural.

Por último, el Nuevo Historicismo reconoce la importancia en el texto de la propia biografía del autor. En este sentido veremos cómo el ambiente familiar de Machado —la influencia del abuelo, primer catedrático de ciencias naturales en España, así como la del padre, primer folklorista—, y su educación escolar en la Institución Libre de Enseñanza —con sus nuevos métodos pedagógicos, y rodeado por el círculo de intelectuales, especialmente científicos y artistas liberales vinculados con el centro—, trazan un rico mapa de interrelaciones que afectan efectivamente a su representación textual.

Definición de lo nimio

El primer objetivo de este trabajo es definir lo nimio. No es tarea fácil. Los críticos de la obra machadiana han reconocido la presencia de elementos vulgares, sobre todo al referirse a *Campos de Castilla*, si bien no emplean un término único. Muchos de ellos aluden sólo a detalles de la tierra y el paisaje, que son, sin duda, los que más abundan[15]. Pero, como hemos visto,

---

[15] Muchos críticos han resaltado la presencia de aspectos concretos de la realidad en la poesía machadiana. Entre otros, Ribbans se percata del «afán de objetividad» de esta obra, con el que da un nuevo viraje hacia la poesía «descriptiva y narrativa» (*Campos* 63 y 85). Dámaso Alonso destaca la presencia de «pormenores significativos» o «agarraderos de la realidad» que le encaminan hacia «una poesía objetiva» que fructificará, años después, en un «arte común», casi un cantar «social» (*Cuatro poetas* 143-44); y Carlos Blanco Aguinaga la inscribe en la «corriente paisajística» de sus compañeros de generación, aunque con diferencias importantes (319).

encontramos otros. Además, no se trata de elementos totalmente nuevos. Han aparecido, con mayor o menor protagonismo, en muchos textos y géneros literarios y artísticos —el bodegón[16], la pintura de género y el paisaje tienen parentesco de consanguinidad con lo nimio—, respondiendo a discursos históricos y culturales diferentes, y por tanto, gozando de un tratamiento distinto de acuerdo con los códigos de cada época.

Lo nimio, como informa Dámaso Alonso en *Poetas españoles contemporáneos*, entra en el panorama de la poesía española a través del romanticismo, que abre las puertas a nuevos aspectos de la realidad, ya que a partir de ese movimiento se aceptan como temas poéticos «lo feo, lo canalla, lo chato, lo vulgar» (78). Esta herencia, según D. Alonso, llega a España procedente, por un lado, de la poesía del mal de Charles Baudelaire; y por otro, de la poesía cotidiana y familiar de Tristan Corbière. Ribbans considera que parte de este legado le llega a Machado a través de los versos de Paul Verlaine[17], aunque este crítico atribuye el cambio de actitud del poeta sevillano —el respeto a la naturaleza, el pasmo ante las cosas— a la influencia de Unamuno (*Niebla* 283). Por su parte, Octavio Paz atribuye la incorporación de lo nimio a la segunda revolución modernista —*El canto errante* de Rubén Darío, la obra de Leopoldo Lugones—, cuyos poetas introducen el lenguaje coloquial y traen consigo un cambio de actitudes que resume en «ironía y prosaísmo: la conquista de lo cotidiano maravilloso» (139).

Los detalles insignificantes son una contribución del *milieu* realista y naturalista. Según Naomi Schor, el realismo impuso la legitimación del detalle contingente pero «le corresponderá a la modernidad aceptar al detalle disperso» (15). En España también se da esa predilección de los escritores realistas por el detalle, con su consecuente impacto en las obras literarias. Gonzalo Navajas ya detecta una reversión de prioridades en la obra de Benito Pérez Galdós, en las que «lo trivial y diminuto» llega a gozar de protagonismo («ética» 183)[18]. Si bien esto es cierto, lo nimio ya estaba presente en el panorama poético español desde mucho antes, pues es la materia pre-

---

[16] Resulta muy interesante la diferencia que introduce el término español de bodegón. El Covarrubias lo define como un «sótano o portal de la bodega» donde acude «el que no tiene quien le guise» para encontrar allí comida y bebida. Por tanto es un espacio interior, lugar de encuentro de alimentos y gente humilde. Concepción que se aparta del original *stilleven* o *still life*, cuya traducción también incorrecta es la expresión «naturaleza muerta». Sobre este tema, véase el artículo de F. Calvo Serraller, «El festín visual».

[17] Sobre este tema, véase el capítulo «La influencia de Verlaine en Antonio Machado» en su obra *Niebla y soledad*.

[18] Carlos Beceiro subraya que en los versos de Machado de *Campos de Castilla* la realidad está minuciosamente anotada, «como si se tratara de un novelista de la generación galdosiana» (*Antonio Machado* 20). Sobre la importancia de los detalles y su función en la obra galdosiana, véase el artículo de Hazel Gold sobre este tema.

ferente de la poesía popular, de las coplas, los cantes andaluces y los romances. Machado, por lazos de familia, estuvo muy expuesto al conocimiento de esa poesía. Su padre, Antonio Machado Álvarez, estudió muchas coplas, y su pariente, Agustín Durán, recogió romances. Así, a pesar de su presencia en la obra galdosiana, Machado se servirá de modelos medievales y populares, y especialmente de la técnica de los romances, en los que el detalle anecdótico y decorativo adquiere un protagonismo fundamental.

Son muchos los críticos de la obra de Machado que han mencionado esa progresiva orientación hacia la realidad que caracteriza a *Campos de Castilla*. Antonio Sánchez Barbudo lo atribuye acertadamente a ese intentar salir de sí mismo, de «las galerías», «con esa mirada hacia fuera», en busca del «otro» (174). El mismo Azorín, en *Clásicos y modernos*, en una de las primeras críticas de Machado, destaca la «objetivización» de sus paisajes (2: 805). Sin embargo, para Machado el concepto de objetividad es negativo (3: 1258)[19]. Desde una perspectiva nuevo historicista tampoco es aceptable el concepto de «objetividad» ya que, para los seguidores de esta línea de pensamiento, ni el texto literario ni los discursos sociales producen representaciones objetivas. De acuerdo con H. Aram Veeser, ningún tipo de discurso, imaginativo o archivado, «es capaz de facilitar verdades inmodificables o dar una visión inalterable de la naturaleza humana» (xi). Partiendo de esta afirmación, mi propuesta es que las múltiples representaciones de la realidad, cambiables y contradictorias, originadas por discursos diferentes en el momento cultural en que vivió Machado, son las que conforman su construcción de la realidad.

Dos críticos, Helen F. Grant y Andrew P. Debicki, han estudiado el tema de la perspectiva y su relación con la realidad en la poesía machadiana. Grant se aproxima al concepto de lo nimio ya que extiende esta objetivación no sólo a las cosas humildes, también incluye a las gentes sencillas, al «elemento humano» (457). Reconoce la predilección que siente Machado por las cosas insignificantes, como las moscas, tan opuesta a la poesía exótica de Rubén Darío y su desprecio por lo vulgar (460). Y para ver la evolución en el tratamiento de lo nimio en la obra de Machado, compara dos poemas de tema y estructura muy parecidos: «Hacia un ocaso radiante» (XIII) de la segunda edición de *Soledades* y «A orillas del Duero» (XCVIII) de *Campos de Castilla*. La diferencia, según Grant, radica en un cambio de enfoque. En el primer poema, el poeta se centra en la melancolía personal mientras que en el segundo, sin perder la emoción lírica, los muchos detalles concretos refuerzan la importancia que el poeta concede a la historia y el respeto que siente por las cosas. En esta misma línea, Andrew P. Debicki

---

[19] Machado, en un escrito titulado «Sobre la objetividad» de *Los complementarios*, presenta su carácter negativo (3: 1258).

ha estudiado cómo Machado se sirve de elementos de la realidad externa para alterar el punto de vista de la voz poética y, por medio de ellos, presentarnos su visión particular de un tema (166, 174). Estas dos aproximaciones serán mi punto de partida ya que lo nimio, con sus referencias a las cosas, a las gentes y al paisaje, permiten una lectura de lo que John Brannigan define como «el proyecto de leer literatura en relación a la historia, la sociedad y la política» (73).

Durante la segunda década del siglo XX, los mismos años en que Machado escribe los poemas de este libro, José Ortega y Gasset encuentra una alteración de la perspectiva en los escritos de Azorín. Ortega, en unos ensayos sobre la «manera española de ver las cosas», descubre en la prosa de Azorín[20] una nueva forma de entender la historia. Según Ortega, a Azorín no le interesa la historia de los grandes acontecimientos. Por el contrario, le atraen «los hechos menudos», los objetos insignificantes, los personajes modestos, la vida dormida de los pueblos. Por eso rechaza lo magnífico, lo genial o lo trágico y busca en todas partes «lo trivial y baladí, lo vulgar», la repetición y la costumbre (330). En palabras de Ortega, Azorín logra de este modo una «genial inversión de la perspectiva» mediante la cual «lo minúsculo» pasa a ocupar el primer plano mientras que «lo grande y lo monumental queda reducido a ornamento» (310). De manera semejante, Machado no ve la historia de España como un gran concepto con mayúsculas. Frente a la falsificación de la gran historia, Machado como Azorín, prefiere las manifestaciones insignificantes de la realidad. A este feliz trastrueque, Ortega lo denomina «primores de lo vulgar», expresión desacertada que propongo reemplazar por la de lo nimio, para destacar un concepto que tiene mucho de innovador y merece ser analizado.

Lo nimio, la crítica y la teoría

Tradicionalmente, el estudio de lo nimio ha sido ignorado tanto por los críticos de la literatura, como por los del arte[21] y la historia. La crítica literaria no ofrece un término único y adecuado. Erich Auerbach emplea una enumeración: «lo cotidiano, lo feo, lo indigno, lo corporalmente inferior», que no resuelve el problema (78). El redescubrimiento del detalle es un lo-

---

[20] Ortega alude a *Lecturas españolas* en el ensayo «Lector...» y a *Un pueblecito* y *Castilla* en «Primores de lo vulgar».

[21] Según Schor, Sir Joshua Reynolds, en sus *Discourses on Art*, resalta especialmente su desdén por el detalle. El rechazo de Reynolds se basa en su propia materialidad ya que atenta contra el ideal de belleza. Para Reynolds, la proliferación de detalles es una amenaza contra lo Sublime (13).

gro de las nuevas teorías literarias. Schor adopta el concepto de «detallismo» vinculado al realismo francés del siglo XIX, concepto que abarca tanto aspectos relacionados con el lujo y las clases altas como la minucia de las bajas (3). Sin embargo, su análisis feminista lo limita exclusivamente al mundo de la mujer, tanto en su aspecto ornamental como en lo cotidiano y, por tanto, su lectura se aleja de nuestro propósito. Desde una perspectiva marxista, Michel de Certeau emplea «lo ordinario», relacionándolo con el hombre secundario, el que carece de reconocimiento social, aspecto muy interesante para nuestro estudio, pero que deja a un lado la preocupación por la naturaleza, esencial en nuestra investigación. Los postestructuralistas franceses también se interesan por el detalle, y Foucault lo ha ampliado incluyendo, además, lo anecdótico y trivial[22]. Este crítico concede al detalle una función esencial en su arqueología del conocimiento, de quienes parten los seguidores del Nuevo Historicismo en su valoración de lo anecdótico. Por su parte, Stanley Fish señala acertadamente que tanto la crítica materialista como la nuevo historicista coinciden en un común interés por dar protagonismo a lo marginal, lo ignorado o lo rechazado (309).

Más sugestiva es la contribución de Norman Bryson, que desde su lectura crítica del bodegón pictórico se refiere a las cosas insignificantes como «lo ignorado». Para Bryson «lo ignorado» es la materia pictórica tradicionalmente rechazada por la escala de valores artística durante muchas épocas de la historia del arte. El modelo tradicional imponía a la mirada un código preconcebido y, de este modo, determinaba la forma de ver del artista que sólo valoraba los objetos que eran símbolos del poder o que admiraba por su singularidad. Así, esa forma de ver no concedía valor artístico a lo insignificante o, usando sus propios términos, «a los objetos que carecen de importancia» (63). Bryson retoma de Charles Sterling dos conceptos pictóricos clásicos de gran interés: la megalografía y la ropografía. La megalografía es la representación pictórica de temas grandiosos y heroicos: batallas, leyendas, grandes acontecimientos históricos. Por el contrario, la ropografía, de *rhopos* que en griego significa objetos triviales, pequeñeces o nimiedades, se ocupa de la representación de las cosas insignificantes, «la base sin pretensiones de la vida cuya "importancia" es constantemente ignorada» (61). Esta materia, que con tanta frecuencia es rechazada, constituye la base de la representación artística del bodegón (61). Este concepto de «lo ignorado» resulta muy interesante, aunque desde el punto de vista de mi investigación sea algo limitado ya que Bryson únicamente lo emplea con respecto

---

[22] Por su parte, Michel Foucault también se sirve del concepto de «detallismo» en *Discipline and Punish*, relacionándolo con el ascetismo y la disciplina en la lucha interior del alma, concepto que luego, en el siglo XVIII, se adopta para el control político y la disciplina militar (141).

a las naturalezas muertas, dejando a un lado tanto la presencia humana —excepcionalmente presente en las pinturas de género—, como el paisaje.

Para Bryson, unos pocos pintores como Juan Sánchez Cotán o Francisco de Zurbarán, se sirven de esta materia tradicionalmente ignorada y la convierten en objeto de su atención, revolucionando con ello las normas artísticas convencionales (63). Cotán altera la forma de ver el mundo, ya que concentra su interés en algo que, por lo general, carece de importancia —el contenido de una despensa—, concediéndole la atención y el tratamiento normalmente reservado a temas solemnes y objetos valiosos[23]. Por su parte Zurbarán, en cuadros como *La Virgen niña* pinta, junto a la figura religiosa, una canastilla de costura y una taza de chocolate. Esto hace que lo mundano y lo sobrenatural convivan juntos —e incluso alteren sus puestos— en el mismo lienzo. El resultado es que lo cotidiano penetra el mundo de lo sagrado y elevado y lo nimio se transforma en algo valioso. De acuerdo con Bryson, ambos pintores logran un *bathos* visual, de lo sublime a lo trivial, «el fin del esplendor artificial y de la grandiosidad exagerada: frente a la visión de la Corte, ellos proponen la del monasterio» (79). El *bathos* produce un efecto de desfamiliarización al pasar lo insignificante a un primer plano que habitualmente no le corresponde, efecto que invita a la reflexión.

Diego de Velázquez es uno de los artistas que mejor logra representar lo nimio. Michel Foucault, en su estudio de *Las Meninas* en *Las palabras y las cosas*, destaca la importancia de un cuadro como artefacto arqueológico, capaz de condensar y representar por sí solo todo un período histórico. Tomando como base esta obra velazqueña, Foucault desarrolla la importancia de la representación y, en su análisis de este concepto, resalta la contribución de algunos de los detalles anecdóticos que en él aparecen: los cuadros de la pared, el espejo y sus reflejos, el misterioso visitante del fondo. De hecho, la atracción que la mirada de Velázquez siente por lo insignificante y el uso de lo nimio como instrumento para alterar la perspectiva se remonta a sus obras tempranas. La predilección por los objetos ya es evidente en los primeros cuadros dedicados a la vida cotidiana y en las pinturas de género, como en *Tres hombres a la mesa* o en la *Vieja friendo huevos*. Con respecto a *Tres hombres a la mesa*, probablemente uno de sus primeros cuadros, Jonathan Brown comenta el interés del artista en incluir varios «elementos inanimados»: un vaso de agua, un pan redondo, un par de granadas y un cuchillo (9). Las cosas, organizadas de modo que recuerdan a un bodegón, imponen un reto al artista que debe resolver las diferentes formas de la re-

---

[23] Según Bryson, «lo que carece de valor se convierte en inapreciable: al atraer la atención hacia este humilde *milieu*, al atrapar la mirada en este palomar espacial, la atención adquiere el poder de transfigurar este lugar común. Y su recompensa es poder dar a los objetos una fascinación equivalente a la de su propia fuerza transformadora» (64).

presentación de la luz, el color y la dureza en la superficie de cada uno de estos objetos. Para Brown estos elementos insignificantes, de materiales y texturas distintos, adquieren importancia ya que se convierten en un ejercicio pictórico sobre la imitación de la realidad (9). Así, los objetos comparten el protagonismo de los hombres sentados a la mesa. Los utensilios cotidianos gozan de mayor primacía en la *Vieja friendo huevos*. De nuevo, el pincel del artista parece recrearse en las cosas que componen el primer plano: la textura de las jarras y cazuelas de barro, los reflejos de los cacharros metálicos, la tersura de la piel de la cebolla, la madera de la cuchara o los diferentes niveles de solidez de la clara de huevo al cocinarse. En ambas obras, los objetos nimios empiezan a cautivar nuestra mirada y comparten el protagonismo de lo que acontece en la escena. Esto es todavía más evidente en otras obras posteriores. *El aguador de Sevilla* muestra a un hombre de clase baja, de pobres vestiduras, que está ofreciendo una copa de agua a un joven y rico comprador, mientras otro parece observarles en la sombra. Sin embargo, lo sorprendente en este lienzo es que el primer plano lo ocupa un cántaro rezumante, un objeto diario al que Velázquez concede, en palabras de Natacha Seseña, el mismo tratamiento que a un rey o una figura real (135). Por un lado, el cántaro es un testimonio de la vida cotidiana[24] —al ser, de acuerdo con Seseña, portavoz de la intrahistoria— lo que le convierte en documento de la época; y al mismo tiempo, materializa en su barro una memoria cultural, ya que podemos vincularlo al mundo artesanal del alfarero que, como el del pintor, produce con sus manos un objeto material (130). De esta forma, el cántaro desplaza la atención del joven noble bien vestido, figura del poder y símbolo del *status* social, que queda relegado a otro plano. Asimismo, deja en un segundo plano la transacción comercial, representada por la fina copa de cristal con agua exquisitamente perfumada por un higo, que ofrece el aguador a su cliente. En cambio, al destacar la vasija de barro, la mirada del artista privilegia a la artesanía, a los oficios humildes y al pueblo.

Esta alteración de la perspectiva se ve más claramente en otra obra, *Las hilanderas*. En el contexto del espacio femenino de un taller de tapices, Velázquez muestra una escena mitológica: el reto de Aracne a la diosa Atenea a tejer un tapiz. Mientras se desarrolla esta escena, unas humildes hilanderas continúan realizando sus tareas rutinarias, ajenas a la batalla mítica. Frente al mundo del poder, con nombres propios y personalidades perfectamente delineadas, el pintor opone el del nombre común, de identidades y representación colectiva. Según Brown, el artista «trata de conciliar el mundo ar-

---

[24] Seseña apunta que la presencia de cacharros de barro, resaltados en un primer plano, en los bodegones sevillanos de Velázquez, son su homenaje a la importante industria alfarera, aprendida de los árabes, que trabajaban junto al Guadalquivir (134).

tificial del mito con el mundo palpable de la realidad visual» (253). En esta misma línea, Bryson opina que Velázquez en este cuadro distingue claramente entre los dos mundos: oponiendo «el arte divino a la simple artesanía, frente al brillo sin esfuerzo del arte cortesano, el trabajo inacabable de la rueca» (153). En mi opinión, Velázquez invierte los planos situando a las artesanas de la rueca y el esfuerzo manual en el primer plano, relegando la representación del poder y el conjuro divinos al segundo. Así, ante el dilema de la separación espacial entre el mundo del trabajo y el del poder y la divinidad, Velázquez debilita la posición privilegiada y enaltece la humilde.

Antonio Machado en «Campos de Soria» (CXIII) ofrece una alteración de la perspectiva semejante. El poema está formado por una serie de viñetas o miniaturas, casi anécdotas, vinculadas por el tiempo —el curso del ciclo anual de las estaciones— y por la preocupación histórica. Los versos presentan una visión estética de la naturaleza que tiene mucho en común con ese sueño de la vuelta a la Arcadia, tan bien comentado por Lily Litvak en relación con otros escritores de fin de siglo[25]. En las primeras secciones, Machado describe el paisaje castellano con la destreza y el distanciamiento de un pintor de una escena arcádica. Sin embargo, su mirada rechaza la visión sublime de lo grandioso —el Moncayo— y se concentra en lo nimio —las margaritas, los pastores envueltos en sus capas—. En posteriores secciones introduce a los habitantes de esas tierras: primero, desde la lejanía, como parte de la visión arquetípica del paisaje mientras labran la tierra; luego, en el mesón, descubrimos su pobreza inescapable, la dureza de sus vidas campesinas, los campos vacíos por la emigración. Como afirma acertadamente Nancy A. Newton, se produce gradualmente una alteración de la perspectiva: a medida que se acortan las distancias, pasamos de la belleza primitiva al reconocimiento de un paisaje habitado por «los habitantes del campo que forman parte de un paisaje eterno e incambiable debido, precisamente, a la pobreza sin esperanza que les ata al medio "natural"» (20). El bucolismo inicial toca fondo cuando Machado introduce la visión de la ciudad de Soria y el estado ruinoso al que ha llegado un sistema todavía basado en el feudalismo.

Volviendo a Velázquez, la representación de dos mundos diferentes se vuelve a repetir en cuadros como *Cristo en casa de Marta y María* y *La cena en Emaús*. Y en esa división, el mundo de la ropografía, de los cacharros y cazuelas, del espacio interior de sirvientas y cocineras, ese mundo femenino

---

[25] Litvak en *Transformación industrial y literatura en España (1895-1905)* trata sobre Unamuno, Valle-Inclán, Azorín y Baroja, pero no incluye a Antonio Machado. Su estudio cubre el período histórico anterior a la publicación de las obras más importantes de Machado. Además, el estudio se refiere sólo a obras en prosa y no incluye poesía. Sin embargo, aunque Machado escriba en verso y más tardíamente, personalmente creo que comparte muchos de los rasgos que Litvak encuentra en esos escritores de fin de siglo.

e ignorado, pasa por la *peripeteia* a ser objeto central de la mirada. Para Bryson, Velázquez logra que las cosas y las rutinas cosifiquen a los personajes, incorporándolos al mundo de lo que no vemos, de lo que ignoramos cuando miramos (155). Para mí, la representación en el primer plano del mundo de lo nimio supone un reto silencioso al poder dominante, al que reduce y encapsula en el plano del fondo. Puesto a elegir entre el mundo elevado de la corte o el artesanal y de los trabajadores, Velázquez no deja de reconocer este último. De manera semejante, Machado incluye en su obra el mundo del *rhopos* de las mujeres. En el prólogo a *Helénicas* de Manuel Hilario Ayuso, para ilustrar su tesis sobre el valor de lo útil en contraposición a lo bello en el arte afirma, parafraseando a santa Teresa, que Dios anda entre los pucheros, pero el poeta matiza que se refería «a los pucheros en que se cuecen garbanzos» (3: 1551). En sus poemas, el trasfondo de la vida doméstica y sus utensilios aparecen, por ejemplo, en el dedicado a la mujer manchega, o en el romance de los hijos de Alvargonzález. Velázquez va más lejos, al introducir en su representación de la realidad el mundo marginal de meninas, enanos y bufones de la corte. De igual modo, el poeta también da protagonismo a los residentes del asilo, los criminales y los locos.

Velázquez y Machado comparten otro interés común: el paisaje. Como pintor de la corte, Velázquez pintó varios retratos reales que tienen como contrafondo los montes de El Pardo, en la sierra del Guadarrama. Las figuras velazqueñas —don Felipe IV, el infante Carlos—, símbolos de la patria, destacan sobre un humilde fondo de encinas. Sin embargo Machado, en «Las encinas» (CIII), mediante la *peripeteia*, rescata a los árboles de los fondos de las escenas cinegéticas velazqueñas y les concede el primer plano, convirtiéndolos en protagonistas únicos. De esta forma, Machado presenta un nuevo *bathos* textual: frente a la concepción de que la patria y la identidad nacional se encarnan en la figura del monarca, propone que se encuentran en los elementos nimios de la tierra y en quienes la trabajan. El poeta, en unas declaraciones de 1908, confirma esta nueva visión: «no es patria el suelo que se pisa, sino el suelo que se labra» (3: 1484)[26].

La apoteosis de lo insignificante en el arte pictórico se produce con los impresionistas y con las nuevas vanguardias del siglo XX, lo que justifica el interés actual por bodegones y naturalezas muertas. Antes que ellos, los pintores realistas franceses Jean-François Millet y Gustave Courbet[27] tratan te-

---

[26] En estas mismas declaraciones afirma: «No sois patriotas pensando que algún día sabréis morir para defender esos pelados cascotes; lo seréis acudiendo con el árbol o con la semilla, con la reja del arado o con el pico del minero a esos parajes sombríos y desolados donde la patria está por hacer» (3: 1484-85).

[27] Diego Angulo Íñiguez informa que con el cuadro *Picapedreros* «el tema del trabajo, como problema, y visto desde su ángulo doloroso, entra en la historia de la pintura» (336).

mas de la vida cotidiana mediante la representación de campesinos o trabajadores, rompiendo así con la hegemonía de la pintura histórica. Además, introducen estos temas sin necesidad de tener un contrafondo que justifique su inclusión. Lo nimio empieza a adquirir autonomía dentro del texto artístico. Sin embargo, son los impresionistas quienes llevan esta revolución a sus extremos. Renuevan la perspectiva con encuadres insólitos, se sirven de la fragmentación y la inclusión de puntos de vista distintos y dan prioridad a la luz y lo fugitivo. También incorporan temas nuevos, especialmente escenas de la vida diaria en la ciudad y en los paisajes del campo. Esta revolución temática justifica cualquier representación pictórica, ya trivial o tomada directamente de la vida inmediata, como digna de ser incluida en una obra de arte. Este planteamiento hará posible que unas botas viejas, unos humildes girasoles, unas sillas de enea o unas bailarinas ensayando se conviertan en materia de representación artística. De manera semejante, en la España de finales de siglo XIX y principios del XX, Isidro Nonell dedica un lienzo a pintar una humilde azotea, Joaquín Mir dedica otro a un huerto y una encina, y Darío de Regoyos escogerá como tema un gallinero.

De los «primores de lo vulgar» a lo nimio

La expresión acuñada por Ortega de «primores de lo vulgar» fue bien acogida por la crítica[28]. Sin embargo, el propio Azorín reconoce en otros escritores de la época su común interés por lo insignificante[29]. Además, el término «vulgar» presenta problemas. El *Diccionario* de la Real Academia Española lo define como algo perteneciente al vulgo o impropio de personas educadas, aunque recoge su carácter de común o general, por contraposición a especial o técnico. Lo vulgar subraya también algo despectivo.

A principios de siglo, lo vulgar tenía otras connotaciones. Miguel Enguídanos, en su estudio sobre las obras literarias del período 1870-1930, identifica vulgaridad con chabacanería (9)[30]. Laín Entralgo hace referencia

---

[28] El término orteguiano de «vulgar» gozó de aceptación. Como ejemplo véase la reseña sobre un libro de Alonso Zamora Vicente, sobre escenas de la vida diaria madrileña, escrita por Marcel Bataillon.

[29] Azorín aceptó la definición orteguiana y su importancia pero la extendió al resto de su generación. En *Madrid* comenta: «Ahí radica la diferencia estética del 98 con relación a lo anterior. [. . .] Lo que no se historiaba, ni novelaba, ni se cantaba en la poesía, es lo que la generación del 98 quiere historiar, novelar y cantar» (865).

[30] Enguídanos habla además de la importancia de sainetes, folletines, revistas cómicas, zarzuelas y parodias de la época que reflejan el ambiente castizo de chulos y chulapas de Madrid y cómo ese mundo y su habla ejerció una influencia en las obras de autores de la época, como Arniches y Valle-Inclán.

al ambiente superficial y vulgar en la España de finales del siglo XIX. De acuerdo con Aurora de Albornoz, Unamuno, Machado y muchos de sus contemporáneos emplean términos semejantes para acusar despectivamente al español medio de falta de interés y compromiso con los problemas vitales[31]. Unamuno lo usa para describir el espectáculo deprimente del estado mental y moral de la sociedad española[32]. Machado también recoge este tipo vulgar y amodorrado, como se ve en los versos «Del pasado efímero» (CXXXI), en los que asocia la ramplonería burguesa con el señorito provinciano, cuyo semblante: «es el vacío / del mundo en la oquedad de su cabeza» (7-8). Por todo ello, la expresión orteguiana «primores de lo vulgar» parece estar excesivamente asociada a un ambiente de la España del momento.

El propio Ortega en su ensayo «Lector...», al reconocer la importancia de la visión azoriniana basada en las menudencias, alude a ella empleando otra expresión que parece más adecuada, «lo nimio» (66), y su plural, «nimiedades» (67). Ortega reconoce su intención de meditar en sus ensayos tanto sobre temas importantes como sobre «las cosas más nimias», tales como detalles del paisaje español, modos de hablar de la gente del campo, aspectos de los cantos y danzas populares o los estilos de traje y utensilios (60). Para Ortega, la importancia de las nimiedades radica en que son «manifestaciones menudas» que descubren la intimidad de un pueblo (60). Además, es un término semánticamente más abarcador. El *Diccionario* de la Real Academia lo define como algo «insignificante, sin importancia», aunque limita su uso a cosas no materiales en general. Según Corominas, el término se incorporó al castellano hacia 1690 —Covarrubias no lo recoge pero sí lo incluye ya el *Diccionario de Autoridades*—. El término procede del latín *nimius* que significa excesivo o demasiado, pero, por una inversión paradójica, este sentido fue evolucionando por un mal uso, hasta significar hoy lo opuesto: «insignificante» y «minucioso». María Moliner incluye una tercera acepción: «aplicado a las personas o a lo que hacen o dicen, escrupuloso, minucioso o prolijo». Insignificante o nimio puede ser un personaje, un momento, un espacio o un objeto, pero todos ellos pueden llegar a compartir una característica común esencial: su carencia de grandiosidad. Lo nimio no es necesariamente pobre o humilde, aunque en la mayoría de los casos lo es. En un contexto social elevado o en las obras canónicas, también podemos encontrar algo nimio: aquello que parece más modesto o pasa más

---

[31] Aurora de Albornoz incluye una relación de los términos sinónimos empleados por Unamuno: «uniformidad, mediocridad, trivialidad» junto a otros más fuertes, «amodorramiento, garbanzonería» y, especialmente, «ramplonería» (214).

[32] Unamuno escribe: «Pesa sobre todos nosotros una atmósfera de bochorno; debajo de una dura costra de gravedad formal, se extiende una ramplonería contenida, una enorme trivialidad y vulgachería» (citado por Albornoz 218).

desapercibido en ese contexto. La atención del artista lo saca de ese segundo plano, al que pertenece, pasándolo a un primero. Su importancia nace en el momento en que el artista lo escoge como objeto de su contemplación. En esto estriba su valor. La consideración que el artista presta a lo nimio torna en poética su humilde existencia.

El término tiene limitaciones. Comparte con otros conceptos —lo vulgar, lo ordinario, lo simple, lo humilde, lo cotidiano— un aspecto negativo. Nimiedades en plural tiene carácter peyorativo, connotando cierto desprecio o excesiva prolijidad. Es importante resaltar el carácter negativo de términos que refieren al mundo de lo modesto, sencillo y cotidiano. Reflejan un desprecio cultural, un rechazo del mundo artístico y literario mantenido durante siglos, a todo lo perteneciente a las clases sociales bajas, al espacio interior y cerrado del mundo de las mujeres, o al abierto y masculino de los hombres del campo, a todo lo anecdótico e insignificante. Desde esta perspectiva, la incorporación de lo nimio al mundo artístico supone una gran revolución.

I
El contrapunto medieval

Antonio Machado, como otros autores de la época, siente una especial atracción por la historia que se basa, como bien ha apuntado Biruté Ciplijauskaité, en el rechazo de «la retórica de los manuales» oficiales, y en cambio prefiere «los pequeños hechos de la vida cotidiana de personas corrientes» («Espejos» 15). La postura de Machado ante la historia es, en este sentido, semejante a la de Azorín, ya que ambos escritores no se interesan por los héroes o lo que los franceses llaman *grand récit*. Por el contrario, prefieren el tono anecdótico de las *petites histoires* que incluyen en sus escritos aspectos de la vida diaria de los héroes, o dan protagonismo a los personajes secundarios, y que, adornadas de detalles nimios, implantan en el texto literario la presencia de lo cotidiano y lo marginal[1]. Estos detalles anecdóticos introducen lo que Gallagher y Greenblatt definen como experiencias vivas que reflejan la vida diaria del momento y, al mismo tiempo, son una toma de postura del poeta ante la realidad (30). La concepción de la historia de Machado y Azorín se aproxima a la del Nuevo Historicismo. Ambos autores sienten una fascinación por el pasado que no se materializa en un interés por los documentos de archivo y, en cambio, prefieren los textos literarios como fuentes de la historia. Además, como Auerbach y sus selecciones textuales, los dos se dejan seducir por un fragmento de un texto primitivo, por una anécdota textual, que les sirve de motivo inspirador de sus propias creaciones.

La preocupación histórica de Machado crece con su llegada a Soria. En esa región descubre la hondura de los problemas de España. El contacto directo con sus gentes y la pobreza de sus tierras le llevan a comprender de primera mano el «marasmo» español que habían empezado a criticar antes los «regeneracionistas» y otros escritores de la época. Como otros intelectuales, vuelve la vista atrás e indaga en el pasado intentando analizar las razones de ese estado y encuentra en la Edad Media un modelo esperanzador. No es el único. Otros intelectuales del momento también vuelven al pasado

---

[1] Sobre este tema, véase el artículo de Joel Fineman.

histórico. Les mueve, por un lado, y como la crítica tradicional ha resaltado hasta la saciedad, la búsqueda de una identidad nacional, tras el desastre español, que aspiran a encontrar en los textos medievales. Pero además les motiva su rechazo a la creciente civilización urbana y a las soluciones propuestas por la sociedad industrial, reacción que venía ocurriendo en otros países europeos occidentales.

Lily Litvak, en su estudio sobre la *Transformación industrial y literatura en España (1895-1905)*, considera que los intelectuales de esa generación veían en el medioevo el «modelo de una sociedad mejor» (181). La vuelta hacia la Edad Media no era nueva. Prueba de ello es la atracción medievalista de muchos escritores del XIX, especialmente del movimiento romántico —desde el duque de Rivas, Larra, Zorrilla hasta Bécquer— y que también se observa en artistas y arquitectos de fines del ochocientos, como el movimiento neogótico. La diferencia, según Litvak, es que los románticos la concebían como algo decorativo, mientras que a los noventayochistas les anima una preocupación más honda que, además, no es sólo de origen español (183).

A finales del siglo XIX y principios del XX, llegan a España las influencias de John Ruskin, William Morris y la escuela artística de los prerrafaelistas ingleses. Unamuno fue pionero en introducir a Ruskin, como ha demostrado Litvak en varios trabajos[2]. La difusión de las ideas de Ruskin, Morris y los prerrafaelistas hará que el interés de los noventayochistas por la Edad Media se convierta también en un ideal social. El desencanto producido por la civilización industrial condujo a estos intelectuales a buscar un período anterior a la mecanización. Según Litvak, la época medieval era para ellos «como una arcadia feliz», en la que el sistema artesanal era una quimera que contrastaba con la deshumanización industrial (183). Frente a la armonía feudal de una sociedad muy jerarquizada pero que protegía a los humildes, destacan los conflictos políticos y sociales del presente (184). La antigua atención artesanal al detalle es ahora suplantada por la producción de objetos en masa (19). Esto justifica, según Litvak, la atracción por el medievalismo de fines de siglo que yo hago extensivo a Machado.

La preocupación por la identidad de lo español lleva a los del noventayocho a redescubrir los orígenes de la lengua y la literatura movidos por el afán de definir una conciencia propia. Rechazan el Barroco —a excepción de Lope— y reconocen a los autores primitivos como modelos[3]. Laín En-

---

[2] Sobre este tema, véase el artículo de Litvak sobre Unamuno («Ruskin») y el capítulo 1 de su estudio *Transformación social y literatura*.

[3] Fox, en su artículo «"La Generación de 1898" como concepto historiográfico», hace distinciones importantes entre los escritores de la llamada generación del 98 con respecto a estos temas. Afirma que la predilección por los poetas primitivos no interesó a todos por igual. Es cierto que no preocupó ni a Unamuno, ni a Maeztu o Baroja, como apunta el críti-

tralgo encuentra en esto un rasgo esencial de la generación y lo atribuye a una reacción lógica contra la literatura ampulosa de la época anterior. Frente a la artificiosidad literaria de Castelar o Echegaray, los nuevos escritores prefieren la sencillez de los primitivos (225). Ángel Valbuena Prat afirma que cuando la generación del 98 descubre estéticamente el paisaje castellano, esto les conduce a recuperar la olvidada gesta del Cid, que a mediados del XIX se había empezado a valorar gracias a los esfuerzos de Milá y Fontanals, y más tarde de Menéndez Pidal (1: 57). En esta línea, Azorín inicia sus *Clásicos y modernos* con escritos sobre el anónimo juglar del Cid, Gonzalo de Berceo, Juan Ruiz y Jorge Manrique. Son los mismos poetas que interesan a Machado[4].

Con la vuelta de los escritores de fin de siglo hacia lo medieval, además de revalorar lo artesanal, que en Machado se traduce en su preferencia por los campesinos, se produce una comunión de intereses y preocupaciones artísticas. Un tema común entre los escritores medievales y los de la generación del 98 es su atracción por la naturaleza. En los medievales, especialmente en sus relatos alegóricos, se detecta una profusión de elementos vegetales y animales que reflejan la seducción del artista por el mundo natural. En los noventayochistas, la descripción del paisaje se convierte en rasgo esencial y definidor. Otro punto en común es que unos y otros aspiran a ser entendidos. Si los del noventayocho huyen de la literatura ampulosa y optan por un lenguaje directo, a los medievales les mueve un ánimo divulgador, de aproximación al pueblo. De acuerdo con Alan Deyermond, el hombre medieval entendía el mundo y su lugar en él como una «miniatura o un microcosmos» (7). Esta representación influyó mucho en la literatura y el arte de la época. Los poetas medievales aspiraban a forjar una identidad nacional, como reflejan las epopeyas, pero junto a las hazañas heroicas, incluyen temas de la vida diaria, como vemos en escenas cotidianas esculpidas en los claustros[5] o grabadas en pergaminos de la época. Estas escenas anecdóticas entretejidas en la narración son el precedente de lo nimio.

---

co, aunque sí la encontramos en otros, como Azorín y los hermanos Machado. Lo mismo ocurre con otra de las características, considerada por algunos como definidora de la generación y que Fox pone en tela de juicio: el afán por reevaluar la literatura española. Aunque este rasgo no se da con la misma intensidad en todos los escritores del grupo, la encontramos en varios de ellos, destacando también en Azorín y los Machado.

[4] En una carta a José Ortega y Gasset, escrita en 17-7-1912, dice Machado: «Yo creo que la lírica española —con excepción de las coplas de don Jorge Manrique— vale muy poco, poquísimo [. . .]. No es ésta una impresión sino una opinión madura. He dedicado muchos años de mi vida a leer literatura nuestra. Hay poesía en el poema del Cid, en Berceo, en Juan Ruiz y sobre todo, en romances, proverbios, cuentos, coplas y refranes» (3: 1512).

[5] Angulo recoge como ejemplo la escena del escultor trabajando que se encuentra en el claustro de San Cugat, en las cercanías de Barcelona (115).

Lo nimio —detalles insignificantes del paisaje, gentes humildes y cosas cotidianas— no sólo contribuye a la emoción poética, sino que introduce en el texto aspectos de la realidad que configuran a la sociedad y cultura medieval. Machado coincide con este interés medieval por lo nimio como elemento que introduce otros discursos en la representación y rompe las fronteras entre el texto y el contexto. Estos detalles anecdóticos contribuyen a reafirmar la narración. Pero además, como dice Joel Fineman, son herramientas valiosas porque provocan un replanteamiento del texto a la luz de esa información contextual ya que, a través de ellos, se abren posibilidades a otros discursos, se hacen oír otras voces (61).

En este capítulo estudio la presencia de lo nimio en las obras de tres poetas primitivos —el juglar anónimo del Cid, Berceo y Manrique—, como elementos representativos de la realidad que configuran los textos medievales así como su impacto en la obra de Machado[6].

Antonio Machado y el «Poema del Cid»

Uno de los rasgos más sobresalientes del *Poema del Mio Cid* es la convivencia estilística entre lo grandioso y lo insignificante, en lugar de la separación entre el mundo elevado y el bajo que, como señala Auerbach, era práctica común en la literatura occidental a partir de la antigüedad griega[7]. La materia poética se presenta, como en los tapices, con su anverso y su reverso: los aspectos heroicos y la intimidad antiheroica; el relato de batallas y la vida cotidiana.

Los detalles nimios sazonan toda la obra, si bien responden a la simplicidad y economía de estilo que, según Colin Smith, caracterizan al poema (117). Los muchos detalles anecdóticos de la narración apenas interfieren en la historia y están construidos, como afirma Smith, con «materiales ordinarios» (117). Un ejemplo es la escena de Burgos: la patada en la puerta, la niña de nueve años, el miedo de los burgaleses (versos 31-50). El juglar relata una microhistoria dentro de la historia. En ella, los detalles conjuntan los personajes de la narración con la emoción de quienes la escuchan o leen.

En general, los detalles sirven para introducir aspectos de la vida de la época, para humanizar a los personajes, o romper la solemnidad del texto.

---

[6] Bartolomé Mostaza subraya que para entender la relación de Machado con las cosas, especialmente las integradas en el paisaje, hay que relacionarlo con la poesía española, sobre todo con Berceo, *Mio Cid* y Juan Ruiz (623).

[7] Erich Auerbach estudia con detalle la separación estilística entre lo grandioso y lo vulgar en las distintas épocas literarias en su búsqueda de «la historia literaria de la conquista de la realidad moderna» en *Mimesis* (331).

Saber que el Cid es propietario de unos molinos da idea de la vida cotidiana del héroe cuando no se gana la vida como caballero, presentando así otra dimensión del personaje (3379). La mención del sombrero de Vélez Muñoz, con el que apaga la sed de sus primas tras la «afrenta de Corpes» y del que especifica «que nuevo era e fresco —que de Valençial sacó—» (2800), destaca su humanidad frente a la brutalidad de los infantes de Carrión. Para Emilio Orozco, «el juglar no olvida lo externo cuando es expresivo de la intimidad de lo humano, cuando es gesto o expresión de lo individual» (71).

Con respecto al protagonista, el juglar muestra en el poema tanto su imagen pública como su dimensión personal. La presencia de lo nimio contribuye a resaltar la faceta humana. Vemos un ejemplo en el inicio del destierro. El juglar emplea el *rhopos*, las cosas y animales cotidianos, para hacer más dramático el momento de la partida, cuando el Cid tiene que abandonar Vivar, descargando sobre lo nimio la emotividad de la escena:

> De los sos ojos—tan fuertemientre llorando,
> tornava la cabeça—i estávalos catando.
> Vío puertas abiertas—e uços sin cañados,
> alcándaras vázias—sin pielles e sin mantos
> e sin falcones—e sin adtores mudados. (1-5)

El dramatismo del castigo real se plasma en la separación del protagonista de una serie de objetos personales: puertas, candados, perchas, pieles, mantos. Y unos animales: halcones, azores. Es apenas un boceto de su feudo, un inventario de aquello que compone su escenario cotidiano. Basta una breve relación de enseres entrañables para transmitir su estado de desolación. La enumeración intensifica y hace más profundo el dolor de la separación. Señala Joaquín Casalduero que «a las puertas abiertas y sin candados, a las perchas vacías confía el poeta con toda seguridad el significado del castigo impuesto por el Rey. Las cosas no están por sí mismas, sino que apuntan a un significado» (28). El poeta selecciona lo descriptivo para narrar un estado psicológico. Y, a su vez, el estado anímico transforma esa parcela de la realidad.

Pero el juglar no se limita a describir al Cid o las hazañas bélicas de los héroes cristianos o moros. Estos versos también están poblados por vasallos, mujeres, niñas, monjes, comerciantes judíos y pacíficos habitantes dedicados a sus faenas campestres. Son personajes que aparecen de pasada, apuntes anecdóticos, muchas veces figuras en la distancia, de las que sólo se menciona su presencia. Recuerdan a los campesinos silenciosos que habitan los versos machadianos. Son personajes de la realidad que introducen en el relato histórico el contrapunto de lo que Gallagher y

Greenblatt llaman «las contrahistorias», detalles anecdóticos que agujere-
an el texto marcando en él las huellas de lo accidental, lo suprimido, lo
derrotado o lo marginal (52).

El Cid, hombre «que se gana el pan»

Juan Luis Alborg señala la importancia de los detalles humanos del Cid
y cita como ejemplo el trato a su esposa e hijas, como se ve en la emocionada despedida en San Pedro de Cardeña (1: 58-59). En esta misma línea,
Pedro Salinas resalta el reencuentro de los esposos en Valencia (*Ensayos* 45-
57). Los detalles sobre la verdura de la huerta, la belleza del paisaje y la llegada de la primavera contribuyen a la emotividad. Sin embargo, de esta escena, a Machado le interesa algo todavía más nimio. En una de sus prosas
escritas durante la guerra civil comenta que cuando el Cid, el señor como
le reconocen hasta sus propios enemigos, va a romper el cerco moro en Valencia, llama a su mujer y sus hijas para que le vean «cómmo se gana el
pan» (1644), es decir, en su trabajo cotidiano: «con tan divina modestia
habla Rodrigo de sus propias hazañas» (4: 2164). Este detalle destaca la dimensión humana del héroe, pero sobre todo, resalta la dimensión política
y social.

Para Machado, este aspecto de la figura del Cid como hombre que se
gana la vida y la honra con su trabajo es importante. Machado identifica al
Cid con el representante del pueblo que aspira a la democracia, mientras
que los dos infantes de Carrión, vengativos y cobardes, son «aquellos dos
señoritos felones, estampas definitivas de una aristocracia encanallada» (4:
2165). Alude en este escrito a un comentario de alguien —no precisa
quién— que ve en el *Poema* la lucha entre una democracia emergente y una
aristocracia declinante, y añade: «Yo diría mejor, entre la hombría castellana
y el señoritismo leonés de aquella centuria» (4: 2165). Machado encuentra
que ese pasado histórico pervive en el presente: la honrada gente del campo,
que busca ganarse el pan con su trabajo, frente a la vieja nobleza que hereda
títulos y tierras sin poner esfuerzo. La situación descrita en los versos cidianos es muy parecida a la del nuevo señorito burgués, abúlico y aburrido,
tan bien descrito en los versos machadianos. En palabras de Predmore, este
burgués ha adoptado los modos de vida señoriales y pertenece también a la
clase ociosa, aunque no goza de su pasado glorioso ni de su tradición
(«Emoción» 221). Es ésta una de las preocupaciones dominantes de *Campos
de Castilla*. El tema de los labradores frente a la aristocracia y el decadente
sistema feudal aparece en poemas como «Campos de Soria» (CXIII) y en
«Los olivos» (CXXXII); y el del señoritismo, en «Del pasado efímero»
(CXXXI) y «El mañana efímero» (CXXXV). Estos poemas fueron escritos

en Baeza, a excepción del primero, y que, de acuerdo con Predmore, marcan una postura claramente democrática del poeta, así como su evolución histórica y progresista, definitivamente superadora de la visión «noventayochista» («Emoción» 231).

El Cid y Machado: la pasión por la tierra

El descubrimiento de Castilla lleva a Machado a reencontrarse con el relato cidiano. La vinculación a esa tierra es un rasgo común en ambos poetas[8]. En una entrevista de 1938 confiesa ser un hombre sensible al lugar donde vive: «La geografía, las tradiciones, las costumbres de las poblaciones por donde paso, me impresionan profundamente y dejan huella en mi espíritu» (4: 2278). Tras reconocer la riqueza de las tradiciones poéticas e históricas de Soria, añade: «Allí, entre San Esteban de Gormaz y Medinaceli, se produjo el monumento literario del poema del Cid» (4: 2278). Este bagaje, unido a sus propias circunstancias personales —el amor a su mujer, su breve matrimonio y la muerte de su esposa— tuvieron un enorme impacto en él: «Viví y sentí aquel ambiente con toda intensidad» (4: 2278). Además, como él mismo reconoce, un conjunto de factores —el contacto con el pueblo, sus paseos y «manías andariegas»— condicionaron incluso la elección de estrofa: «En Castilla empleé el romance, que buscaba el entronque con nuestros viejos poemas de gestas», como después en Andalucía sería el cantar (4: 2279). Esta influencia se refleja en *Campos de Castilla*. Machado alude a la figura del Cid en «A orillas del Duero» (XCVIII):

> Castilla no es aquella tan generosa un día,
> cuando Myo Cid Rodrigo el de Vivar volvía,
> ufano de su nueva fortuna y su opulencia,
> a regalar a Alfonso los huertos de Valencia; (51-54)

Machado mantiene el arcaísmo «myo» subrayando así el carácter medieval del personaje. Sin embargo, de manera semejante a la de Azorín con los personajes clásicos, altera el contenido del regalo cidiano al monarca cam-

---

[8] En un discurso pronunciado en el homenaje a Pérez de la Mata afirma Machado: «Y si vosotros, los hijos de la estepa soriana, tan fecunda en hombres de espíritu potente, donde acaso naciera el glorioso y anónimo juglar que inauguró la epopeya de Castilla con la Gesta de Myo Cid, sentís en vuestros corazones, al par del orgullo patriótico, cierto legítimo orgullo regional, no será, creo yo, solamente por haber nacido en este trozo del planeta, en medio de estas tierras sombrías y desoladas, será también y sobre todo, porque evocáis en vuestra memoria nombres y hechos gloriosos y sentís que a ellos os unen vínculos de la sangre y de la tierra» (3: 1488).

biando los caballos por huertos. Francisco López Estrada señala que este cambio es una invención de Machado, con la intención de asociar a don Rodrigo con la tierra y convertirlo en representante de Castilla (*Los «primitivos»* 212). Esta alteración es importante porque resalta la vinculación del protagonista con la tierra. El drama del Cid radica en que, injustamente, tiene que abandonar sus tierras castellanas y, en el exilio, busca ganarse el perdón real conquistando otras. Un castigo que, según comenta Joaquín Casalduero, era una de las penas máximas del hombre medieval (27). Por su parte Machado, en este poema, al contemplar el paisaje castellano lo describe mediante una enumeración de elementos nimios que reflejan su preocupación por el panorama actual. Una tierra:

> de campos sin arados, regatos ni arboledas;
> decrépitas ciudades, caminos sin mesones,
> y atónitos palurdos sin danzas ni canciones
> que aún van, abandonando el mortecino hogar,
> como tus largos ríos, Castilla, hacia la mar! (36-40)

Los campesinos también se ven obligados a abandonar sus campos y marcharse a otro doloroso destierro: el de la emigración. Y en esta tierra, antes madre de figuras heroicas castellanas, de «antiguos capitanes» como el Cid, tras esta diáspora, hoy sólo quedan «humildes ganapanes» (50) o «filósofos nutridos de sopa de convento» (61).

La estética de lo nimio en el paisaje

El paisaje castellano, que tan hondo impacto tuvo en Machado, aparece ya descrito en el *Poema*. Por ser un texto medieval, la representación del paisaje cidiano apenas está esbozada. Aún así, como afirma Orozco, destaca por su «auténtico sentimiento de la naturaleza» (68). Kenneth Clark afirma que el paisaje pictórico deja de ser en la Edad Media mero ornato decorativo del fondo de un cuadro y empieza a adquirir rasgos propios (1). Los primeros paisajes medievales, según este crítico, se limitan simplemente a la representación de espacio y luz (1). En el poema del Cid, el espacio aparece ya en uno de los primeros versos tras el fragmento inicial perdido. La primera descripción castellana nos llega por boca de Alvar Fáñez, uno de los leales: «convusco iremos Çid—por yermos e por poblados» (tirada 1, reconstruida y sin número de versos). Un simple apunte de enorme interés. Estos campos yermos representan el paisaje castellano en toda su crudeza. Machado los representa con idéntica expresión en «A orillas del Duero» (XCVIII): «¡Oh, tierra triste y noble, / la de los altos llanos y yermos y roquedas» (34-35) y en «Orillas del Duero» (CII) vuelve a insistir: «río / que surca de Castilla el yermo frío» (39-40). Campos yermos que son reflejo de una realidad física pero también sociológica —tierra despoblada tanto en el poema medieval como en los de Machado—, y psicológica —tierra de soledad y abandono— para ambos poetas. En el poema medieval encontramos descripciones selectivas y sobrias del paisaje, sobre todo del castellano, en perfecta sintonía con el tono austero del poema:

> De noch passan la sierra—vinida es la man
> e por la loma ayuso—pienssan de andar.
> En medio d'una montaña—maravillossa e grand. (425-27)

Señala Clark la importancia que tienen las montañas y el bosque en el paisaje pictórico medieval como representación de lo tenebroso y lo desconocido (17). En el poema cidiano, las montañas destacan por su grandeza como, por ejemplo, vemos en la salida hacia el destierro, contribuyendo a acentuar el desamparo del protagonista. También aparece el bosque temible, señal de peligro y abuso, como encontramos en el robledal de Corpes: «los montes son altos—las ramas pujan con las nuoves» (2698). Es un paisaje que anticipa la tragedia, semejante al de la laguna Negra que Machado describe en «La tierra de Alvargonzález» (CXIV): «Era un paraje de bosque / y peñas aborrascadas» (675-76). Y más adelante: «En el hondón del barranco / la noche, el miedo y el agua» (685-86). Además de este paisaje tenebroso, ambos autores recogen otros en los que destaca la preferencia por lo cotidiano. En el *Poema*, junto a las tierras yermas que mencionamos antes, aparecen oteros y lomas: «en la glera posava» (56); «e por la loma ayusopienssan de andar» (426) o «en un otero redondo,-fuerte e grand» (554). Y Machado prefiere, como veremos, una geografía semejante: colinas, peñas, alcores.

Otra característica de la representación pictórica del paisaje en el mundo medieval es, según Clark, la presencia de la luz, que debe ir acompañada de un atributo esencial: «una respuesta emocional a la luz» (49). En este sentido, las breves descripciones del poema cidiano van acompañadas, de acuerdo con Orozco, de un sentimiento elemental y primario ante el ritmo de continuidad de la vida: la emoción que produce el amanecer, la triste llegada de la noche o la alegría de la primavera, expresada en forma de reacción espontánea y emocionada (70): «Ixie el sol—¡Dios, qué fermoso apuntava!» (457), al salir el sol; o «El ivierno es exido—que el março quiere entrar» (1619) describe el juglar cuando el Cid muestra Valencia a su mujer e hijas. Alegría semejante que también encontramos en muchos versos machadianos, como en «Orillas del Duero» (CII): «¡Primavera soriana, primavera / humilde» (1-2). En el texto medieval, las alusiones a la luz se centran sobre todo en referencias al día y la noche —«Passe la noche—e venga la mañana» (1122)—, que permean al poema de un fuerte sentido temporal. Preocupación que también comparte la poesía machadiana: «Es una hermosa noche de verano», indica en el poema con ese título (CXI). Pero el juglar, además de indicar la hora específica mediante la vista, la luz y la oscuridad, también lo hace con el sonido.

Los sonidos tienen importancia, especialmente en un poema oral, porque introducen otro sentido, el oído, al ya omnipresente de la vista, añadiendo así otra perspectiva. En el poema se citan sonidos que corresponden a momentos importantes, con motivo de las batallas —alaridos, arengas, invocaciones religiosas a Dios, a Santiago o a Alá, tambores de guerra, fragor de armas—, pero junto a ellos están presentes los de la vida ordinaria, y de éstos quiero destacar dos: los cantos de los gallos y los tañidos de campanas. Dos detalles nimios de la vida de todos los días que, además de contribuciones estéticas, son formas de aludir al paso del tiempo.

En el poema anónimo, oímos el canto del gallo al amanecer, canto que se escucha repetidas veces, como cuando dice el juglar en un verso inolvidable retomado por García Lorca: «Apriessa cantan los gallos—e quieren crebar albores» (235)[9]. Comenta Orozco sobre este canto que, si por un lado es un índice del ambiente rural, de la vida del hombre en contacto con la naturaleza, es ante todo la expresión del «agudo sentir del paso de las horas» (78). Ricardo Gullón al estudiar el tema del tiempo en Machado, distingue dos categorías: el tiempo cronológico y el psicológico (*Poética* 157). Estas categorías son válidas también para el canto del gallo en el poema medieval. El gallo es una manera sonora de referirse a una hora concreta del día, la del amanecer. Además es una forma de aludir al tiempo psicológico del héroe, cuando tiene prisa por abandonar Castilla, o cuando debe comenzar una batalla para recobrar su honor tras la deshonra del juramento: «ca ha mover mío Çid—ante que cante el gallo» (169).

Machado en el poema dedicado a Azorín titulado «Desde mi rincón» (CXLIII) incluye unos versos que, según Ribbans, son una exhortación al compañero que se había dejado llevar por el conformismo, animándole a tomar parte en el futuro español (*Campos* 78):

> Para salvar la nueva epifanía
> hay que acudir, ya es hora,
> con el hacha y el fuego al nuevo día.
> Oye cantar los gallos de la aurora. (97-100)

---

[9] García Lorca intertextualiza este verso cidiano, adaptándolo al castellano moderno, en los dos primeros versos del «Romance de la pena negra»: «Las piquetas de los gallos / cavan buscando la aurora» del *Romancero gitano*.

Los gallos anuncian el amanecer de España, el despertar de un nuevo día político. Sin embargo Machado, para reflejar el paso del tiempo se fija con más frecuencia en otras aves: las cigüeñas. Los que conocen bien Castilla y están familiarizados con sus crudos inviernos, saben la importancia que tiene la aparición de las primeras cigüeñas que anuncian la llegada esperanzadora de la primavera. Ya en «Orillas del Duero» (IX), incluido en *Soledades. Galerías. Otros poemas* y escrito en su primera visita a Soria, leemos:

> Se ha asomado una cigüeña a lo alto del campanario.
> Girando en torno a la torre y al caserón solitario,
> ya las golondrinas chillan. Pasaron del blanco invierno,
> de nevadas y ventiscas los crudos soplos de infierno. (1-4)

Y en esta misma colección, en el poema «¡Oh tarde luminosa» (LXXVI), la torpe cigüeña tiñe de felicidad la tarde primaveral: «¡Oh tarde luminosa!» (1) en la que la «La blanca cigüeña / dormita volando» (3-4). Y más adelante:

> La blanca cigüeña,
> como un garabato,
> tranquila y disforme, ¡tan disparatada!,
> sobre el campanario. (12-15)

La cigüeña, como dice Bartolomé Mostaza, se convierte en ave que despierta alegría en este poema con tono de travesura (639).

Alessandro Martinengo ha estudiado esta obsesión machadiana por las cigüeñas y explica la importancia gráfica —formación al volar que asemeja a las letras V o Y— y simbólica que el vuelo de estas aves migratorias tenía para los latinos, así como menciona un soneto de Quevedo en el que alude a ellas y que bien pudo conocer Machado. La idea de presentarlas sinestésicamente como un garabato procede, según este crítico, de Paul Verlaine. En su segunda obra, Machado había recogido la presencia torpe y casi cómica de su apariencia física, mediante la exploración de un lenguaje simbolista, presencia que está unida a la alegría que provoca la llegada de esas aves. En *Campos de Castilla* acentúa más aún el aspecto temporal de esta imagen, resaltando el renacer de la tierra y acompañándola de adverbios de tiempo, como vemos en el poema «Pascua de Resurrección» (CXII):

> Ya sus hermosos nidos habitan las cigüeñas,
> y escriben en las torres sus blancos garabatos. (16-17)

La diferencia es que el matiz temporal ya no es siempre alegre. Desde Baeza, tras la muerte de su mujer y al recordar su estancia en Soria, la venida de la nueva estación y de las aves migratorias está ahora vinculada, como dice Martinengo, a «recuerdos del pasado y angustia del presente» (210). Machado en «Recuerdos» (CXVI), escrito en Andalucía, piensa en la llegada de la nueva primavera soriana «como un escalofrío», que cruza «el alto solar del romancero», al que imagina habrán ido llegando las aves migratorias: «tendrán los campanarios de Soria sus cigüeñas» (18). Ahora la vuelta de las cigüeñas ha adquirido un tono melancólico, como se ve también en este otro ejemplo de «A José María Palacio» (CXXVI), en el que aparece de nuevo el adverbio reafirmando la dimensión temporal. Sin embargo, el uso del futuro hipotético —como en el verso antes citado de «Recuerdos» (CXVI)—, subraya la ausencia de los que no pueden contemplar la llegada de la primavera en Soria:

> Por esos campanarios
> ya habrán ido llegando las cigüeñas. (17-18)

La progresión temporal de los verbos escogidos por el poeta refuerza el paso del tiempo: las estaciones, como las cigüeñas, siguen pasando, impasibles al dolor y a la ausencia del poeta. Este eterno y monótono sucederse de las aves le lleva a establecer una comparación con el ritmo del turno político de la España de principios de siglo, como vemos en «Del pasado efímero» (CXXXI), según ha resaltado acertadamente José María Azcárate (42):

> Bosteza de política banales
> dicterios al gobierno reaccionario,
> y augura que vendrán los liberales,
> cual torna la cigüeña al campanario. (21-24)

Este comentario le sirve para insertar en el texto su escepticismo político.

Machado rechaza los grandes signos de la historia y prefiere algo tan cotidiano como la llegada de las cigüeñas. Del mismo modo que el juglar medieval transmite por medio del canto de los gallos el devenir temporal, como contrapunto al héroe y a la historia, en los versos del poeta andaluz la llegada de las cigüeñas contribuye efectivamente a la atmósfera temporal de los poemas. Sin embargo, no siempre ejerce la misma función, pues sirve a propósitos diferentes. En los poemas de *Soledades. Galerías. Otros poemas* y en los de la primera edición de *Campos de Castilla*, su presencia intensifica la alegría y la idea de resurrección que acompaña el cambio de estación. Tras la muerte de su mujer, esa llegada incita recuerdos dolorosos, de otras primaveras pasadas en Soria junto a Leonor, ahora llenas de vacío y tristeza, para terminar usando esta imagen como crítica al sistema político. Y siempre, su llegada implica la continuidad, el paso inexorable del tiempo, el eterno sucederse.

Las campanas son otra manifestación temporal. En el poema cidiano suena alegre el tañido de las campanas en San Pedro de Cardeña anunciando la comida:

> Grand yantar le fazen—al buen Campeador.
> Tañen las campanas—en San Pero a clamor.
> Por Castiella—odiendo van los pregones,
> como se va de tierra—mío Çid el Campeador;
> unos dexan casa—e otros onores. (285-89)

Las campanas llamando al banquete confirman el gozo que produce la visita del Cid en el monasterio mientras coinciden con otro sonido, el de los pregones, que resuenan por toda Castilla atrayendo a otros caballeros que acuden a apuntarse a la causa del Cid. Las campanas acompañan un cambio en su suerte: la mala ventura se torna en buena. El tañido refiere a un tiempo cronológico y psicológico.

El poeta sevillano también comparte la predilección por el tañido de las campanas como signo que acompaña un cambio en la emoción. En «A orillas del Duero» (XCVIII), encontramos: «de la ciudad lejana / me llega un armonioso tañido de campana» (69-70). El sonido provoca la vuelta al presente y a la cotidianidad inalterable, al paso del tiempo tras las reflexiones sobre la historia de España, dejando así abierta la posibilidad al futuro. Un cambio semejante vemos en «Poema de un día» (CXXVIII) en donde las campanas interrumpen su recuerdo de Leonor y le hacen retomar sus consideraciones rurales, la rutina de cada jornada: «Lejos suena un clamoreo / de campanas...» (59-60). Y repican en el «Llanto» por don Guido (CXXXIII), en onomatopeya alegre más que en señal de duelo, anunciando su muerte: «las campanas todo el día / doblando por él ¡din-dan!» (3-4). Ese cambio de actitud a veces adquiere tintes políticos, como en el poema que dedica a su maestro Giner de los Ríos (CXXXIX), donde encontramos ese enigmático verso en el que parece dar un mayor reconocimiento al esfuerzo artesanal y al trabajo cotidiano que a la oración: «¡Yunques, sonad; enmudeced, campanas!» (9).

Machado no sólo se refiere a las campanas de las iglesias. Otras campanas anuncian cambios de actitud. En «Campos de Soria» (CXIII) en la sección VI, «¡Soria fría, *Soria pura*», suena la del reloj de la Audiencia, en la última estrofa:

> ¡Soria fría! La campana
> de la Audiencia da la una. (95-96)

Antes de concluir con estos versos, el poeta ha presentado Soria como una ciudad decrépita, si antes llena de blasones y de orgullo histórico, ahora postrada y muerta. De acuerdo con Ribbans, encontramos la visión histórica, «repleta de rasgos de un pasado glorioso ya definitivamente desaparecida», frente a un presente estancado y decadente («*De Soledades*» 137). El son de la campana, pasada la medianoche, marca una ruptura:

> Soria, ciudad castellana
> ¡tan bella! bajo la luna. (97-98)

El tañido de la campana, como una llamada a la esperanza, altera esta visión: la objetiva basada en la realidad, es reemplazada por la subjetiva, cimentada en una visión afectiva.

Por último la campana, símbolo de alegría, despierta un doloroso recuerdo al comparar su tañido con la voz casi infantil de su mujer. En este romance (CXXII), el poeta juega anafóricamente, logrando el efecto del repiqueteo en un amanecer primaveral:

> tu voz de niña en mi oído
> como una campana nueva,
> como una campana virgen
> de un alba de primavera. (9-12)

La abundancia de detalles de la vida ordinaria en el poema cidiano ha llevado a Menéndez Pidal a resaltar su valor arqueológico[10]. Es un aspecto que, según algunos críticos como Américo Castro y Álvaro Galmés de Fuentes, lo diferencia de la épica de otros países —la *Chançon de Roland* francesa, por ejemplo— y la convierte en un reflejo de la vida castellana contemporánea en su conjunto. Galmés de Fuentes establece una relación entre la narrativa épica árabe y la epopeya castellana que afectan tanto al tema como a la forma del cantar cidiano. Entre los rasgos de mayor influencia de la épica árabe, Galmés destaca el realismo y la historicidad —ausente en las epopeyas francesas, anglosajonas o germánicas— que se materializa, fundamentalmente, en la forma de presentar la realidad sin eludir sus aspectos vulgares (153-56)[11]. Galmés reafirma las teorías sobre la influencia árabe expresadas años antes por Américo Castro.

---

[10] Véase Ramón Menéndez Pidal, «El poema de Medinaceli», en: *En torno al Poema del Cid*. (51-63).

[11] Galmés de Fuentes destaca además los siguientes rasgos comunes: la fidelidad al suceso histórico, la abundancia de nombres geográficos, la presentación del protagonista como héroe pero también con sentimientos humanizados (153-56).

Para Castro, los detalles dan al poema un carácter único[12]. Opina que aunque el poema cidiano es occidental en lo esencial, hay una importante contribución islámica[13]. Para este crítico, la proliferación de aspectos insignificantes en la literatura medieval castellana se debe a los siglos de convivencia con los árabes. La cultura cristiana, a pesar del enfrentamiento bélico, no pudo escapar a la fascinación islámica[14] y de forma inconsciente adoptó sus modos de vida, sobre todo su capacidad de conjuntar el mundo material y el sublime (*España* 184-85). La poesía épica española, en opinión de Castro, no sigue las pautas de la literatura musulmana pero, a diferencia de la del resto de Europa, refleja un gusto por este tipo de detalles, de procedencia árabe. Mientras que Roland —el héroe épico francés— se mueve en una esfera mítica, alejado de los simples mortales, a través de estos detalles nimios el Cid emerge de la vida cotidiana hacia la heroica, al mismo tiempo que muestra sus emociones (*España* 328). Otro rasgo es que el juglar integra las cosas del exterior con los estados de ánimo. De esta manera, adquieren importancia los gestos, los movimientos, la indumentaria, las descripciones, todo lo que en otro contexto sería baladí, pero que aquí por «el mero hecho de notar tales menudencias las desvulgariza» (*Poesía* 13). De ahí que en el *Poema del Mio Cid*, según Castro, mediante los detalles descriptivos «la vida se hace presente» dentro del texto (*España* 328). Lo nimio penetra el poema más antiguo de la literatura castellana y crea una «zona de encuentro»[15] entre lo literario y lo real.

A la luz de las tesis de Castro, la irrupción de los muchos detalles nimios de la realidad en el poema cidiano adquiere carácter político. Su

---

[12] Castro considera que el poema pertenece a un nuevo género híbrido «centáurico», que no tiene análogo en la poesía de Occidente, pero que tampoco coincide con la árabe, esencialmente metafórica y alejada de preocupaciones histórico-nacionales.

[13] Según Castro, el estudio de los valores culturales árabes refleja su forma integral de concebir la vida: lo espiritual y elevado junto a las manifestaciones más vulgares del cuerpo conviven incluso en los textos religiosos. Para los árabes no existe una división entre ambas manifestaciones humanas. De ahí que los aspectos cotidianos y vulgares encuentren cabida en su literatura.

[14] María Rosa Menocal subraya la importancia y superioridad de la cultura árabe, reconocida por los cristianos españoles y por muchos europeos que regresaban impresionados de las Cruzadas: «Porque la sociedad contra la que ellos habían luchado en los frentes de batalla de España y Palestina era fuente, no sólo de mejoras materiales inmediatas y tangibles, sino que también había desarrollado avances técnicos que habían supuesto una clara mejoría de la vida diaria. El mundo árabe era, en suma, una civilización aparentemente superior a la suya, si no en todos, en la mayoría de los aspectos de la vida cotidiana: sus bienes comerciales eran codiciados y además, se dependía de ellos; su lujo era espectacular; y su *savoir-vivre* era reconocido, aunque con frecuencia, a regañadientes» (39-40).

[15] Expresión acuñada por Stephen Greenblatt (*New Historicism* 48).

penetración en el texto es un triunfo de la cultura árabe que, de esta forma, infiltró su forma de concebir la vida en la cultura cristiana dominante. Castro concluye que esta presencia de la realidad es un rasgo fundamental no sólo de la literatura española sino de toda su cultura en general: mito y realidad, lo bello y lo usual conviviendo en la obra de arte (*Poesía* 9).

La presencia de anécdotas y detalles nimios en el poema cidiano introducen en el texto una nueva dimensión. Frente al Cid como caballero, vemos al molinero y al que se gana el pan. Frente a la alegría por las batallas heroicas, descubrimos el dolor al abandonar su feudo materializado en sus cosas; frente a las victorias que lo van convirtiendo en personaje mítico, encontramos el contrapunto de la realidad diaria, por medio de la inclusión del paisaje de todos los días —de campos yermos, de gallos y campanas— y la presencia de los seres marginales. Frente a la representación mítica, lo nimio enriquece el texto dando también protagonismo en el primer plano a la vida cotidiana y vulgar. De manera semejante, Machado aprende del poeta medieval y altera la perspectiva, dando en sus versos primacía a lo cotidiano e insignificante.

Berceo, poeta del pueblo

De los llamados «poetas primitivos», Gonzalo de Berceo es el más reconocido entre los literatos de fin siglo. Ya Rubén Darío lo había recuperado en su poema «Retablo», que le dedicó, publicado en la segunda edición de *Prosas profanas* de 1901. Para Darío, Berceo es el primer poeta culto, el iniciador de la primera revolución métrica al imponer los versos de sílabas contadas, y dice de él: «Amo tu delicioso alejandrino».

Antonio Machado, como afirma Ribbans[16], publicó en *La Revista Ibérica* en 1902 cinco poesías con el título «Del camino» bajo el lema de Berceo: «Todos somos romeros que camino andamos». Más tarde, en las dos ediciones de *Soledades*, incluiría una sección con el título «Del camino», aunque con poemas diferentes en cada una. Las alusiones y referencias a este poeta abundan en la prosa machadiana[17] e incluso en sus cartas personales, pero su presencia es más evidente en la sección de «Elogios» donde Machado le dedica el poema «Mis poetas» (CL). Sorprende que este poema tenga el título en plural, como si inicialmente hubiera deseado incluir a otros poetas favoritos,

---

[16] Geoffrey Ribbans en su edición de *Soledades. Galerías. Otros poemas* (122n).

[17] En *Juan de Mairena*, por ejemplo, Machado al hablar de nuestro prójimo, cita a Berceo: «nuestro vecino, que dicen los ingleses —*our neighbour*— de acuerdo con nuestro Gonzalo de Berceo» (4: 2068).

aunque sólo alude a Berceo[18]. Sobre esta anomalía se preguntan Ribbans y López Estrada. Para Ribbans, en la introducción de su edición de *Campos de Castilla*, los otros poetas no mentados serían Manrique y tal vez Sem Tob (75). Para López Estrada, en cambio, el título plantea varias posibilidades: este poema podría haber sido el primero de una serie dedicada a poetas primitivos españoles, coincidiendo con su hermano Manuel y con Azorín, que también escribieron sobre ellos; o bien, refiere a una selección personal, es decir, los poetas que incluye en la serie «Elogios»: Juan Ramón Jiménez, Rubén Darío y Alonso Cortés («Berceo» 187)[19]. Los primeros versos del poema dicen:

> El primero es Gonzalo de Berceo llamado,
> Gonzalo de Berceo, poeta y peregrino, (1-2)

Machado podría referirse a Gonzalo de Berceo como «el primero» por ser el primer poeta del que conocemos su nombre, hecho importante, frente a los autores anónimos medievales. En esta primera estrofa le rinde tributo mediante la repetición dos veces de su nombre, así como al insistir en que es

---

[18] La sección «Elogios», en la que aparece este poema dedicado a Berceo, se publicó por primera vez en la primera edición de *Poesías completas* de 1917. Con anterioridad, Machado había incluido en *Soledades. Galerías. Otros poemas* un poema dedicado a Valle Inclán, «CXLVI», con este mismo título.

[19] Considera López Estrada que, al calificarlo como el primero, Machado toma postura defendiendo a Berceo frente a los «historiadores», es decir, los estudiosos del Centro de Estudios Históricos con Menéndez Pidal a la cabeza, que a principios de siglo, redescubrieron el valor de la épica, especialmente del *Poema del Cid*, ignorando al resto de la poesía medieval. Estrada opina que así Machado se sumaría a los poetas contemporáneos que querían salvar a los autores del mester de clerecía, «representados en el buen clérigo de La Rioja» (163). Creo que Estrada se contradice como puede verse en el artículo «Berceo, el primero de los poetas de Antonio Machado», recogido en *Antonio Machado: verso a verso*, y después publicado en *Los «primitivos» de Manuel y Antonio Machado*. Según Estrada, Machado atribuye a Berceo un famoso verso procedente del anónimo *Libro de Alexandre*, descubierto en 1888 por Morel-Fatio y que en 1905-1906 atribuyó a Berceo. Teoría que fue recogida por Menéndez Pidal, entre otros, en 1907, según una nota de pie de página 193. Esto prueba que Machado conocía y apoyaba las teorías de los «historiadores».
Como el propio López Estrada refleja en sus estudios, Machado, como hemos visto en el apartado anterior dedicado a su interés y admiración por la obra cidiana, alude muchas veces a su anónimo autor al que sitúa en tierras sorianas, según la teoría que estaba defendiendo en esos momentos Menéndez Pidal. Su hermano Manuel también se inspira en los textos cidianos, como refleja en su poema más famoso «Castilla» y también «Alvar-Fáñez». Por su parte Azorín reconoce en su escrito «El cantor del Cid» de *Clásicos y modernos*, al autor del anónimo cantar de gesta. En mi opinión, Estrada no aporta argumentos suficientes que sostengan estas posibles diferencias.
A pesar de esta discrepancia, quiero dejar claro que los escritos comparativos de López Estrada sobre Machado y los poetas medievales, especialmente los de Berceo y los romances, han sido fundamentales en mi estudio.

su forma de ser «llamado». Y lo hace empleando las palabras de Berceo que en la copla segunda de los *Milagros de Nuestra Señora*[20] dice (9):

> Yo maestro Gonçalvo de Verçeo nomnado
> Iendo en romería caeçí en un prado

En este verso queda asociado, por primera vez en castellano, el nombre de un autor a su obra literaria. De ahí que Machado como reconocimiento al autor, a su obra y contribución a la literatura castellana, emplee la imitación como recurso estilístico[21].

Afirma Fernando Gómez Redondo que Berceo además de ser el primer autor que deja vinculado su nombre con su obra, imponiendo su sello sobre su creación literaria, es también pionero en aportar unos datos personales, a la manera de los trovadores provenzales (301). De forma similar, Machado inicia *Campos de Castilla* con el famoso «Retrato» (XCVII)[22], escrito precisamente en versos alejandrinos, metro empleado por el poeta medieval, que aunque es un poema muy diferente al de Berceo, entronca con la tradición trovadoresca de presentación biográfica, siguiendo con ello el modo de obrar del primer poeta de nombre conocido:

> Mi infancia son recuerdos de un patio de Sevilla,
> y un huerto claro donde madura el limonero;
> mi juventud, veinte años en tierra de Castilla;
> mi historia, algunos casos que recordar no quiero. (1-4)

Señala acertadamente López Estrada que Machado muy pocas veces recurre a otras obras literarias como materia de su poesía, algo que le diferen-

---

[20] Las citas de *Milagros de Nuestra Señora* son de la edición de Espasa-Calpe. Los versos están sin numerar. Para su localización, cito la página de la edición consultada.

[21] Recurso que también emplea en otros de los «Elogios» ya que por ejemplo, utiliza un lenguaje y estilo muy semejante al de Darío en el poema «A la muerte de Rubén Darío» (CXLVIII) en versos como:

> Jardinero de Hesperia, ruiseñor de los mares,
> corazón asombrado de la música astral, (4-5)

O, como han señalado Oreste Macrì (3: 1217-18) y Geoffrey Ribbans (*Campos* 251), adapta el lenguaje valleinclanesco de *Flor de santidad* en el poema que dedica a don Ramón (CXLVI):

> Hilando silenciosa, la rueca a la cintura,
> Adega, en cuyos ojos la llama azul fulgura (9-10)

[22] Al parecer, Machado escribió este poema para su publicación en un diario madrileño que pedía autorretratos a los poetas. Bernard Sesé afirma que estaba de moda en esa época incorporar la figura del autor en su propia obra (109).

cia de su hermano («Berceo» 188). Incluso con respecto al Romancero dice, en el prologuillo de 1917 de *Campos de Castilla*, que «toda simulación de arcaísmos me parece ridícula» (274). En este poema, sin embargo, Machado construye un homenaje basándose en una red de representaciones intertextuales: con detalles literarios —tomados de las obras del clérigo riojano o atribuidas a él— y pictóricos —de las ilustraciones de códices—, en línea con el medievalismo de la época. En cuanto a lo literario, Machado adopta varios elementos de su poeta preferido: metro, lenguaje, temas e imágenes de sus obras. En cuanto a la pintura, la adaptación de motivos medievales era práctica común en los pintores prerrafaelistas. El conocimiento de estos motivos no debía ser extraño a Machado. Las revistas españolas de principios de siglo, como recoge exhaustivamente Litvak, reprodujeron obras de los pintores de la hermandad inglesa y documentaron la penetración de este movimiento en España. Publicaciones como *Blanco y Negro* o *La Ilustración Española y Americana*, según Litvak, incluyeron numerosas cubiertas e ilustraciones de artículos con motivos prerrafaelistas (189-92). En conjunto, de acuerdo con Estrada, «Mis poetas» (CL) es una «miniatura» pictórica, un minirrelato a la manera medieval, de la vida y obra del poeta («Berceo» 195). De esta manera, Machado se convierte en retratista pictórico del poeta medieval elogiado. En su «miniatura», los detalles literarios y pictóricos, siguiendo las pautas estéticas del momento, introducen en el texto representaciones culturales que muestran el gusto de fin de siglo por lo medieval.

Machado escoge el alejandrino, metro del mester de clerecía, que había sido recientemente impulsado por los modernistas y que había empleado antes su hermano Manuel en la «Glosa» que también dedicó a Berceo. Su gesto de reconocimiento se extiende al contenido y al lenguaje, ya incorporando fragmentos de los versos de Berceo o versos del *Libro de Alexandre* que por esos años se le atribuía, ya haciendo suyas expresiones frecuentes empleadas por el clérigo tales como «trovó» o «mi dictado non es de juglaría».

Los detalles de la vida de Berceo no corresponden a la realidad, puesto que apenas sabemos unos pocos datos de su biografía. Machado los reinventa con rasgos procedentes de su propia obra literaria y de las pinturas medievales. En la primera estrofa, leemos:

> Gonzalo de Berceo, poeta y peregrino,
> que yendo en romería acaeció en un prado,
> y a quien los sabios pintan copiando un pergamino. (2-4)

Según interpreta Estrada, la representación de Berceo como peregrino en romería es una atribución que Machado le hace inspirándose en los *Milagros* (*Los «primitivos»* 169). Al parecer, no existe ninguna ilustración suya copiando en un *scriptorium* conventual. A Oreste Macrì esta alusión le recuerda la del Beato de Tábara y comenta que: «El gusto de la Institución y del 98 se dirigió también al arte figurativo medieval» (2: 938). De igual modo, es un invento su representación figurativa que aparece en el último verso. Para este crítico, la conjunción de literatura y pintura en un mismo texto es muy típica del prerrafaelismo («Berceo» 197).

Berceo, artista del pueblo

Los historiadores de la literatura informan que Berceo, siguiendo las pautas eruditas del mester de clerecía, se dedicaba a divulgar historias religiosas conocidas, escritas en latín, pero que destinaba al «vulgo» que escuchaba. Su propósito era vulgarizar y no crear algo nuevo. Según recuerda López Redondo, Berceo traduce de fuentes latinas cultas pero, al hacerlo, «re-crea» el texto, ya que lo amplifica y lo adapta acomodándolo a las necesidades de la recepción de su público (335). Su contribución consiste en enriquecer los originales y lo hace, como dice Alborg, «vistiéndolos con rasgos de las costumbres cotidianas de su región» (1: 99). Incluye motivos y expresiones populares que humanizan y dan color al texto árido, a la vez que lo aproximan al oyente. Alborg resalta cómo se sirve de comparaciones propias del mundo de los labriegos, locuciones campesinas, nombres de utensilios domésticos y hasta refranes para conseguir ese tono de inmediatez y popularismo (1: 99-100). En mi opinión, Berceo altera la perspectiva ofreciendo un *bathos* textual porque humaniza a los seres divinos, especialmente a la Virgen María, y enaltece a los humildes. Así, por ejemplo, retrata a la Gloriosa en la introducción (13):

> Sennora natural, piadosa vezina,
> De cuerpos e de almas salud e medicina

Y en el milagro III «El clérigo y la flor», la Virgen habla de esta manera al referirse a Cristo (25): «Yo so Sancta María, / Madre de Jesu Cristo, que mamó leche mía». De este modo, el poeta rompe el distanciamiento divino. Pero además, Berceo concede protagonismo a un ladrón, a un pobre, a un clérigo tonto y a otro borracho y a una abadesa encinta. En sus relatos conviven felizmente lo divino y lo humano y, como dice Alborg, consigue «bajar el cielo a lo vulgar» (1: 101). Como en los retablos primitivos, en sus textos encontramos la fealdad de los demonios y la dulzura de los religiosos; santos y pecadores; detalles groseros o cotidianos —como el famoso vaso de buen vino— junto a otros estilizados; la inocencia piadosa y la maliciosa socarronería, todo en palabras de Alborg, «para llegar al alma del oyente por el camino de lo trivial», el vehículo del pueblo (1: 102).

Machado coincide con esta concepción del arte que no aspira a la búsqueda de la originalidad, al afirmar en sus escritos en prosa: «el artista no puede crear *ex nihilo* como el Dios bíblico», ni tampoco es «un copista de la obra divina ni un plagiario de la naturaleza. El artista crea a la manera del hombre: transformando una cosa en otra, o, si queréis, dando una forma a una materia» (3: 1614). Y en una carta de 1912 a Ortega y Gasset, tras lamentarse de la pobreza de nuestra lírica, recomienda buscarla no en «la historia, ni en la tradición, sino en la vida» (3: 1514). Su rechazo por escuelas, modas y vanguardias es buena prueba de ello. De ahí que para elogiar a su «primer» poeta, Machado retome elementos de las obras de Berceo y con ellos construya su homenaje y, al hacerlo, recree sobre su creación. Machado sigue a Berceo en su *bathos* textual: ignora la civilización urbana y sus monumentos y prefiere el campo; olvida a los personajes históricos y mitológicos y canta a los seres humildes y marginales. Por eso mismo, en la tercera estrofa de este poema, compara los versos del poeta riojano con los surcos del labrador. Vincula la labor poética con la vida real, y al acto creativo con la tierra. Machado admira esos versos sencillos del clérigo que se asemejan al paisaje castellano:

> Su verso es dulce y grave: monótonas hileras,
> de chopos invernales en donde nada brilla;
> renglones como surcos en pardas sementeras,
> y lejos, las montañas azules de Castilla. (9-12)

Las hileras de los versos refieren a la cuaderna vía con sus largos alejandrinos de catorce sílabas, agrupados en estrofas de cuatro versos con igual rima consonante, cuya monotonía sonora le lleva a Machado a compararlos con los surcos de los campos. Asocia las filas de chopos —que aparecen con tanta frecuencia en los versos machadianos— y las ringleras de las sementeras con el acto de escribir. Arar y escribir son tareas modestas y sencillas. La creación poética es, según Machado, semejante al acto físico de labrar. Poesía y paisaje destacan por su carácter nimio, como vemos por las expresiones que emplea Machado: pues si el verso es «dulce y grave», las hileras de chopos en el invierno son «monótonas», «donde nada brilla», y escribir versos es como labrar surcos en «pardas sementeras». Como contrafondo de la labranza, que es también metafóricamente el acto de poetizar,

---

[23] López Estrada hace una distinción geográfica importante. Gonzalo de Berceo vivió en la diócesis de Calahorra, provincia de Logroño, perteneciente a La Rioja, lindante con Castilla. Además, lingüísticamente, Berceo emplea el dialecto navarro-aragonés. Por tanto, Machado no se basa en una demarcación física y real de Castilla, ya que incluye ambos lados de los picos de Urbión en la configuración de «su» paisaje castellano («Berceo» 201).

se perfilan las montañas de Castilla: el primer poeta castellano[23] de nombre conocido, y el poeta contemporáneo enamorado de estas tierras, quedan así unidos.

Machado volverá a emplear esta imagen. En su excelente «Poema de un día», subtitulado «Meditaciones rurales» (CXXVIII), compara su tarea de maestro con la de los labradores: «profesor / de lenguas vivas (ayer / maestro de gay-saber» (1-3). El poeta, «fantástico labrador» (12), se identifica con los campesinos y une su plegaria, de marcadas reminiscencias manriqueñas, a la de los hombres del campo que agradecen la lluvia a Dios. En este caso, la vinculación es con Manrique ya que adopta el tono de sus coplas y el ritmo de los versos quebrados:

> Te bendecirán conmigo
> los sembradores del trigo;
> los que viven de coger
> la aceituna; (19-22)

Volviendo a «Mis poetas» (CL), en la última estrofa Machado insiste en la idea del «romero cansado», de nuevo inspirándose en Berceo —en la misma estrofa segunda de los *Milagros*— y no en su vida. Idea que lleva implícita la del camino, tan frecuente también en la obra machadiana. A continuación, detalla las actividades cotidianas de un intelectual del medioevo:

> leyendo en santorales y libros de oración,
> copiando historias viejas, nos dice su dictado, (14-15)

Comenta López Estrada que Berceo y Machado comparten un común compromiso: los dos son poetas intelectuales —el primero, por los conocimientos librescos propios de un clérigo de su época; el segundo, por sus lecturas literarias y filosóficas—, pero los dos quieren expresarse para ser entendidos por el pueblo: «los dos gustan, uno de ajuglararse, y el otro de dárselas de maestro divulgador; se valen de frases hechas que poéticamente contrastadas, recobran brillo inusitado, refranes, observaciones que acercan el pensamiento, sea teológico o filosófico» («Berceo» 206). Ambos aspiran a comunicarse con el pueblo y para ello emplean un lenguaje sencillo.

Machado concluye el poema con un verso tomado de la propia obra de Berceo, de la *Vida de santo Domingo*, el verso que más impacto tuvo en Machado como recuerda él mismo años más tarde en sus cartas a Pilar de Valderrama[24]:

---

[24] Machado, en su correspondencia a Guiomar, afirma: «Eso es muy verdad. No dudo que se me ilumine el rostro. Es que como dice Gonzalo de Berceo, "me sale fuera la luz del corazón" y esa luz es la que pone en él mi diosa...» (3: 1690).

«mientras le sale fuera la luz del corazón» (16). Ésta es otra imagen de resonancias pictóricas que refiere a una ilustración muy típica de la Edad Media: la del *charitas* como rayos de luz brotando del corazón de las figuras. Recuerda Estrada que fue muy empleada en el medioevo en cuadros, vidrieras e iluminación de códices, para indicar el amor cristiano (209).

Pintura y literatura, sencillo paisaje castellano y amor a lo popular: lo culto y lo cotidiano, lo artístico y lo nimio se conjuntan en este poema en el que Antonio Machado rinde homenaje a Gonzalo de Berceo, el primer poeta culto de nombre conocido, amante de la sencillez y del pueblo.

La pasión por Manrique

De todos los poetas primitivos Machado muestra una especial afinidad con Jorge Manrique[25], como él mismo afirma al dedicarle el poema «Glosa» (LVIII) en *Soledades. Galerías. Otros poemas*: «Entre los poetas míos / tiene Manrique un altar» (4-5). También en sus prosas alude a su figura humana —alabando que fuera soldado y poeta, pero soldado primero y no poeta de oficio— así como a sus versos, reconociéndole como el mejor poeta español[26].

Machado comparte con Manrique varios temas de interés común, entre los que destacan fundamentalmente el tiempo y la muerte; la preferencia

---

[25] Al parecer, Machado escogió el seudónimo de Guiomar para su amor secreto, Pilar de Valderrama, porque así se llamaba la mujer de su poeta favorito, además de ser un nombre propio que aparece en el Romancero.

[26] En carta a José Ortega y Gasset (17-7-1912) concluye Machado: «El árbol de nuestra lírica sólo tiene una fruta madura: las coplas de Don Jorge» (3: 1512).

[27] Con respecto al uso de las imágenes del río y el mar, comunes en los dos poetas, podemos establecer una división. En relación al río, en Manrique se trata de un símbolo doble: por un lado, de procedencia clásica, el río como límite entre la vida y la muerte; y por otro, la imagen del transcurrir de la vida. Con respecto al mar, en Manrique es imagen de la muerte y de la vida en el más allá. A estas interpretaciones manriqueñas Machado añadirá también las del mar como símbolo del vacío y de la nada. Aunque a veces Machado se muestra más próximo a Heráclito, como en el famoso fragmento XXIX de «Proverbios y cantares» (CXXXVI):

Caminante, no hay camino,
sino estelas en la mar. (9-10)

Como comenta Leopoldo de Luis: «todo pasa, no volvemos a bañarnos en el mismo río ni volvemos a pisar la misma senda» (196). El tema del agua es esencial en la poesía machadiana. Junto a las representaciones manriqueñas del río o el mar, Machado incluye también la presencia del agua como fuente, surtidor, noria, ola, lluvia, laguna, manantial. El uso y funciones de estas imágenes han sido ampliamente estudiadas, entre otros, por Francisco López Estrada, Rafael Lapesa y Dámaso Alonso.

por las mismas imágenes y símbolos, esencialmente el río y el mar[27]; y el uso del mismo metro, el verso de pie quebrado, así como otros recursos estilísticos comunes. Encontramos varios de estos rasgos en un mismo poema, como en «Las encinas» (CIII), en los que presenta el tema del río en verso de pie quebrado.

Otro aspecto es la frecuencia con que Machado titula con la palabra «coplas» varias de sus composiciones: «Coplas elegíacas» (XXXIX) y «Coplas mundanas» (XCV) en *Soledades. Galerías. Otros poemas* y «Llanto de las virtudes y coplas por la muerte de don Guido» (CXXXIII) en *Campos de Castilla*, esta última remedo grotesco de las manriqueñas en opinión de Oreste Macrì (913) y José María Valverde (71). Veíamos antes también la influencia manriqueña en «Poema de un día» (CXXVIII). Otra coincidencia es la abundancia de poemas elegíacos en la obra machadiana —unos en tono paródico, como el dedicado a don Guido, y otros reales como la elegía a Leonor en «A José María Palacio»— (CXXVI) de *Campos de Castilla*. A éstos hay que añadir las citadas «Coplas elegíacas» (XXXIX) y la «Elegía de un madrigal» (XLIX) en su colección anterior, y «Muerte de Abel Martín» (CLXXV) del «Cancionero apócrifo». Por último, el tema del tiempo es una preocupación común en ambos poetas, tema que en Antonio Machado ha sido el más tratado por la crítica, y a los abundantísimos estudios me remito[28].

Además de estas coincidencias, hay un par de aspectos comunes y fundamentales en estos dos poetas: primero, la sencillez de su lenguaje, que lleva a ambos a buscar la claridad, a la vez que huyen de todo patetismo, prefiriendo en cambio la emoción serena; y, segundo, el deseo de no buscar la originalidad como meta. Con respecto al primero, Navarro Tomás afirma que el lenguaje de las *Coplas* sigue siendo sobrio, claro y sencillo, con muy pocos arcaísmos (*Los poetas* 69). Respecto al segundo aspecto, Salinas se pregunta sobre la singularidad de las *Coplas* (*Jorge Manrique* 135). Respondiendo a su concepción medieval, no pretenden ser originales en su contenido. Éste es un rasgo de la obra de Berceo y que, como dijimos, comparte Machado. Las ideas manriqueñas sobre la muerte no son nuevas, son la *summa* del pensamiento sobre este tema en el siglo XV. Manrique tampoco busca la novedad métrica, la sextilla de pie quebrado, ya que fue empleada antes por su tío Gómez Manrique y por Juan de Mena. Para Salinas, la originalidad radica en su tratamiento creativo del pasado (*Jorge Manrique* 136). Manrique presenta la eterna oposición entre temporalidad y eterni-

---

[28] Ribbans, en su edición de *Campos de Castilla*, menciona los ensayos esenciales sobre el tema del tiempo en Machado y que transcribo: el pionero, de Richard L. Predmore, «El tiempo en la poesía de Antonio Machado»; J. López Morillas, «Antonio Machado y la interpretación temporal de la poesía»; el excelente estudio de Ramón de Zubiría, *La poesía de Antonio Machado;* y el libro detallado de P. Cerezo Galán, *Palabra en el tiempo* (44).

dad en la vida del hombre en «el antagonismo de los bienes temporales y los espirituales; el vacilar entre los dos; y su desenlace, la famosa convicción de la primacía de lo eterno» (*Jorge Manrique* 140). Así, Manrique construye un monumento a la acción incesante de la muerte presentándola primero en un tono meditativo, de forma impersonal, para luego concretarla en situaciones cada vez más personalizadas.

Machado en «El "arte poética" de Juan de Mairena», tras afirmar que «la poesía es un arte temporal», reconoce que muy pocos poetas transmiten una «intensa y profunda impresión del tiempo» (*Poesías completas* 251)[29]. Para él, Calderón no logra transmitir esta emoción, y para demostrarlo establece la famosa comparación entre el poeta barroco y el medieval en la que tan malparado queda el primero (*Poesías completas* 254). En la comparación, Machado analiza una de las estrofas de las famosas *Coplas* manriqueñas que mayor impacto le causó:

> ¿Qué se hicieron las damas,
> sus tocados, sus vestidos,
> sus olores?

Tras preguntarse por «las llamas» y «los fuegos encendidos de amadores» y por las músicas —«aquel trovar»— y los instrumentos de los trovadores, insiste:

> ¿Qué se hizo aquel danzar,
> aquellas ropas chapadas
> que traían?

Machado resalta en su análisis cómo Manrique en estos versos abandona el tono exhortatorio de las primeras estrofas del poema —asentar juicios analíticos y razonamientos sobre el tema— y, por el contrario, opta por cuestionarse el tema del *Ubi sunt?* —«¿qué se hicieron?», «¿qué se hizo?»— sobre aspectos concretos de una realidad: el poeta se hace preguntas, de carácter retórico, sobre el devenir temporal de damas, vestidos, amadores, música. Ambos poetas —Manrique como poeta y Machado como crítico— centran su interés no en el rey Juan II sino en una serie de personajes que forman parte del entorno de la vida cortesana —damas y amadores anónimos— y sobre todo, en su *rhopos* —tocados, vestidos, olores, ropas chapadas, notas musicales— que se convierten en instrumentos eficaces para reificar el tiempo. Para Machado, el logro del poeta medieval consiste en la

---

[29] Para Machado, sólo Manrique, el Romancero, Bécquer y algunos de los poetas del Siglo de Oro, que deja sin nombrar, logran esta cima.

creación de un microcosmos en el que sustituye los juicios genéricos por personajes y objetos concretos. Esto los individualiza y convierte en algo vivo que el poeta puede evocar. Y añade:

> Y *aquel trovar,* y el *danzar aquel* —aquellos y no otros— ¿qué se hicieron?, insiste en preguntar el poeta, hasta llegar a la maravilla de la estrofa: *aquellas ropas chapadas,* vistas en los giros de una danza, las que traían los caballeros de Aragón —o quienes fueren—, y que surgen ahora en el recuerdo, como escapadas de un sueño, actualizando, materializando casi el pasado, en una trivial anécdota indumentaria (*Poesías completas* 253).

Las ropas chapadas, como las músicas y el danzar, son elementos del discurso de la moda de la época que se introducen en el texto literario mediante «una trivial anécdota indumentaria». La descripción de estos detalles nimios de la vida de esas gentes anónimas es una representación que materializa el tiempo. Sobre las ropas chapadas de aquellos cortesanos de antaño, cae el peso de la carga temporal: ¿qué se hicieron?[30]. Al someter estas figuras y objetos al transcurrir del tiempo, esas damas, tocados, fragancias y vestidos cualquieras, «quedan estampados en la placa del tiempo» y por tanto, todavía conmueven (*Poesías completas* 253).

Manrique consigue mediante la rememoración de estos detalles un efecto fotográfico[31]: el retrato de imágenes particulares y concretas. El poeta visualiza ese transcurrir del tiempo al reflejarlo en imágenes plásticas. Pero además logra, mediante ellas, despertar una emoción. Las situaciones vividas y las cosas insignificantes por las que se pregunta el poeta prerrenacentista son recuerdos sin importancia pero concretos y, por tanto, se convierten en memorias únicas. Al recordarlas, consigue revivirlas y despertar de nuevo un sentimiento emotivo.

Para Salinas son también estas coplas las que dan grandeza al poema manriqueño. Estos versos corresponden a la parte ejemplar en la que, mediante alusiones a figuras famosas, el poeta ilustra su tesis central a la manera de *exempla* medieval. Después de un recorrido iniciado desde la antigüedad: «Dejemos a los troyanos...», llega al rey Juan II y a su corte. No le interesa el monarca *per se* sino la vida cortesana, el mundo bullicioso de pa-

---

[30] Recuerda Salinas que este estilo evocativo manriqueño de preguntarse por algo del pasado era una forma muy empleada en la poesía medieval, como por ejemplo Villon en «Mais où sont les neiges d'antan?» (*Jorge Manrique* 44).

[31] El propio Machado emplea la expresión de «imprimir en la placa del tiempo». En sus comienzos, las fotografías se hacían empleando placas de metal cubiertas con una emulsión química en las que la luz imprimía la imagen que se deseaba fotografiar.

lacio (*Jorge Manrique* 174). La corte es presentada como «la concentración y apogeo de los bienes terrenales» (*Jorge Manrique* 175).

Manrique consigue una alteración de la perspectiva semejante a la de *Las hilanderas* de Velázquez que comentaba antes. En el cuadro velazqueño, el mundo de las artesanas anónimas, con la llamativa camisa blanca, y sobre todo la rueca, ocupan el primer plano desplazando el mundo de la corte al del fondo. De la misma manera, la presencia de cortesanos anónimos y de sus cosas nimias en los versos de Manrique provocan una *peripeteia* por la que la visión de la corte se democratiza: el rey Juan II queda en un segundo plano y los cortesanos anónimos —verdaderos protagonistas de la infraestructura histórica—, y especialmente el *rhopos* de sus objetos personales, de las cosas que suelen pasar inadvertidas, pasan a ocupar la atención del poeta. Para Laín, Manrique sustituye los sucesos históricos por vivencias íntimas, «se evade de la Historia» hacia la cotidianidad (281-82). Esta alteración de planos termina dando prioridad a las cosas, lo que permite una mayor identificación con los objetos cotidianos. Además, ese trastrueque de planos refuerza una de las tesis del poema: la igualdad ante la muerte de los ricos y poderosos con la de «los que viven por sus manos».

Apunta Salinas que estos versos —los escogidos por Machado— aparecen precisamente en las estrofas en las que llega a la cima la lucha entre lo temporal y lo eterno: en el combate de la corte y la muerte. Son los versos que introducen el contrapunto de la realidad, que Salinas describe como el «temblor de la sensualidad» y «los goces de los sentidos», imprescindibles en una buena elegía:

> Para la vista, la hermosura de las damas, de sus tocados y sus vestidos, los paramentos, bordaduras y cimeras de los caballeros del torneo; para el oído, el trovar, y las «músicas acordadas»; los olores perfumados dan su parte al olfato, y cuando el poeta habla de las «ropas chapadas», casi se las siente táctiles, con su pesada y suntuosa riqueza (*Jorge Manrique* 176).

Manrique utiliza los elementos de la vida diaria cortesana —personajes anónimos, músicas, danzas, tocados y vestidos— para crear un microcosmos, una representación en la que, con detalles concretos, materializa y llena de emoción su tesis sobre la fugacidad de la vida: lo que antes existió, se ha ido para siempre, uno de los grandes temas poéticos del momento. Para ilustrar esta tesis se sirve de una técnica muy empleada en otras artes del mundo medieval. Manrique hace en su poesía una representación semejante a la de otros discursos culturales de ese período, como vemos en las vidrieras, tallas y bajorrelieves de iglesias y catedrales góticas: crea una microhistoria, una anécdota, que encarna plástica y emotivamente un *topoi* de la época.

Influencia manriqueña en Machado

Machado aprende del poeta medieval el arte de temporalizar mediante el *rhopos*, en lugar de mediante silogismos y juegos conceptuales como los poetas del Barroco. Ya en *Soledades. Galerías. Otros poemas*, incluye un poema «¡Tocados de otros días» (LXXI), cuyo tema es el poder de los objetos insignificantes como recordatorios del pasado y su capacidad para evocar el transcurrir temporal. Comenta Ribbans que por medio de los objetos actualiza el tema clásico del *Ubi sunt?* («Recaptured Memory» 150). Machado, como afirma este crítico, sigue muy de cerca el modelo de Manrique (*Soledades* 47):

> Tocados de otros días,
> mustios encajes y marchitas sedas;
> salterios arrumbados,
> rincones de las salas polvorientas; (1-4)

En esta silva-romance de endecasílabos y heptasílabos alterna los versos de metro largo con los cortos de la misma forma que el poeta medieval. El poema es una enumeración de objetos saturados de recuerdos. Nada más. De ahí que Rafael Lapesa lo considere un inventario de cosas viejas («Símbolos» 122-23). También Gustavo Pérez-Firmat lo califica de catálogo de reliquias, «una enumeración de objetos insignificantes», que el poeta presenta adecuadamente en forma de frases incompletas, sin verbo, que así semejan fragmentos (9).

El poema se puede dividir en dos partes. En la primera, el poeta enumera una serie de objetos, evocadores de memorias: «tocados», palabra que apunta claramente al poema medieval; así como los «encajes» y «sedas» —equivalente de los «vestidos chapados» manriqueños—, a los que califica respectivamente de «mustios» y «marchitas», sinestesias procedentes del mundo vegetal y atribuidos por lo general a la decadencia orgánica de las flores. El poeta acentúa la idea del paso del tiempo al dar a los tejidos un tratamiento de materia viva en estado de descomposición. En el tercer verso alude al mundo religioso, con los «salterios» abandonados, para cerrar el cuarto con una alusión espacial: las «salas polvorientas». Hasta aquí todo evoca un mundo pasado, reforzado por la expresión imprecisa «de otros días», alusión temporal que domina desde el primer verso y que tiñe al resto del poema.

Desde el quinto verso, los objetos mencionados tienen otro cariz: son documentos impresos, portadores de recuerdos. Alude a «daguerrotipos» cuyas imágenes se han ido borrando, cartas que amarillean y libros no leídos. Resalta el tono peyorativo de «libracos», que proclama el escaso interés de los textos cuya única utilidad es que, entre sus páginas, se han puesto a disecar «grises florecitas», recordatorios de momentos felices del pasado. Machado cierra el último verso con el diminutivo aplicado a esas flores — «grises» y nimias— y con la presencia de esos puntos suspensivos que cierran el poema dejándolo abierto al futuro temporal. Los daguerrotipos, cartas y florecitas secas han llevado a Macrì a considerar este poema más próximo a la poesía *crepuscular* italiana (2: 871). Por su parte, Pérez-Firmat lo vincula con la tradición romántica y la poesía de las ruinas «por la atmósfera de descomposición» que permea el poema (9). En mi opinión, Machado sigue a Manrique ya que, como él, se sirve del *rhopos y* de la capacidad de los objetos por imprimir el tiempo. Además, también el uso de adjetivos temporalizadores, así como la alternancia de versos de metro diferente apuntan a una influencia manriqueña.

Estos versos muestran que la preocupación por el tema del tiempo materializado en las cosas está ya presente, desde el principio, en la obra de Machado. En esta misma colección encontramos uno de sus poemas más famosos en el que trata otro aspecto del tema temporal. Me refiero a «Las moscas» (XLVIII). Si en el poema analizado, el poeta hacía hincapié en la relación tiempo y memoria, en éste dedicado a los insectos actualiza uno de los temas clásicos en poesía: *fugit irreparabile tempus.* El enorme acierto de Machado es modernizarlo, adaptarlo temáticamente, sin seguir tan de cerca el modelo manriqueño. Para representar la fugacidad de la vida, el poeta no se sirve de las imágenes clásicas del río, la rosa o la belleza femenina amenazada por el paso de los años. Elige algo radicalmente diferente, procedente de la realidad inmediata y alejado de toda grandiosidad. Escoge a las moscas, el insecto más vulgar. Como los vestidos chapados de Manrique, las moscas formaban parte del entorno social y cultural de fin de siglo. La atracción por los insectos formaba parte del interés y la popularidad de las ciencias naturales y del discurso científico finisecular, tema que trato en el quinto capítulo. Además, esta preocupación por los artrópodos tuvo un impacto enorme en el mundo de las creaciones artísticas, especialmente en las artes suntuarias como la joyería. Como explican Marilyn Nissenson y Susan Jonas, los insectos fueron uno de los motivos predilectos del *art nouveau,* que estaban de moda debido a los diseños de joyas de René Lalique y otros joyeros de la época, influidos por el arte japonés (12-13). En los catálogos de Lalique, cuyas ilustraciones recogen Nissenson y Jonas, figuran collares y otras joyas formados con moscas doradas o con incrustaciones de piedras semipreciosas. En España, según Litvak, el joyero catalán Luis Masriera los incorporó a sus diseños tras su visita a la Exposición de París de 1900, en donde entró en contacto con la joyería de Lalique (33). De esta forma Machado, que estuvo en la capital francesa durante esos años y debía conocer este interés científico y artístico por los insectos, introduce en el texto literario elementos del contexto social.

El poeta rechaza el aspecto simbólico de las moscas[32], prefiriendo convertirlas en protagonistas de un microcosmos, y así, a través de ellas y su relación con objetos y personas anónimas, presenta una inteligente y original evocación temporal. Ribbans reconoce el acierto de Machado y apunta que es una muestra «del interés que revela por lo aparentemente insignificante, pero que se relaciona, como esas moscas, con todas las etapas de su vida» (*Soledades* 158).

La novedad literaria de adaptar un tema clásico a algo vulgar y cotidiano se corresponde con un tratamiento similar usado en la pintura de la época. Los impresionistas emplearon esta técnica. Edouard Manet destaca por las adaptaciones que hace del tema clásico del desnudo en dos obras tempranas que causaron gran revuelo: *El almuerzo en la hierba* y *Olympia*. La causa del escándalo no fue el desnudo en sí, tema clásico de la pintura académica, sino utilizar modelos conocidas, representarlas en escenas no míticas sino cotidianas, o caracterizarlas con detalles contemporáneos. Las musas, gracias o diosas desvestidas —como la Venus de Botticelli o las gracias de Rubens— no habían sido causa de escándalo. El alboroto se produjo cuando Manet representó sus desnudos en escenas del plano real, cuando dejan de ser mitos y, de acuerdo con Guillermo Solana, se rebajan «a lo actual y cotidiano» (9). Las venus cesan de ser diosas y pasan a ser mujeres desnudas, sentadas junto a caballeros vestidos, en una merienda campestre. El cuadro, como sabemos por el crítico Hamerton, era una transposición del mismo tema tratado por Giorgione, en la que el pintor francés ha sustituido la graciosa vestimenta de los venecianos por «la horrible indumentaria francesa de hoy» (citado por Rewald 84-85). Esta cotidianidad aparece enfatizada por los detalles del primer plano: los panes, cestas y manteles desparramados en el suelo, como en un bodegón. En el caso de *Olympia*, los detalles también contribuyen eficazmente a la actualización y renovación del tema clásico. La modelo, una prostituta conocida, se adorna con pequeños detalles: lleva prendida una flor en el pelo, un lazo negro en el cuello, una pulsera dorada con un colgante y calza un coqueto chapín. Estos detalles resaltan más aún su desnudez y, a la vez, la humanizan al hacerla esclava de la moda. Además, estos detalles la sitúan en un tiempo concreto, en el marco de la época. Otra novedad es que mientras los desnudos clásicos suelen mantener recogida púdicamente la mirada, las de ahora —en *El almuerzo* y en *Olympia*— contemplan desafiantes al pintor o los espectadores que, de este modo, participan en la escena y quedamos convertidos en *voyeurs*. De esta forma, los impresionistas rescatan un tema clásico —el desnudo— de la esfera mítica y le dan un nuevo tratamiento al situarlo en el mundo de lo

---

[32] En la antigüedad las moscas eran símbolo de la muerte y de lo diabólico.

cotidiano y vulgar, logrando con ello, como dice Solana, «parodiarlo» (9). Considero que su acierto es que consiguen así contemporalizar un tema clásico. Machado en su poema a las moscas hace algo semejante. En primer lugar, rompe con el tratamiento formal y solemne que los poetas clásicos dan habitualmente a este tema y comienza dirigiéndose directamente a las moscas con ese «Vosotras» y así establece, de entrada, un tono conversacional, coloquial y directo con ellas. En las dos estrofas primeras describe a los insectos y al final del poema cierra con otra estrofa, también de carácter descriptivo. En estas estrofas descriptivas predomina el adjetivo definidor: «familiares», «golosas», «vulgares», «voraces», «pertinaces». Y en la última estrofa insiste en las cualidades de los insectos: «inevitables golosas», «pequeñitas», «revoltosas». Estos epítetos suponen una novedad ya que distan mucho de la estética modernista y anuncian la evolución hacia la representación de la realidad, tan caracterizadora de *Campos de Castilla*.

Sobre la descripción de los insectos, Machado construye su meditación temporal basada en la propia experiencia. A partir de la tercera estrofa recuerda a las moscas en espacios y tiempos concretos, unidas a emociones específicas: el hastío en el salón familiar en verano; en la aborrecida escuela durante el otoño. Tras estas consideraciones personales, llega a una conclusión de carácter general: moscas omnipresentes en todas las etapas de la vida: «Moscas de todas las horas / de infancia y adolescencia» (20-21). Consciente de que estas humildes moscas no tienen cantor, Machado se erige en serlo:

> [. . .] Moscas vulgares,
> que de puro familiares
> no tendréis digno cantor: (25-27).

A continuación, el poeta canta su presencia constante en nuestras vidas, asociando cada etapa metonímicamente con un objeto insignificante: «el juguete encantado» de la infancia, «el librote cerrado» del colegial, «la carta de amor» del joven, para terminar con esos dramáticos «párpados yertos» de los muertos que las moscas irreverentes, como el tiempo, no respetan. Las moscas quedan convertidas en espectadoras de nuestras vidas.

Valverde destaca el tono periodístico de este poema, así como su emotiva originalidad. Para este crítico, como más tarde en las «Coplas» (CXXXIII) por la muerte de don Guido, este poema es parodia y homenaje a Manrique, «incluso en el empleo del verso de pie quebrado», usando el metro corto para lograr dos funciones. Por un lado, mediante el uso del pie quebrado manriqueño, introduce un tono humorístico que rompe con la rotundidad del tema (71):

> Y en la aborrecida escuela,
> raudas moscas divertidas,
> perseguidas
> por amor de lo que vuela, (13-16)

Por otro, al emplear esta estrofa, refuerza la gravedad y recobra lo que Valverde denomina «la dignidad manriqueña» (71):

> sobre los párpados yertos
> de los muertos. (32-33)

El poema se cierra con una vuelta a las moscas. El poeta concluye que su apariencia vulgar, su omnipresencia revoltosa y su insistente cotidianidad las capacita como evocadoras de «las cosas», que son una metonimia de la vida.

Uno de los rasgos estilísticos que Machado comparte con Manrique es el uso de la interrogación como elemento temporalizador, prodecente del *Ubi sunt?* bíblico, aplicado a aspectos nimios de la realidad como ya vimos en «¡Tocados de otros días» (LXXI). El recurso de la interrogación deja el tiempo abierto a la duda, vibrando misteriosamente y marcando, todavía más, el tono emocional. Hay muchos ejemplos de interrogaciones temporalizadoras en la poesía machadiana. En *Soledades* de 1903 encontramos un poema, «¿Mi amor?... ¿Recuerdas, dime» (XXXIII), que ha sido comentado por Gullón, en el que Machado busca crear una atmósfera poética dando predominio a las sensaciones, a la manera modernista y eliminando toda anécdota:

> ¿Mi amor?... ¿Recuerdas, dime,
> aquellos juncos tiernos,
> lánguidos y amarillos
> que hay en el cauce seco?... (1-4)

No está muy claro quién formula la pregunta inicial. Para Sánchez Barbudo alguien pregunta al poeta por su «amor», o podría interrogarse él mismo (58). El poema es, como en las estrofas manriqueñas, una formulación sucesiva de preguntas, o más bien una sola pregunta retórica. La evocación interrogativa de unos detalles de la naturaleza articulan el poema: «¿Recuerdas?», «¿Te acuerdas?». A través de ellas evoca unos momentos que podrían ser recuerdos de vivencias con una mujer, o simplemente unas imágenes desoladoras sobre su concepto del amor. Tampoco importa. Lo que adquiere protagonismo es la recreación de un estado de ánimo —y en esto es un poema modernista— mediante la emoción de unos recuerdos, vinculados a un espacio y un tiempo concretos. Como Manrique, Machado materializa sus emociones en unos pocos objetos nimios: los juncos lánguidos, la amapola marchita, el sol yerto. Estos detalles evocan un amor muerto.

Machado emplea un proceso semejante pero mucho más logrado en la bellísima epístola escrita a su amigo, «A José María Palacio» (CXXVI) de *Campos de Castilla*, y que tan acertadamente ha comentado Claudio Guillén. En este poema Machado retoma de nuevo el tema del *Ubi sunt?* pero no lo emplea a la manera clásica, con preguntas que se refieren a un tiempo ya pasado, sino que lo altera y sus preguntas afectan a un presente y a un futuro inmediato pero basándose en un pasado sobreentendido. El «¿qué se hicieron?» manriqueño es ahora un «¿hay ya?» machadiano. La realidad presente y futura de las preguntas —sobre la incipiente llegada de la primavera soriana— es el contrapunto de otra que permea soterradamente el poema y sobre la que construye su meditación: la evocación de esas otras pasadas en Soria junto a su mujer, ahora muerta, y su amigo ausente.

El tema del poema es aparentemente simple. El poeta escribe a su amigo y recuerda desde Baeza la tardía llegada de la primavera soriana, tras los rigores del invierno castellano. El encargo de los últimos versos altera por completo la intención del poema. La alusión «al alto Espino» revela el verdadero tema: la muerte y ausencia de Leonor. Así, el poema deja de ser carta —«Palacio, buen amigo»— para convertirse en elegía. Elegía que, como en las *Coplas* de Manrique, y de acuerdo con Gullón, se caracteriza por su serenidad y falta de patetismo en el tono (*Poética* 124). Otra coincidencia es que, como en la elegía manriqueña, lo nimio pasa a ocupar el primer plano y consigue alterar la perspectiva. En el poema manriqueño vimos cómo la preocupación temporal descansa en el *rhopos* de las ropas chapadas, catalizadoras de la *peripeteia*, y por medio de ellas el poeta logra universalizar la preocupación temporal. Machado aprende del maestro medieval y organiza la materia poética siguiendo el modelo manriqueño en varios de sus poemas. En «Las encinas» (CIII), poema que analizo en el cuarto capítulo, Machado sigue el modelo manriqueño y altera la perspectiva situando a la Historia oficial —representada por los monarcas— en el plano del fondo, mientras que da prioridad a los buenos aldeanos y a las humildes encinas del paisaje castellano. En «A José María Palacio» (CXXVI), Machado invierte el ángulo de visión poniendo su historia personal —la muerte de Leonor y sus recuerdos de Soria— en un discreto segundo plano, mientras destaca las menudencias nimias del paisaje. De este modo, los detalles de la naturaleza —signos que anuncian el cambio de estación— destacados por la *peripeteia* en un primer plano, subrayan la continuidad de la vida, frente a su dolorosa historia personal, que permanece casi oculta.

El poema dirigido a Palacio está dividido en dos partes. La primera, con veintiocho versos, está construida sobre un tono interrogativo, de preguntas

—directas o indirectas— con las que el poeta evoca la primavera soriana. La segunda, con cuatro versos, tiene como centro el verbo imperativo que encarga a su amigo llevar flores a la tumba de su mujer. Machado emplea un total de seis interrogaciones, todas ellas relacionadas con aspectos de la naturaleza que marcan la llegada de la primavera:

> ¿está la primavera
> vistiendo ya las ramas de los chopos
> del río y los caminos? [. . .] (2-4)

El poeta alterna estas preguntas con afirmaciones construidas con futuro hipotético o de probabilidad y que, por tanto, también confieren un carácter interrogativo: «Aún las acacias estarán desnudas» (9). Respecto a las preguntas, el poeta recurre al sistema de gradación, distribuyendo la materia poética en orden descendente, de lo general a lo particular. Después de preguntar si ha llegado la primavera, se interesa por elementos concretos y nimios de la naturaleza: «¿Tienen los viejos olmos / algunas hojas nuevas?» (7-8). Hasta llegar a lo más insignificante: zarzas, peñas y humildes margaritas:

> ¿Hay zarzas florecidas
> entre las grises peñas,
> y blancas margaritas
> entre la fina hierba? (13-16)

A esta pregunta le siguen estas dos, tan conocidas, condensadas en un mismo verso, con el verbo del primer hemistiquio apuntando hacia el futuro, y en cambio, el del segundo, hacia el pasado, aunque ambos están en presente: «¿Hay ciruelos en flor? ¿Quedan violetas?» (24). Y después se interesa por el ruiseñor, cuya presencia confirma la llegada de la estación: «¿tienen ya ruiseñores las riberas?» (28).

Estas preguntas sobre aspectos nimios y anecdóticos de la naturaleza perforan el texto con lo que Gallagher y Greenblatt llaman «the touch of the real» o «toques de realidad» (49). Estos detalles distraen del contenido de la narración —la carta con el encargo al amigo— introduciendo trivialidades basadas en recuerdos del pasado. Mediante ellos, el poeta incluye en la elegía el goce de los sentidos que contrasta con la idea de la muerte.

La repetición de referencias visuales es una de las características de *Campos de Castilla*, según ha destacado acertadamente Arthur Terry (60). No es un rasgo exclusivo de esta obra, ya que hay elementos, presentes en las anteriores, que resurgen en ésta estableciendo un vínculo de continuidad y produciendo un efecto de familiarización. Esto es especialmente cierto en relación a los elementos nimios, sobre todo de la naturaleza y el paisaje, que aparecen en varios poemas de esta colección. Chopos, olmos, zarzas, margaritas, cigüeñas, labriegos y cazadores furtivos, surgen reiteradamente en versos diferentes. En este sentido, Terry ha apuntado las coincidencias en los detalles entre este poema y «Recuerdos» (CXVI), en el que también el poeta rememora el campo soriano desde tierras andaluzas mediante similares impresiones visuales (60). La semejanza entre ambos poemas afecta a la construcción gramatical y el empleo de preguntas:

> ¿Dará sus verdes hojas el olmo aquel del Duero?
> Tendrán los campanarios de Soria sus cigüeñas,
> y la roqueda parda más de un zarzal en flor; (16-18)

De nuevo, Machado basa su evocación sobre detalles nimios del paisaje. Volviendo a la carta a Palacio, uno de los grandes logros del poema es que no es un canto al pasado sino que se abre al futuro. Todas las preguntas, con sus acertados tiempos verbales, indican la presencia o ausencia de algo: «hay», «quedan», «habrá». Y todas aluden, como afirma Guillén, «al emplazamiento temporal de cosas concretas» (460). Los detalles nimios se convierten en signos que marcan su existencia en el tiempo y, de este modo, reflejan el fluir temporal. Para Guillén, las interrogaciones de este poema, directas o indirectas, son esenciales: «Recuerdo, nostalgia, esperanza: las interrogaciones aluden a cuantas emociones puede suscitar el tácito fluir del tiempo» (457). Pero a la vez están situados en un espacio y tiempo concretos. Los chopos del río, las zarzas o «esos campanarios» podrían referir a lugares específicos y experiencias compartidas. Como en Manrique, esas referencias espaciales potencian la emoción ya que suscitan recuerdos nostálgicos.

Las preguntas del poeta sobre los aspectos más nimios de la naturaleza que auguran la llegada de una nueva primavera en Soria serían un signo esperanzador y positivo. No obstante, quedan contrarrestadas por dos ausencias que no pueden disfrutar de ese paisaje evocado: la del poeta en Baeza y la de Leonor en el Espino. Estas ausencias marcan una distancia geográfica y temporal pero también emotiva: frente al renacer de la vida de la primavera castellana, el vacío de la ausencia y de la muerte; frente a lo que llega, lo que se ha ido. La paradoja de este poema elegíaco a la muerte de su mujer es que lo presenta como un canto sosegado a la prolongación de la vida. Es un canto a la vida, no a la vida eterna, como en la Edad Media, ni a la fama manriqueña, anuncio del cambio de mentalidad renacentista, sino que de acuerdo con su tiempo, Machado crea un canto a la cotidianidad, a la sencillez, a la propia duración de las cosas en el espacio y en el tiempo.

En los poetas medievales lo nimio funciona como contrapunto a la narración. Mediante los detalles, el juglar del *Poema del Mio Cid* introduce en la epopeya aspectos de la realidad: la vida diaria de sus gentes, sus costumbres y su paisaje. Algo que también hará Machado. Este contrapunto no es sólo estético. Es social porque los detalles incluyen en el texto la presencia de seres cotidianos y marginales; y es político porque responden a una mentalidad —la árabe— que es precisamente la del enemigo, culturalmente superior, cuya forma de entender la vida se infiltra en el texto y se refleja mediante los detalles nimios. En Berceo, Machado encuentra al poeta culto que busca identificarse con el pueblo. Berceo, maestro del *bathos*, ofrece una nueva perspectiva: reelabora historias cultas y las hace asequibles al pueblo. Salta los muros del monasterio y sale a los caminos; baja el cielo a la tierra y ensalza a humildes y pecadores. Machado lo elogia haciendo la misma inversión: comparando sus versos con las pardas sementeras y al arte de poetizar con el de labrar el campo. Por último, Machado descubre en Manrique el contrapunto de las cosas y su capacidad para reificar la preocupación temporal. Además, las cosas introducen en el texto un elemento político. Manrique altera la perspectiva ya que evoca la corte de Juan II, no mediante la figura del rey, sino a través de las danzas y vestidos de sus cortesanos anónimos. Rechaza la historia del monarca y da más importancia a las historias de los personajes anónimos de la corte y sus detalles, y mediante ellos aspira a conectar al hombre con su realidad temporal —la historia— y espacial —Castilla—. De la misma manera, Machado emplea detalles y descripciones saturados de emoción como base de su meditación temporal y espacial. Mediante ellos, como veremos más adelante, reemplazará a la Historia oficial por historias cotidianas y al espacio —la idea imperialista de nación— por el mundo rural castellano.

II
Alteración de la perspectiva en el Romancero y *Campos de Castilla*

«I do not doubt that the majesty and beauty of
the world are latent in any iota of the world.
I do not doubt there is far more in trivialities,
insects, vulgar persons, dwarfs, weeds, rejected
refuse, than I have supposed».

WALT WHITMAN
«Assurances», *Leaves of Grass.*

Antonio Machado vuelve a los autores medievales en busca de señas de
identidad españolas. Y lo hace a la manera de otros escritores de su época,
según ha señalado Segundo Serrano Poncela, emprendiendo esta búsqueda
por la vía literaria (199). Machado redescubre las obras medievales y,
como los otros autores, no se conforma con valorarlas sino que busca rea-
vivarlas, actualizarlas y, en definitiva, establecer con ellas un diálogo. De
acuerdo con Gonzalo Navajas, los del 98 redescubren en el repertorio clásico «los restos de un modelo cultural nacional» sobre el que remodelan
mediante una reconstrucción subjetiva (183). La predilección por las
obras medievales es extensiva al Romancero. Desde un planteamiento
nuevo historicista, a estos intelectuales les interesan los textos del pasado
no en cuanto documentos de valor exclusivamente literario, sino por su
valor «historicista», es decir, como afirma John Brannigan, porque la lectura literaria es «una forma, entre otras muchas, de leer el pasado» (81).
Para los escritores de fin de siglo, la lectura de los textos literarios medievales se convierte así en un instrumento para romper la linealidad de la
historia, y se sirven de sus formas de representación para demostrar que
ese pasado sigue vivo en el presente. Machado, en un artículo del 5 de
marzo de 1913, reconoce que hay investigadores en los archivos y bibliotecas desempolvando la cultura e historia, pero se pregunta «¿quiénes son
los investigadores del pasado, vivo en el presente?» (3: 1528). Y en la copla

LXXIX de «Proverbios y cantares» (CLXI) de *Nuevas canciones*, afirma con
respecto a los romances viejos (207):

> Déjale lo que no puedes
> quitarle: su melodía
> de cantar que canta y cuenta
> un ayer que es todavía.

De la misma manera, Azorín incorpora a sus escritos las historias de Juan
Ruiz o Celestina, los estudiosos intensifican las investigaciones cidianas y
los poetas recuperan los versos alejandrinos y la estrofa del romance.

La preferencia por el romance, estrofa privilegiada por Unamuno y
Machado entre otros, es una forma de entender el historicismo. Margaret
Persin ha estudiado las versiones en prosa y en verso del romance machadiano más famoso, «La tierra de Alvargonzález». Para Persin, los dos géneros distintos reflejan y estimulan una «poética de oscilación dialógica» no
sólo a nivel de autoridad textual sino también de la sociedad de la época
(100). Persin cree que esta oscilación refleja el cambio político y social de
la España postcolonial. Comenta acertadamente esta crítica que la elección del romance es en sí una fuente de información para el lector. El romance popular conlleva en su estrofa una carga de tradición y autoridad
cultural. Además, sus orígenes orales y su relevancia histórica en la formación de la identidad nacional responden y reflejan «una versión de la imagen de España de la época de Machado, semejante a la idea de "intrahistoria" definida por Miguel de Unamuno» (101). En esta línea, Carlos
Jerez-Farrán también considera que la elección del romance está al servicio
de una intención, pues es una estrofa asociada a los héroes míticos del
pasado. Opina este crítico, con respecto al largo romance que narra la historia de la familia Alvargonzález (CXIV), que el poeta escoge esta estrofa
para destacar «el deterioro histórico que ha experimentado el país» (199).
Así la estrofa está al servicio de la intención crítica, pues si antes sirvió para resaltar las gestas de los héroes, ahora se ve reducida a pregonar un
parricidio local.

Machado, en el prólogo añadido de 1917, manifiesta que su intención
en *Campos de Castilla* era escribir un nuevo romancero y para ello utiliza la
estrofa tradicional —la misma en la que se recoge la voz del pueblo—,
pero, como espero demostrar, actualiza y reforma esta estrofa para dar voz a
otro tipo de romances que reflejan la realidad nacional y la emoción personal. En este romancero lo nimio está presente no sólo en la forma heredada
de los antiguos romances —la abundancia de detalles de los romances tradicionales—, sino también mediante la representación de las gentes sencillas, de la vida ordinaria y del paisaje cotidiano.

Origen de los romances

Como es sabido, el origen de los romances más antiguos son los cantares épicos, pero mientras éstos relatan gestas heroicas, los romances se concentran en el sentir lírico y la emoción. Los poemas épicos destacan las cualidades de sus héroes y sus batallas; mientras que los viejos romances populares prestan más atención al segundo plano: al trasfondo de la vida cotidiana, o al paisaje. Recuerda Azorín en *Clásicos y modernos* que los romances populares evocan «el recuerdo de las viejas ciudades castellanas, de las callejuelas, de los caserones, de las anchas estancias con tapices, de los jardines con cipreses» (2: 912). Sus detalles descriptivos son un precedente de lo nimio, ya que conceden una importancia inusitada a lo diario, a lo anecdótico y a lo insignificante.

No podemos olvidar la importancia de la transmisión popular de los romances. Unos escritos por anónimos juglares medievales y otros por reconocidos poetas siglos después, han pervivido en boca del pueblo, animando sus trabajos diarios y alegrando sus fiestas[1]. Esta labor del pueblo no debe ser menospreciada ya que no se limita a la transmisión oral, sino que con el tiempo las gentes han contribuido al proceso creativo modificando los versos[2]. Este proceso es esencial porque subraya que el pueblo, durante siglos, ha ido puliendo y resaltando lo que más le interesaba: el aspecto emotivo, el detalle cotidiano, el relato de una anécdota que humaniza al héroe. De esta manera, el pueblo fue alterando el texto original y, al hacerlo, provocó una *peripeteia* al dar más relevancia a los detalles de la realidad, del contexto narrativo, que a los personajes y los hechos de la narración. Así, en mi opinión, en muchos de los romances populares que han llegado a nuestros días, puede verse ese genial desplazamiento de la perspectiva por el que

---

[1] Azorín hace una distinción semejante aunque él los llama romances viejos y populares, como afirma en *Al margen de los clásicos* (912). Dice de los primeros que son «artificiosos y pulidos», escritos por algún poeta que quiso hacer alardes de «lindeza y elegancia». Sobre los segundos, «breves, toscos», pero que tienen la emoción de la obra que ha sido sentida, se pregunta quién los ha compuesto: un tejedor, un alarife, un carpintero o son la obra de un artista: «¿[. . .] que ha llegado a saber que el arte supremo es la sobriedad, la simplicidad y la claridad?» (912). Romances que han pasado a ser tesoro del pueblo, riqueza de todos:

> Estos romances populares, tan sencillos, tan ingenuos, han sido dichos o cantados en el taller de un orfebre; en un cortijo, junto al fuego, de noche; en una calleja, a la mañana, durante el alba, cuando la voz tiene resonancia límpida y un tono de fuerza y de frescura. (912)

[2] Por boca de Mairena, muchos años después, dirá Machado: «Si vais para poetas, cuidad vuestro folklore. Porque la verdadera poesía la hace el pueblo. Entendámonos: la hace alguien que no sabemos quién es o que, en último término, podemos ignorar quién sea, sin el menor detrimento de la poesía» (4: 2121).

lo irrelevante ha adquirido un protagonismo que no tenía en el cantar original, mientras que el personaje principal o la batalla histórica han pasado a
un discreto segundo plano o al olvido. Del conde Arnaldos, de la bella en
misa, o del prisionero, protagonistas de conocidos romances[3], no sabemos
nada, pero sus versos nos ofrecen información detalladísima de la nave, del
atuendo personal de la joven, o de la llegada de la primavera, respectivamente. Por este procedimiento, el pueblo al manipular los versos, ha ido incluyendo en el texto los elementos del contexto social que le interesaban: la
sorpresa —«la admiración» originada por lo maravilloso en palabras de
Greenblatt[4]— que produce la aparición del viajero exótico; la reacción de
sorpresa que causa el atuendo de la dama; o la emoción que produce un
cambio en el contexto de lo real: la llegada de la primavera que resalta la soledad del prisionero. Sus caras, sus gestas, su procedencia social se han ido
desdibujando, llegando incluso a desaparecer y, por el contrario, se ponen
de relieve los detalles anecdóticos, los de la realidad cotidiana. El resultado de
este desplazamiento es un *bathos* textual: la visión de la clase culta ha sido
reemplazada por la que ha impuesto el pueblo.

Machado, gran amante de los romances por preferencias personales y
por razones familiares, aprende e incorpora estos procedimientos. Aprende
la técnica de la fragmentación romancista y la emplea con acierto al escribir
sus romances. Aprende de su estrofa, de su metro, y sus recursos intensifica-
dores que utiliza en sus versos. También aprende de los romances, no sé si
conscientemente, esta técnica de alterar la perspectiva, de alumbrar lo nimio y concederle protagonismo, dejando en la oscuridad figuras y aspectos
que pertenecían al primer plano y que podrían parecer esenciales.

Entorno familiar

La vinculación de Machado con el Romancero, de todos conocida, es de
índole literaria pero también de carácter familiar. Era hijo del primer folklorista español, Antonio Machado Álvarez[5], conocido como «Demófilo», fun-

---

[3] Las citas de los romances que menciono en este capítulo son de *Flor nueva* de Menéndez Pidal. En su edición, ni los romances ni los versos están numerados. Cito los números de
las páginas.

[4] Sobre este tema, véase el capítulo «Marvelous Possessions» del libro de Greenblatt con
el mismo título.

[5] José Machado, el hermano pequeño, lo recoge en su libro sobre Antonio: «La influencia
de la lectura de todos estos libros [se refiere a las obras escritas por el padre] —tan relacionados con el pueblo— es indudable que dejó en Antonio una huella imborrable» (16). Más tarde, al hablar de Antonio: «Su inclinación a lo popular era innata en él. Acaso la heredó de
nuestro buen padre. Todas esas colecciones de libros en donde están recogidas, directamente

dador de *El Folk-lore andaluz* y autor de numerosos estudios, cuya tarea fue, en palabras de Vázquez y Acosta, «dignificar los estudios sobre poesía popular» (154)[6]. Sus investigaciones tuvieron mejor acogida fuera de España y prueba de ello es la penuria económica que sufrió, especialmente durante los últimos años de su vida. La figura del padre dejó una huella imborrable en Antonio. Menos conocida es la influencia de la abuela, Cipriana Álvarez Durán[7], mujer de cierta cultura, escritora y pintora, que colaboró activamente en los estudios folklóricos del padre de los Machado. En las veladas familiares ella leía romances recogidos por su tío, el famoso Agustín Durán, compilador del *Romancero general*. Antonio recuerda, en el prólogo añadido a la edición de 1917, la influencia de este pariente, ya que según cuenta aprendió a leer en ese libro (275). Su interés por el romance y la poesía popular se vio afianzado durante su educación escolar en la Institución Libre de Enseñanza[8]. Los maestros de este centro reconocieron la importancia del folklore en relación con la histora y la cultura, así como la labor que el padre de los Machado estaba realizando. En agradecimiento, «Demófilo» ya en 1880 dedicó su *Colección de enigmas y adivinanzas* al espíritu hispanófilo y popularista de la Institución[9]. Durante años, el abuelo y el padre de los Machado y los directores de la Institución mantuvieron una relación estrecha llegando éstos a ofrecer un puesto al padre en su centro educativo[10].

---

del pueblo español, sus coplas, sus leyendas, cuentos, refranes, sentencias, etc. eran ávidamente leídas y asimiladas por el poeta. (21). Paulo de Carvalho Neto ha estudiado la influencia que las teorías folklóricas del padre ejercieron en las ideas y la obra de Antonio, especialmente su valoración y amor a lo popular.

[6] Más datos sobre la familia de Antonio Machado en el libro de Daniel Pineda, *Antonio Machado y Álvarez, «Demófilo»: Vida y obra del primer flamencólogo español*, y en su artículo, «La familia de Machado en la Sevilla de la época». También en Manuel Ángel Vázquez Medel y Ángel Acosta Romero en «"Demófilo", Antonio Machado y la poesía popular».

[7] La abuela recogió información del campo extremeño que luego «Demófilo» incluyó en en sus obras.

[8] Ángel González considera que el respeto de Antonio Machado por todas las manifestaciones de la cultura popular son, además de consecuencia de su tradición familiar, huella clara de su formación en la Institución Libre de Enseñanza (17).

[9] Américo Castro, alumno de la Institución, aporta este dato en un artículo dedicado a «Manuel B. Cossío» con motivo de su muerte (*Semblanza* 433).

[10] Brotherston señala que los dos Machados —el abuelo y el padre—, estuvieron muy vinculados a la Institución Libre de Enseñanza desde su fundación. Ambos donaron libros a su biblioteca y el padre, Machado Álvarez, regaló ejemplares dedicados de sus publicaciones. Ambos tenían amistad con Linares, Flores, M. B. Cossío, Sama, Costa y sobre todo con Giner de los Ríos. Este último llegó a estar prometido con María, una prima del padre de Manuel y Antonio. A su vez, el respeto de los hombres de la Institución por Machado Álvarez queda patente en el hecho de que le ofrecieron una cátedra de estudios folklóricos en 1885, dos años después del traslado de la familia a Madrid, cátedra especialmente creada para él, pero que rechazó por razones desconocidas (8-9).

Presencia de lo nimio en los romances

La conexión del romance con lo nimio comienza por la entraña misma del término, pues como recuerda Ramón Menéndez Pidal la palabra «romance», en su sentido original, significaba «lengua vulgar», es decir la lengua del pueblo, para distinguirla del latín, la lengua culta (*Romancero* 3). Su otra acepción refiere al sentido literario: inicialmente se llamaban romances a composiciones varias redactadas en la lengua común. A partir del siglo XV el término se fija y queda para designar una composición épico-lírica, de rima monorrima asonante en los versos pares y que, según el erudito español, «se cantan al son de un instrumento, sea en danzas corales, sea en reuniones tenidas para recreo simplemente o para el trabajo en común» (*Flor nueva* 9). Así, desde un primer momento, el término «romance» se asocia con el pueblo, su lengua, y sus diversiones, frente a la poesía destinada a clases altas o la lengua culta.

Muchos de los romances más antiguos proceden de la poesía épica castellana y castellanos son muchos de sus héroes. De ahí que muchos poemas del Romancero traten del nacimiento de Castilla. Esto llevará a Machado a decir en unos versos de «Orillas del Duero» (CII) de *Campos de Castilla*:

¿Y el viejo romancero
fue el sueño de un juglar junto a tu orilla? (49-50)

Con el tiempo, estos poemas se fueron difundiendo por otras regiones. Esto, según Pidal, influyó en los poemas: las epopeyas se fueron transformando[11] y se introdujeron otros temas. De algunos de los poemas épicos antiguos se fueron desgajando los fragmentos más felices, los preferidos por el pueblo, que llegaba a aprenderlos de memoria y así adquirieron carácter independiente. Al desgajarse, recuerda Pidal, «ese canto pasa a ser asimilado por la colectividad» y ya no puede quedar intacto (*Romancero hispánico* 59). Los romances perdieron parte del carácter narrativo incluyendo aspectos novelescos, heroicos o amorosos. Un ejemplo clásico es «El infante Arnaldos» (202-203). El poema narra la escena del infante que sale de caza, cuando divisa una galera. De un total de veintiocho versos, doce de ellos son de carácter descriptivo, aludiendo a la nave o al efecto que produce el canto del marinero. Por lo general, en los poemas épicos la función de lo descriptivo es secundaria. Su misión en el poema es mantenerse en un segundo plano, construyendo el marco de fondo y abocado a no destacar. Sin embargo, al

---

[11] Sobre la evolución del antiguo cantar de gesta a los romances, véanse los estudios de Ramón Menéndez Pidal: *El romancero español, Romancero hispánico (Hispano-portugués, americano y sefardí). Teoría e historia,* y *Flor nueva de romances viejos.*

desgajarse un fragmento por intervención del pueblo y convertirse en romance, uno de los rasgos que más sorprende es la acumulación de detalles sobre aspectos anecdóticos que han pasado a ocupar el primer plano. Esta alteración puede verse en muchos de los romances. Es algo que contrasta con la ausencia de descripciones sobre el resto de las figuras, que se mantienen deliberadamente imprecisas. Este desequilibrio descriptivo, que bien podría ser consecuencia del propio desgajamiento, contribuye efectivamente al carácter misterioso del poema. Las descripciones hacen que el *tempo* de la acción se remanse, invitando a la contemplación de la escena (202-203):

> las velas trae de sedas,
> la ejarcia de oro torzal,
> áncoras tiene de plata,
> tablas de fino coral.

Los versos que siguen, que detallan el impacto de la voz del marinero en la naturaleza, aumentan la expectación y contribuyen al dramatismo de la escena (203):

> que la mar ponía en calma,
> los vientos hace amainar;
> los peces que andan al hondo,
> arriba los hace andar;

La narración en forma descriptiva, casi pictórica, sirve para crear una atmósfera que es preámbulo del sorprendente desenlace final (203):

> —Yo no digo mi canción
> sino a quien conmigo va.

La fragmentación intensifica y acentúa la emoción. Comenta Salinas que cuando Menéndez Pidal halló la versión completa, se comprendió la grandeza del romance frente al antiguo poema: la fragmentación había convertido una simple historia narrativa de aventuras en un triunfo de la lírica («El romancismo» 501)[12].

Afirma Samuel G. Armistead que es erróneo considerar que han sobrevivido versiones únicas de cada romance. Debido a la fragmentación original, se produjeron muchas diferentes de un mismo poema y, aunque en los

---

[12] Antonio Machado empleará una estructura no idéntica pero sí semejante en algunos de sus poemas, en los que tras una serie larga de versos descriptivos, rompe con un par de versos de intenso contenido lírico, como en «Caminos» (CXVIII).

romanceros impresos se incluyera una sola, en la tradición oral han perviví-
do versiones múltiples (xii). No obstante, al comparar versiones diferentes
de un mismo romance, sigue destacando la abundancia de detalles descriptivos. Como ejemplo, vemos también la presencia de los detalles en otra
versión de este mismo romance, recogido en la edición de Paloma Díaz-
Mas, que ofrece una descripción de la galera ligeramente distinta:

> las velas trae de oro, las cuerdas de oro torçal
> y el mástil del navío era de un fino nogal. (12-13)

A veces, estos detalles son completamente distintos en cada una de las versiones pero su presencia subraya un rasgo caracterizador.

Machado descubre la fuerza intensificadora de estos fragmentos convertidos en romances, recurso que él mismo emplea con éxito. En «De un cancionero apócrifo»[13], atribuye a uno de los heterónimos, Froilán Meneses,
poeta leonés del siglo pasado, un romance titulado «Fragmento», de veintiocho versos, compuesto al estilo de los romances tradicionales (3: 1277):

> En Zamora hay una torre,
> en la torre hay un balcón,
> en el balcón una niña,
> su madre la peina al sol.

El romance trata de un conde que al pasar se enamora de la dama pero ella
pretende impedir que el caballero entre en su alcoba. López Estrada afirma
que es una reelaboración intencionada sobre un material folklórico diverso
(*Los «primitivos»* 224). Macrì reconoce en estos versos la influencia de varios
romances populares: el comienzo de «En Zamora está don Rodrigo» junto a
varias versiones del tema de la esposa infiel (2: 1007-8). Pero Machado va
más lejos y en la segunda edición de sus *Poesías completas* (1928), en el apartado «Consejos, coplas, apuntes» de «De un cancionero apócrifo» (9), ofrece él
mismo la versión «fragmentada» de su propio romance. La casi treintena de
versos han quedado reducidos a diez. Los cuatro primeros versos siguen las
pautas del romance popular y de la previa reelaboración apócrifa (2: 684)[14]:

> La plaza tiene una torre,
> la torre tiene un balcón,
> el balcón tiene una dama,
> la dama una blanca flor.

---

[13] Cito las páginas de la edición de Macrì.
[14] Cito las páginas de la edición de Macrì.

Machado mantiene los detalles descriptivos, así como la reiteración mediante el uso de la concatenación, recurso rítmico característico de la poesía gallego-portuguesa y que posteriormente se incorporó a los romances[15]. La intensificación se produce especialmente en los seis últimos versos, en los que el caballero, de acuerdo con López Estrada, se transforma en «vendaval erótico» (*Los «primitivos»* 224), y en los que el ritmo se acelera magistralmente (2: 684):

> Ha pasado un caballero
> —¡quién sabe por qué pasó!—,
> y se ha llevado la plaza
> con su torre y su balcón,
> con su balcón y su dama,
> su dama y su blanca flor.

Sánchez Barbudo resalta cómo Machado se sirve de la continua repetición rítmica de palabras que refieren a elementos mínimos: plaza, balcón, dama, flor. Las palabras definen una situación muy concreta pero a la vez resaltan la intemporalidad (404). Para mí, este uso de sustantivos comunes y la ausencia de adjetivos da un moderno aire minimalista a este romance.

Volviendo a los romances populares, sorprende que tantos detalles sobrevivieran en el proceso de desmembración. Menéndez Pidal cree que esto ocurre, en los romances tradicionales, porque la narración no es discursiva y objetiva; por el contrario, emplea procedimientos intuitivos en los que el mensaje «se actualiza ante los ojos» (*Romance hispánico* 65). El pueblo prefiere la plasticidad y el rasgo pictórico, el detalle emotivo o psicológico al puramente discursivo. Estos rasgos también son propios de la poesía de transmisión oral. Un ejemplo es el romance «La misa de amor» (206-207). En este poema, de un total de veintiocho versos, catorce describen los detalles más nimios de la indumentaria —la saya, el mantellín— y los afeites de la dama —el dulzor, el arrebol—, silenciando en cambio sus atributos naturales. Sobre la belleza de la dama, el poema no dice nada (206):

---

[15] Navarro Tomás recoge varios de estos recursos, de procedencia trovadoresca, que se basan en el enlace de los versos o de las estrofas. Fueron muy empleados en la poesía medieval y en la primera mitad del siglo XV, especialmente en los cancioneros y posteriormente incorporados en los romances (*Métrica* 189). Recursos semejantes, basados en la repetición, son la anáfora y la anadiplosis. Cuando hay varias anadiplosis se llama concatenación. Ni los nombres ni las definiciones son exactas. Tomás denomina leixaprende a la concatenación (189). Para José Domínguez Caparrós, el leixaprén —dexa-prende o leixa-prende— es un artificio flexible, en el que hay una estructura paralelística así como un ritmo repetitivo (89). Para Rafael Lapesa, el lexaprén o lexaprende, que significa «deja y toma», es una forma de encadenamiento entre parejas de versos (115).

> viste saya sobre saya,
> mantellín de tornasol,
> camisa con oro y perlas
> bordada en el cabezón.
> En la su boca muy linda
> lleva un poco de dulzor;
> en la su cara tan blanca,
> un poquito de arrebol

La abundancia de detalles subraya que el tema del romance no es la belleza sino la admiración que despierta. La acumulación de sensaciones visuales es un recurso que capta nuestra atención y casi termina por sumarnos al número de admiradores que, confundidos, contemplan su belleza en misa: los cantores del coro, el abad que celebra la misa, los monaguillos (207):

> no aciertan responder, non,
> por decir amén, amén,
> decían amor, amor.

De nuevo, Machado retoma este romance tradicional y lo reelabora[16] —elimina muchos detalles y selecciona sólo unos pocos intensificándolos mediante la reiteración— y lo une, como afirma López Estrada (237), con el romance de la viuda casadera para crear una de las composiciones de «Alboradas», una serie de cuatro poesías no publicadas que están recogidas en *Los complementarios*[17]:

> Mal dice el negro atavío,
> negro manto y negra toca,
> con el carmín de esa boca.
>
> Nunca se viera
> de misa, tan de mañana,
> viudita más casadera.

Machado rechaza sabiamente todos los detalles de la vestimenta y los afeites concentrándose sólo en dos que acentúan una oposición: frente a la negrura

---

[16] Encontramos un retrato semejante de dama en el «Romance de Guiomar y del emperador Carlos: que trata de cómo libró al rey Jafar su padre y a sus reinos del emperador, y de cómo se tornó cristiano y casó con Montesinos», analizado por López Estrada en *Los «primitivos»* (218-19).

[17] Cito las páginas de la edición de Macrì.

de la indumentaria —atavío, manto y toca— la rojez de esa boca; fuerte contraste entre el luto de viuda y la pasión de joven. La desnudez de estos versos anticipan el estilo y tratamiento de temas semejantes en Federico García Lorca, otro amante del Romancero[18].

Rasgos de los romances

Menéndez Pidal ha resumido las características generales de los romances. La primera es la intensidad y esencialidad, que ya hemos visto. Con el tiempo y mediante la repetición por el pueblo, se van eliminando frases poco afortunadas o artificiosas, o se sustituyen por otras de mayor sencillez expresiva. Los poemas se van abreviando (*Romance hispánico* 59). Además, a diferencia del cantar épico, el romance tiende a la contemplación de una escena, desviándose de la narración que le precede o le sigue, enfatizando su entrar en el tema *in medias res*. Otro rasgo es que el romance favorece la liricidad y el dramatismo. La primera, mediante el uso de varios recursos: reiteraciones, enumeraciones y exclamaciones; y el segundo, el dramatismo, mediante las transiciones bruscas —consecuencia a veces del propio desgajamiento— y el uso del diálogo (*Romancero hispánico* 60). Por último, otra peculiaridad es el uso del verbo en imperfecto de indicativo, que según López Estrada, es un tiempo descriptivo del pasado que deja diluida la conclusión de la acción y que se presta a los juegos temporales del Romancero (*Los «primitivos»* 220). Machado era consciente de su importancia al escribir en *Los complementarios*, en una de las composiciones con el mismo título (15R): «Del pretérito imperfecto / brotó el romance en Castilla» (3: 1170).

Un ejemplo claro de varios de los rasgos de los romances —la contemplación de una escena sola, el entrar *in medias res,* la carencia de artificiosidad y la abundancia de recursos que intensifican la emoción, tales como la reiteración— es el famoso «Romance del prisionero» (212):

> Que por mayo, era por mayo,
> cuando hace la calor,
> cuando los trigos encañan
> y están los campos en flor,

---

[18] Aunque más que con sus versos, el cromatismo, especialmente el color negro, me hace relacionarlo con sus obras teatrales. El negro y el rojo aparecen en *Bodas de sangre*. El negro, verde y blanco en *La casa de Bernarda Alba*. Temáticamente, podría establecerse una relación: todas reflejan el drama de mujeres jóvenes obligadas por las circunstancias sociales a renunciar al amor. El color verde también está presente en sus poesías, como en el «Romance sonámbulo» de *Romancero gitano*.

cuando canta la calandria
y responde el ruiseñor

Encontramos en este poema muchos de los recursos estilísticos propios de los romances, como la anáfora (en este caso, la repetición de «cuando», y luego «sino» y «que» al principio de los versos); la referencia temporal («que por mayo», «cuando hace la calor»); la reiteración (la repetición del mes); y la construcción paralelística que sustituye a las metáforas. Los ocho primeros versos de este poema de un total de dieciséis, ponen en primer plano sencillos elementos del paisaje que enfatizan la llegada de la primavera, del renacer de la vida. En ellos se condensa un retrato que abarca varios sentidos: el tacto —por medio del calor—; el color —del trigo y las flores—; el sonido —mediante los cantos de la calandria y el ruiseñor—. Pero la función poética de estos detalles nimios va más allá del mero retrato sensorial de una escena. A través de ellos se intensifica la emoción lírica. No en vano Salinas ha calificado este romance de «elegía de la soledad» («El romancismo» 500). Todos estos versos descriptivos iluminan un mundo de luz, el mundo externo de lo cotidiano, y crean una tensión climática, contraste magnífico a la segunda parte de este romance: el mundo de la oscuridad, de la prisión y de la falta de libertad (212):

sino yo, triste, cuitado,
que vivo en esta prisión;
que ni sé cuándo es de día
ni cuándo las noches son,
sino por una avecilla
que me cantaba al albor.
Matómela un ballestero;
déle Dios mal galardón.

La llegada de la primavera, y su función en el poema, hace recordar la descrita por Machado en su poema epistolar elegíaco «A José María Palacio» (CXXVI), que analizamos antes. La descripción evocativa de la primavera —a la que se dedican gran cantidad de versos en ambos poemas— sirve de contrapunto a una ausencia: en el poema machadiano, la de Leonor enterrada en El Espino; y en el romance, la de la avecilla muerta por el ballestero. En los dos poemas, la alegría de la nueva estación subraya aún más la tristeza de las dos voces poéticas, ausentes ante la irrupción primaveral. En el caso de Machado por estar en Baeza, pero lejos además emocionalmente de las otras primaveras, las que gozó junto a su amigo y su mujer ahora muerta. En el caso del romance, el prisionero en la cárcel privado de libertad está todavía más solo desde que le mataron al ave consoladora.

Machado, tan familiarizado con los romances y sus recursos estilísticos, los adopta y emplea en sus propios romances y en poemas que no están escritos en esta estrofa. Con ello logra dar tono romancesco a otros muchos de los poemas que integran *Campos de Castilla*. Esto lo podemos ver por ejemplo en «El hospicio» (C), escrito en cuartetos de alejandrinos, uno de los poemas dedicados a esas figuras sórdidas y marginales[19] de la vida rural provinciana. Es uno de los poemas en que presenta tipos insignificantes de la realidad. En su observación detallada subyace la preocupación por sus formas de vida arcaicas, por sus condiciones míseras, fiel reflejo de la decadencia de España y la incertidumbre ante su futuro. El poema comienza con un recurso muy machadiano: el verbo *ser* en relación al tiempo o al espacio: «Es el hospicio»[20]. Esta afirmación se repite, de forma muy romancesca: «Es el hospicio, el viejo hospicio provinciano» que recuerda las reiteraciones propias de los romances: «Que por mayo, era por mayo»[21], con esa insistencia en lo temporal. Es un empiece que Machado emplea también en otros poemas, como en el romance elegíaco «En esos campos de la tierra mía» (CXXV): «Tengo recuerdos de mi infancia, tengo». En «El hospicio» (C), el verso inicial va seguido por otros siete en los que se describe minuciosamente el estado de decrepitud del edificio, ocasionado por el paso del tiempo. El poeta privilegia de esta forma a un elemento del contexto, al marco de fondo:

el caserón ruinoso de ennegrecidas tejas
en donde los vencejos anidan en verano
y graznan en las noches de invierno las cornejas. (2-4)

Termina cerrando con otra alusión al hospicio, esta vez entre interjecciones —el uso de la exclamación es muy frecuente también en los romances populares y también en los poemas de Machado—. La segunda referencia le

---

[19] Poemas semejantes son «Un loco» (CVI), «Un criminal» (CVIII) y también, aunque diferente al ser menos descriptivo, «Por tierras de España» (XCIX).

[20] El verbo *ser* y la alusión geográfica o espacial, la encontramos en el primer verso de «Campos de Soria» (CXIII): «Es la tierra de Soria árida y fría». El verbo *ser* acompañado de una referencia temporal aparece en el primer verso de «Un loco» (CVI): «Es una tarde mustia y desabrida» y en el de «Noche de verano» (CXI): «Es una hermosa noche de verano». También encontramos ejemplos de esto en varios de los segmentos de «La tierra de Alvargonzález» (CXIV). La sección titulada «El viajero» comienza: «Es una noche de invierno» (331); y la II de «La casa»: «Es una tarde de otoño» (523). Todos estos poemas pertenecen a *Campos de Castilla*. Arthur Terry identifica acertadamente esta forma machadiana de iniciar muchos de los poemas con una afirmación con el verbo *ser*, aunque no distingue las que se refieren al espacio o al tiempo (31).

[21] Otros ejemplos de reiteraciones en los primeros versos los encontramos en «La infantina encantada» (204): «A cazar va el caballero / a cazar como solía» o el ya citado de «La misa de amor» (206): «Mañanita de San Juan / mañanita de primor».

sirve para introducir la emoción personal que provoca el edificio en el poeta: «es un rincón de sombra eterna. ¡El viejo hospicio!» (8).

La abundancia de detalles nimios y la alusión al paso del tiempo van creando, como en los romances, una atmósfera psicológica que prepara para los versos que vienen a continuación. Como veíamos en los romances anteriores, frente a la prolijidad de detalles —en este caso sobre el edificio— resalta más aún la deliberada falta de información sobre la propia construcción o quienes lo habitan. En la segunda estrofa, el poeta informa que se trata de una antigua fortaleza, con dos torreones y un frontón encarado al norte. A Machado no le preocupa el carácter histórico del edificio —del que no dice más— sino su estado de deterioro. La abundancia de detalles sobre su condición, y no sobre su pasado noble, provoca una alteración de la perspectiva: la Historia queda desplazada a un segundo plano y, en su lugar, la voz poética se ocupa de la ruina del monumento y su uso como caserón miserable de acogida a seres marginales y sin esperanza. De acuerdo con Ribbans, el poema no informa si los moradores de ese monumento en ruinas son niños huérfanos, enfermos mentales o ancianos (*Campos* 46). Personalmente, me inclino por los primeros: «algunos rostros pálidos, atónitos y enfermos» (12), que subraya la anonimidad de sus moradores. Como en el «Romance del prisionero», encontramos la división oscuridad/claridad. Las dos primeras estrofas describen un mundo predominantemente oscuro, rematado por ese rotundo «rincón de sombra eterna». Pero en las dos últimas estrofas, destaca la presencia de cierta claridad: «el sol de enero su débil luz envía», «luz velada». Es un brote de esperanza que, como la luz, entra por «un ventanuco», desde el que se divisan «los montes azules de la sierra» y «los cielos blancos». Y el poema cierra con un logradísimo leixaprende que afecta a varias palabras del penúltimo verso que se repiten en el último[22]. Ade-

---

[22] Hay otros ejemplos de recursos repetitivos en *Campos de Castilla*. En el romance «Soñé que tú me llevabas» (CXXII), hay una anadiplosis irregular: «tu mano» del primer verso repetido al principio del segundo verso. Además, está acompañado de las anáforas (tu - como), así como de dos versos de estructura paralelística (los dos que empiezan con «como una campana»):

> Sentí tu mano en la mía,
> tu mano de compañera,
> tu voz de niña en mi oído,
> como una campana nueva,
> como una campana virgen,
> de un alba de primavera. (6-11)

Un ejemplo muy claro de encadenamiento es uno de los segmentos más famosos de «Proverbios y cantares» (CXXXVI), el XLIV:

> Todo pasa y todo queda;
> pero lo nuestro es pasar,
> pasar haciendo caminos,
> caminos sobre la mar. (1-4)

más, el efecto sonoro está intensificado aún más por el uso de aliteraciones. En conjunto, como señala Ribbans, estos recursos hacen que las palabras de estos versos pierdan su carácter descriptivo y acentúen la emotividad (*Campos* 46):

> caer la blanca nieve sobre la fría tierra,
> ¡sobre la tierra fría la nieve silenciosa!... (15-16)

Antes vimos cómo los romances tratan inicialmente del nacimiento de Castilla, de su identidad y sus héroes, y de ahí que su estilo sea predominantemente épico-narrativo, como acontece en los romances del Cid, los infantes de Lara o Bernardo del Carpio. Sin embargo, en casi todos ellos están presentes detalles líricos que con frecuencia desplazan al carácter épico. Con el tiempo, este aspecto se va acentuando y, según Salinas, el lirismo se irá desarrollando más a lo largo de los siglos, hasta convertirse en la gran contribución de los romances escritos en el siglo XX («romancismo» 505).

Antonio Machado, poeta romancista

Aunque Machado no escribió muchos romances, su obra está entreverada por el sustrato popular. Según Antonio Sánchez Romeralo, esta influencia se observa «tanto en la forma (romances, coplas, seguiriyas, soleariyas) como en el espíritu; igual en el decir lírico que en el narrativo o en el sentencioso y proverbial» (558). Machado cultivó las formas relacionadas con el romance en las *Soledades* y en *Campos de Castilla*, para luego abandonar éstas por los cantares, igualmente de procedencia folklórica, abundantes en la parte final —«Proverbios y cantares» y «Parábolas»— de *Campos de Castilla* y *Nuevas canciones*. El contenido predominantemente gnómico, filosófico y humorístico de muchas de estas composiciones las aleja del objetivo de nuestra investigación[23]. Por eso, aunque reconozcamos su carácter popular, ahora me concentraré en los poemas de carácter romancista de *Campos de Castilla*.

---

[23] No menosprecio el carácter popular de muchas de estas canciones que han pasado a formar parte del acervo del pueblo y que se transmiten de generación a generación como si fueran anónimas. Como ejemplo cito dos de *Nuevas canciones*, que aprendí de pequeña sin saber que eran de Machado. La primera es la estrofa III de «Canciones» (CLIX):

> La primavera ha venido.
> Nadie sabe cómo ha sido. (1-2)

Y también la XXIV de «Proverbios y cantares» (CLXI) del mismo libro:

> Despacito y buena letra:
> el hacer las cosas bien
> importa más que el hacerlas. (1-3)

Por lo general, se considera a Machado como un poeta tradicional. No obstante, y a pesar de su uso frecuente de la rima, fue innovador en cuanto a la forma. Puso énfasis en la estrofa, en lugar de hacerlo en el verso, pero deshizo formas estróficas convencionales para rehacerlas a su medida o introducir variantes a su gusto, acomodándolas, según Ramón de Zubiría, «con las ondulaciones de su vida interior» (17). Esto es algo que veremos con respecto a los romances de este libro. Además, es necesario recordar lo que afirma en el famoso prologuillo que añadió a la edición de 1917: su intención de crear un nuevo tipo de romance, ya que le parece «la suprema expresión de la poesía» (274). Afirma Machado que no pretende escribir romances al viejo modo —caballerescos o heroicos—. Su propósito es claro: crear un nuevo romancero, «inventar poemas de lo eterno humano», cuyos «romances miran a lo elemental humano, al campo de Castilla y al libro primero de Moisés, llamado *Génesis*». Tras releer este texto, podemos deducir varias conclusiones: en primer lugar, su intención de escribir un nuevo romancero que rompa con las pautas tradicionales: «mis romances no emanan de las heroicas gestas», apunta Machado. Tampoco intenta resucitar el género a la manera de los nuevos romances artísticos escritos a partir del siglo XV, que a su vez imitaban a los viejos romances: «toda simulación de arcaísmo me parece ridícula» afirma Machado. En segundo lugar, enuncia los grandes temas de este nuevo romancero: los problemas del hombre, Castilla y la creación del mundo, es decir, la vinculación del hombre con la tierra y el tiempo, el gran tema del primer libro bíblico. Advierte en este prólogo que hay también muchas composiciones ajenas a su propósito y que se deben, unas a «su preocupación patriótica», otras a su gran amor a la naturaleza, y otras, a sus meditaciones sobre «los enigmas del hombre y del mundo». Así, podemos concluir que Machado en *Campos de Castilla* aspiró a crear un romancero sobre los problemas del hombre, la tierra y el tiempo[24]. La novedad es que Machado busca conectar estos temas con el hombre común, con el entorno y el paisaje de todos los días.

Teniendo en cuenta esta declaración de intenciones, sorprende que muchos críticos, al hablar del romance en esta obra, se hayan limitado a «La tierra de Alvargonzález» (CXIV), aunque sea debido, como es lógico, a su amplia extensión y quizá por eso se ha convertido en el más conocido y es-

---

[24] No todos los críticos interpretan la intención del prólogo de la misma forma. Sobresale la postura de Valverde, quien considera que el poeta vierte en el prólogo de 1917 una interpretación que no corresponde ya a su poesía escrita en 1912. Para Valverde, Machado hace la «sutil trampa» de presentar «La tierra de Alvargonzález» (CXIV) y su aspiración de escribir un nuevo romancero como parte de su nueva actitud poética (un ir resignadamente contando y cantando), mientras que en realidad, este poema responde a una actitud inmediatamente anterior: la de la búsqueda de la objetividad (99). Si bien es cierto que hay un cambio de actitud en su poesía posterior al período 1907-12, no parece necesario que tuviera que desdecirse de su creación anterior por medio de una justificación tramposa escrita *a posteriori*.

tudiado. Es cierto que el propio Machado cita este poema en su prólogo, pero también incluyó otros romances en esta colección, algunos de ellos tan cortos que parecen estrofas sueltas (Zubiría, 199). De entrada, en la edición de 1917 aparecen al menos un total de nueve romances, si incluimos algunos de los segmentos de «Proverbios y cantares» y una de las «Parábolas». Los romances son: «La tierra de Alvargonzález» (CXIV), «Dice la esperanza: un día» (CXX), «Soñé que tú me llevabas» (CXXII), «Una noche de verano» (CXXIII), «En estos campos de la tierra mía» (CXXV), éste en versos endecasílabos; dos de los «Proverbios»: «Morir... ¿caer como gota» (XLV) y «Discutiendo están dos mozos» (LII), además de la «Parábola» VI, «El Dios que todos llevamos» y, por último, el «Elogio» dedicado «A la muerte de Rubén Darío» (CXLVIII), este último en versos alejandrinos.

Innovación estrófica

Machado mostró siempre su preferencia por las formas poéticas tradicionales. En sus prosas afirma la importancia de la rima, especialmente de la asonantada, como elemento temporalizador[25]. De ahí que favorezca el romance con su asonancia en los versos pares:

> Si la poesía es, como yo creo, palabra en el tiempo, su metro más adecuado es el romance, que canta y cuenta, que ahonda constantemente la perspectiva del pasado, poniendo en serie temporal, hechos, ideas, imágenes, al par que avanza con su periódico martilleo en el presente. (3: 1368)[26].

---

[25] En dos segmentos de «De mi cartera» de *Nuevas canciones*, Machado insiste en la importancia de la rima pobre y su capacidad para transmitir el tiempo de manera «historicista». En el V dice (2: 664):

> Prefiere la rima pobre,
> la asonancia indefinida.
> Cuando nada cuenta el canto,
> acaso huelga la rima.

Y en el VII:

> La rima verbal y pobre,
> y temporal, es la rica.
> [. . .]
> del Hoy que será Mañana,
> del Ayer que es Todavía.

[26] Afirma Machado en sus prosas: «La rima es uno de los medios que el poeta emplea para crear el tiempo ideal, mejor diré artificial. Porque los sonidos se repiten nos damos cuen-

Sin embargo, como recuerda su hermano José, a Antonio le horrorizaba
lo rutinario[27], el aburrimiento —como él mismo menciona en poemas
como «Recuerdo infantil» (V) de la segunda edición de *Soledades*— y, como
afirma Zubiría, los largos números de versos, la uniformidad de sus octosíla-
bos y la reiteración constante de la rima en los romances, suponen una clara
amenaza de monotonía (199). Ejemplo de ello es que incluso en su romance
más largo, «La tierra de Alvargonzález» (CXIV), Machado rompe y altera la
rima de tal forma que, para algunos críticos, no se trata de un solo romance
sino de una serie integrada por varios. Para evitar la monotonía introduce
varios recursos: emplea diverso número de versos —«Dice la esperanza: un
día» (CXX) tiene sólo seis versos—, o incluye algún verso de pie quebrado
—como hace por ejemplo «En estos campos de la tierra mía» (CXXV), en
los que rompe la serie de endecasílabos con algún heptasílabo:

> En estos campos de la tierra mía,
> y extranjero en los campos de mi tierra
> —yo tuve patria donde corre el Duero
> por entre grises peñas, (1-4)

E incluso cierra el poema con un pareado de alejandrinos:

> Un día tornarán, con luz del fondo ungidos,
> los cuerpos virginales a la orilla vieja. (35-36)

Zubiría señala que Machado emplea otros recursos para romper con esa
monotonía del romance, valiéndose fundamentalmente del encabalgamiento y la pausa (199). Mediante el primero consigue dar flexibilidad a la estructura del poema. Es éste además un recurso que había sido renovado por
Rubén Darío y los poetas modernistas y que el propio Machado había empleado ya en otros romances de *Soledades. Galerías. Otros poemas*, como en
«Yo voy soñando caminos» (XI):

> Yo voy soñando caminos
> de la tarde. ¡Las colinas
> doradas, los verdes pinos,
> las polvorientas encinas!... (1-4)

---

ta de que se suceden; porque se suceden los sentimos en el tiempo» (3: 1361) Para Machado,
la rima no es esencial siempre que se la reemplace por otro elemento rítmico: «esto quiere decir que comparte con otros medios el ejercicio de una función vital: poner la palabra en el
tiempo» (3: 1365).
[27] José Machado afirma: «Odiaba con sus cinco sentidos la rutina» (36).

Además, el poeta logra imponer una pausa empleando recursos tipográficos: espacios en blanco, reorganización de los versos, empleo de puntos suspensivos. Podemos ver el uso de ambos recursos en este pequeño romance de seis versos, el XLV de «Proverbios y cantares» (CXXXVI):

> Morir... ¿caer como gota
> de mar en el mar inmenso? (1-2)

Con todo, la intención romancista de Machado expresada en el prólogo añadido parece un fracaso, pues en la edición de 1917 apenas encontramos una decena de romances en una obra de un total de cincuenta y ocho poemas, si contamos todos los «proverbios y cantares» como uno solo. En mi opinión, la situación cambia por completo si consideramos además el carácter romancista de otros muchos de los poemas de este libro. Al hablar de las estrofas más empleadas por Machado, Navarro Tomás afirma que entre otras formas estróficas, recogió el romance de la tradición popular, pero empleó otras y, entre ellas, las silvas semilibres procedentes de la revolución métrica llevada a cabo por los modernistas (*Los poetas* 243). Comenta Tomás que desde *Soledades* a *Campos de Castilla*, Machado se sirvió de la silva arromanzada, también conocida como silva-romance, que combina libremente versos endecasílabos y heptasílabos sin esquemas predeterminados, pero que conservan la misma rima asonante en los versos pares, con asonancia única[28], asemejándose con ello a la forma estrófica del romance tradicional, ya que la unidad está marcada por la rima y no por el metro (*Los poetas* 249)[29]. Para Zubiría la elección de esta composición es fruto de la pasión romancista de Machado (201). La silva-romance que adopta no tiene estrofas, aunque ocasionalmente la organice en grupos de versos separados mediante una pausa tipográfica pero, por lo general, el poema se presenta formando una unidad como el romance. Esta forma llega a ser tan importante en Machado que se convierte en su estrofa típica por excelencia (200). Su mayor ventaja radica en la combinación de la cadencia rítmica asonante, propia del romance, a los metros flexibles de la silva. Esto le per-

---

[28] Según Navarro Tomás: «la combinación libre de endecasílabos y heptasílabos, con asonancia en los pares, que Bécquer y algunos de sus contemporáneos habían practicado bajo forma de cuartetos, se desligó de esta forma estrófica y adquirió propia disposición de silva arromanzada en «Lo que son los poetas» y en otras composiciones de Darío. Adoptaron este mismo sistema Jaimes Freyre en «La fugaz» y A. Machado en la mayor parte de *Campos de Castilla*» (*Métrica* 402).

[29] Brotherston señala que Manuel Machado también empleó y dominó esta estrofa (83-84). Además, menciona que antes que los hermanos Machado, la habían usado también José Asunción Silva («Estrellas», «Égalité» y «Avant propos», poemas escritos todos antes de 1894) y Julián del Casal en «Tardes de lluvia» de 1893 (82).

mite, como dice Zubiría, representar mejor «las variantes del *tempo* emocional», a ratos corto y a ratos largo, «como una especie de sístole y diástole de su respiración espiritual», lo que le ayuda a reflejar las emociones de forma más efectiva (202). Pues bien, Machado en *Campos de Castilla,* emplea este tipo de estrofa en más de quince ocasiones, superando con ello al número de romances, y la usa en poemas tan importantes como casi toda la serie de «Campos de Soria» (CXIII), la carta elegíaca a su amigo Palacio y muchos de los poemas que integran el llamado «ciclo de Leonor». Los poemas en silva-romance son: «¿Eres tú, Guadarrama, viejo amigo» (CIV), «Noche de verano» (CXI), «Pascua de Resurrección» (CXII), muchos de los segmentos que integran «Campos de Soria» (CXIII), menos el V y el VI, «Caminos» (CXVIII), «Allá, en las tierras altas» (CXXI), «Al borrarse la nieve, se alejaron» (CXXIV), «A José María Palacio» (CXXVI), «Noviembre 1913» (CXXIX), la segunda parte de «Los olivos» (CXXXII), los fragmentos XVIII —«¡Ah, cuando yo era niño»— y XXVI —«Poned sobre los campos»— de «Proverbios y cantares» (CXXXVI) y dos de los «Elogios» más importantes: «A don Francisco Giner de los Ríos» (CXXXIX) y «Mariposa de la sierra» (CXLII).

La elección de este tipo de estrofa parece adecuada a su intención. En sus prosas Machado afirmó ver en el romance «una creación más o menos consciente de nuestra musa que aparece como molde adecuado al sentimiento de la historia y que, más tarde, será el mejor molde de la lírica, de la historia emotiva de cada poeta» (3: 1368). Creo que esta afirmación es extensiva a las silvas-romances. Desde este planteamiento, hay en *Campos de Castilla* dos romanceros. El primero es un romancero de inspiración épico-narrativa, reflejo de ese «sentimiento de la historia» del que habla el poeta. Está basado en la observación directa de la realidad y escrito en romances. El poema más representativo es, sin lugar a dudas, «La tierra de Alvargonzález» (CXIV), en el que canta conjuntamente al paisaje de Castilla, representado por la tierra de Soria y sus gentes nobles y trabajadoras, es decir, el mundo arcaico y patriarcal, frente a la eterna maldad del hombre, reencarnada en los hijos parricidas. El poema es fruto de una visión del paisaje y del paisanaje a la manera noventayochista. A él se unirán, temáticamente, otros poemas que expresan el mismo mensaje pero que no están escritos en romance, como «El hospicio» (C). Pero en este mismo libro hay otro romancero, de carácter más lírico, el «de la historia emotiva» del poeta en palabras de Machado. Está basado en la evocación y compuesto tanto por los romances —«Dice la esperanza: un día» (CXX), «Soñé que tú me llevabas» (CXXII), «Una noche de verano» (CXXIII), «En estos campos de la tierra mía» (CXXV)— como por las silvas-romances —«Caminos» (CXVIII), «Allá, en las tierras altas» (CXXI), «Al borrarse la nieve, se alejaron» (CXXIV), «A José María Palacio» (CXXVI), «Noviembre 1913» (CXXIX),

«A don Francisco Giner de los Ríos» (CXXXIX) y «Mariposa de la sierra» (CXLII)—. Es el romancero de sus emociones. Su tema son los sentimientos del poeta sobre Soria, su mujer y sus amigos. Es el romancero de Leonor después de su muerte: en «Caminos» (CXVIII), «Soñé que tú me llevabas» (CXXII), o «Al borrarse la nieve, se alejaron» (CXXIV), entre otros. Es el romancero a sus amigos: «A José María Palacio» (CXXVI) o «A don Francisco Giner de los Ríos» (CXXXIX) o a Juan Ramón en «Mariposa de la sierra» (CXLII). Y es el romancero del recuerdo de Soria, reflejado en poemas como «En estos campos de la tierra mía» (CXXV) y «Allá, en las tierras altas» (CXXI). Muchos de estos versos están escritos ya en Baeza. El poeta, alejado en el espacio pero no en el tiempo, ofrece en este otro romancero una visión más intimista de Castilla, basada no en la visión inmediata sino en sus recuerdos recientes, como afirma Carlos Beceiro (141). Además, siguiendo el modelo aprendido de los romances, Machado altera la perspectiva en estos poemas. El poeta relega al plano del fondo su historia personal y, en cambio, resalta los detalles más insignificantes de la naturaleza. Contiene su reacción personal ante la tragedia —la muerte de su mujer o de su maestro— y delega en los elementos más nimios del paisaje la capacidad de despertar una reacción emotiva más universal. Como en los romances, se produce el ocultamiento de los rasgos físicos de los protagonistas, mientras destaca aspectos insignificantes del entorno, que de este modo sobreviven a la circunstancia individual del poeta y perviven en el tiempo. Esto se observa especialmente en los poemas que dedica a Leonor. En el «ciclo» que lleva su nombre no hay descripciones físicas de ella y, sin embargo, abundan los detalles sobre el paisaje soriano o baezano, como vemos, por ejemplo, en las silvas-romances «A José María Palacio» (CXXVI) o «Caminos» (CXVIII). En estos versos, el poeta emplea los apuntes descriptivos del paisaje para transmitir un sentimiento de tristeza provocado por el alejamiento de la tierra que compartió con ella. Y sólo con unos pocos versos enigmáticos que hacen referencia a espacios concretos —el Espino, o los caminos sorianos— evoca el recuerdo de su mujer y, por medio de ellos, transmite el dolor personal que causa la separación de la muerte. Personalmente, considero que Machado crea en estos versos su romancero más original.

El romance está, por su origen y oralidad, vinculado con la historia y tradición del pueblo. Consciente de ello, Machado se sirve del romance —y sus variantes— por su capacidad de dar una perspectiva histórica. Es la forma que, según él, mejor se adecua a su concepción de la poesía como «palabra en el tiempo» (3: 1368). Por eso, adopta la técnica romancista de dar importancia a los detalles nimios —como las descripciones—, rechazando en cambio otros que parecen esenciales sobre los personajes. Vimos que Machado emplea esta técnica incluso en poemas que no son romances, como en «El hospicio» (C). En ese poema, la abundancia de detalles provoca una alteración de la perspectiva, ya que la voz poética ignora el carácter noble de la antigua fortaleza —símbolo de la Historia— y pone en primer plano los efectos del paso del tiempo en el edificio, en su presente estado ruinoso, así como la desesperanzada de sus anónimos moradores. De este modo, desplaza el protagonismo de la Historia por el de la intrahistoria. Algo semejante hace con respecto a Leonor. El poeta pasa al plano del fondo su historia personal y deja en un primero las descripciones de los paisajes y la reacción emotiva que en él despiertan, logrando que, de esta forma, su dolor se universalice y prolongue en el tiempo. Así, los detalles en los versos de Machado, como en los romances tradicionales, no sólo configuran el tejido del poema sino que alteran e imponen una nueva perspectiva.

III
La nueva estética de las cosas en Azorín y Machado

> «Hay ya una nueva belleza, un nuevo arte en lo pequeño, en los detalles insignificantes, en lo ordinario, en lo prosaico; [. . .] necesitamos hechos microscópicos que sean reveladores de la vida y que, ensamblados armónicamente, con simplicidad, con claridad, nos muestran la fuerza misteriosa del Universo.»
>
> AZORÍN
> *Tiempos y cosas*

Antonio Machado comparte la atracción por lo nimio con otros escritores del momento. Existen varios estudios comparativos relacionándolo con Miguel de Unamuno[1], quien sin duda ejerció una influencia considerable. Aurora de Albornoz ha estudiado el común interés de estos autores por el paisaje y el hombre de la tierra, «el protagonista de la intrahistoria» (181)[2]. Sin embargo, no existe un análisis comparativo sobre las obras de José Martínez Ruiz, conocido como Azorín, y Machado, a pesar de que varios críticos han apuntado su necesidad[3]. Rafael Ferreres considera que la pasión de Azorín por Castilla desempeñó un papel importante en la evolución machadiana contribuyendo a su transición de la poesía simbólica a la castellana

---

[1] Destacan los trabajos de Geoffrey Ribbans, *Niebla y soledad. Aspectos de Unamuno y Machado*, y Aurora de Albornoz, *La presencia de Unamuno en Antonio Machado*.

[2] Otros críticos como Ángel del Río, Ribbans, Gutiérrez-Girardot o Concha Zardoya también califican la poesía de Machado como intrahistórica.

[3] Segundo Serrano Poncela en *Antonio Machado. Su mundo y su obra*, alude a una influencia de Azorín. Rafael Ferreres dedica un capítulo, «El castellanismo de Antonio Machado: "Azorín"», en *Los límites del modernismo*, en el que matiza esa influencia pero sin extenderse demasiado en analizarla. Inman Fox, en el prólogo a su edición de *Castilla* de Azorín, por razones de espacio, sólo dedica a este tema una nota a pie de página.

(142). Al analizar la influencia de Unamuno en Machado comenta acertadamente Ribbans la imposibilidad de establecer conclusiones tajantes (321). Con respecto a Azorín y Machado, también es difícil discernir entre lo que es una influencia clara y lo que pueden ser posturas coincidentes. No pretendo en este trabajo hacer un estudio exhaustivo. Mi propósito es estudiar algunas preocupaciones comunes entre el escritor alicantino y el poeta sevillano, así como analizar el tratamiento que ambos dan al tema de lo nimio.

Preocupaciones comunes

Azorín y Machado coinciden en muchos intereses, entre los que podemos resaltar la preocupación por el tiempo, la literatura, el problema de España y Castilla como encarnación de su espíritu y psicología. Especialmente relevante para nuestro estudio es la pasión por lo nimio, reflejada primordialmente en tres aspectos: uno, su forma de entender la historia como «microhistoria»; dos, una nueva estética de las cosas[4] que se materializa en la predilección que ambos sienten por los objetos ordinarios y los aspectos más corrientes de la vida de todos los días; y tres, la valoración del paisaje, que llega a convertirse en tema central de muchas de sus obras, y que trato en el próximo capítulo.

Los dos comparten la afinidad por los autores clásicos españoles y ambos buscan en ellos signos de una identidad nacional. En dos capítulos de este trabajo hemos visto la atracción de Machado por los poetas medievales y el Romancero y su presencia en *Campos de Castilla*. Por su parte Azorín, todavía más interesado por este tema, durante la segunda década del siglo XX aspira a revaluar la historia de la literatura española en un proyecto que, como afirma Inman Fox en su introducción de *Castilla*, incluye varias de sus obras: *Lecturas españolas* (1912), *Castilla* (1912), *Clásicos y modernos* (1913), *Los valores literarios* (1913) y *Al margen de los clásicos* (1915)[5]. Es un

---

[4] Expresión acuñada por Inman Fox, en su artículo «Azorín y la nueva manera de mirar las cosas». El crítico afirma que Azorín introduce una nueva manera de acercarse a la realidad, basándose en los objetos que componen la vida cotidiana, postura estética innovadora. Fox también trata este tema en su introducción a la edición de *Castilla*.

[5] El interés por los temas literarios es una constante en toda la obra azoriniana y no se limita sólo a estas obras. Las que menciono en el texto fueron publicadas en los años inmediatos a la aparición de *Castilla* (1912) de Azorín y de la primera edición de *Campos de Castilla* (1912) de Antonio Machado. Otras obras posteriores de Azorín también de tema literario son *Rivas y Larra* (1916), *Los dos Luises y otros ensayos* (1921) y *De Granada a Castelar* (1922), además de los muchos ensayos y artículos periodísticos publicados a lo largo de su vida. A su labor de crítico literario, reflejada en estos trabajos, hay que añadir, como señala Fox en su artículo «Lectura y literatura. La inspiración libresca de Azorín», la importancia esencial que tiene la literatura como fuente de inspiración de sus obras, así como su capacidad para recuperar un texto clásico, reescribirlo y adaptarlo con éxito a la estética de su época.

proyecto que, por aquellos años, además de un carácter estético tiene también aspectos sociales y políticos ya que, de acuerdo con Fox, se orienta a un objetivo más profundo: «crear una conciencia del propio ser de los españoles» (Introducción, *Castilla* 12). Esta preocupación literaria, común en los dos autores, se da en la misma época, ya que el interés de Machado por los primitivos —las referencias al Cid, a los juglares y al Romancero— se encuentra ya presente en la primera edición de *Campos de Castilla* (1912) y más desarrollada en la incluida en *Poesías completas* de 1917.

La preocupación historicista

A Azorín le atrae la historia. Roberta Johnson ha resaltado la importancia histórica del trasfondo de sus novelas en las que, según esta crítica, se ocupa de la «reconstrucción del pasado (no sólo como un presente continuo o un eterno retorno)» (767)[6]. El propio Azorín en *Madrid* reconoce que este interés es un rasgo definidor de su generación (865)[7]. Azorín mantiene una atracción por el pasado que es historicista en unos aspectos, y nuevo historicista en otros. Los historicistas, defensores de una postura crítica anterior al Nuevo Historicismo, no se interesan por los hechos históricos *per se* sino que, según Ted Underwood, seguidor de esta corriente, se preocupan por la transmisión de conceptos, centrándose en la transmutación de sus significados en el tiempo (239). Azorín y otros escritores de ese período no indagan en la literatura en busca de acontecimientos importantes. Buscan conceptos que reflejan aspectos sociales y culturales del pasado. Un ejemplo azoriniano sería el honor y la dignidad española, valores que para él encarna el hidalgo castellano (*Madrid* 874). Sin embargo, para lograr este objetivo historicista, Azorín convierte la literatura en instrumento histórico, en uno de sus documentos. Siguiendo con este ejemplo, para Azorín los conceptos de dignidad y honor están representados en el hidalgo del *Lazarillo* que reelabora en «Lo fatal» de *Castilla*. En este sentido, Azorín entiende los textos literarios del pasado como textos históricos y, por tanto,

---

[6] Para Roberta Johnson, prueba evidente del interés de Azorín por la historia son los muchos estudios históricos de su biblioteca particular, catalogada por esta crítica (767).

[7] José Antonio Maravall precisa que a finales del siglo XIX se produce «un fenómeno de historificación» que afecta a todas las formas del saber (28). Explica que, por ejemplo, se empieza a escribir la historia de muchas disciplinas científicas. En literatura, además de Azorín, otros muchos escritores de la época comparten también ese interés por temas históricos e «imprimen un giro histórico a su pensamiento» (28). Destaca, entre otros, a Menéndez Pidal y sus estudios históricos; a Unamuno y la intrahistoria; a Ganivet y el mito nacional e histórico, y a Azorín y la microhistoria (29). Así, para Maravall son historicistas no sólo los del 98 sino casi todos los demás escritores e intelectuales de finales del XIX y principios del XX (28).

emplea un planteamiento similar al nuevo historicista. Los seguidores de esta postura crítica, según Gallagher y Greenblatt, parten de los presupuestos herderianos y su reconocimiento de las conexiones mutuas entre historia, cultura y arte como base a su proyecto de tratar «todas las señales escritas y visuales de una cultura en particular como una red de signos mutuamente inteligibles» (7). La intención de Azorín es entresacar en estos textos clásicos —y de sus pinturas y otros artefactos culturales— representaciones de aspectos de la personalidad española, de su psicología y su forma de pensar que ayuden a definir y enfrentarse a los problemas de la España de fin de siglo, especialmente a su decadencia, preocupación finisecular *par excellence*. Su búsqueda en el pasado no persigue una relación de hechos, sino que aspira a una explicación social y cultural de lo ocurrido que le ayude a entender y solucionar el presente. De este modo sus planteamientos coinciden, en parte, con el historicismo —buscando en el pasado no hechos sino conceptos—, pero también con los nuevo historicistas, ya que para Azorín, como para Machado, los textos literarios del pasado se convierten en documentos históricos cuyas representaciones revelan lo que Gallagher y Greenblatt definen como formaciones psicológicas y sociales incrustadas en la cultura en que se originan (7). Además, el propósito de los críticos nuevo historicistas va más allá del interés por revelar el marco histórico en el que se produce y se recibe un texto literario. Su objetivo inicial es, de acuerdo con Brannigan, interpretar «el significado que el pasado tiene en el presente, poniendo especial atención a las formas de poder que operaron en el pasado y cómo éstas se replican en el presente» (6). De esta forma, el Nuevo Historicismo se sirve de representaciones del pasado como instrumento político del presente. Sin embargo la concepción de la historia azoriniana no coincide en todo con los planteamientos nuevo historicistas. Azorín rompe con la periodización que, por otra parte, sostienen Gallagher y Greenblatt (7). Estos críticos mantienen la parcelación en épocas históricas o *epistemés* y, aunque estudian los períodos del pasado con ánimo de revelar algo sobre nuestra propia cultura, lo cierto es que, como les critica Brannigan, con frecuencia olvidan este aspecto y sólo en ocasiones analizan cómo el pasado se repite en el presente (215).

Azorín en sus viajes por los pueblos, en sus encuentros con la gente del campo, ve que tras los grandes acontecimientos históricos, las cosas cambian poco y los hechos se repiten. El contacto con esa realidad le lleva a deducir algo más profundo: nada cambia, nada caduca. España no se transforma y como dice en «Las nubes»: «Vivir es ver volver» (*Castilla* 163)[8]. El pasado sigue vivo en el presente y el presente refleja el pasado. De ahí su interés por revivir personajes clásicos de la literatura española, que parecen se-

---

[8] Para las citas de *Castilla* he manejado la edición de Inman Fox de Espasa-Calpe.

guir vigentes en la actualidad, como instrumento de crítica o como representación de conceptos: Calisto y Melibea de *La Celestina*, el caballero meditativo de *El libro de buen amor*, Constancica de «La ilustre fregona», el hidalgo del *Lazarillo*. Por eso, el tiempo y la repetición son también fundamentales en su preocupación historicista.

Afirma Azorín que los grandes hechos son una cosa y los menudos otra: «Se historian los primeros. Se desdeñan los segundos. Y los segundos forman la sutil trama de la vida cotidiana» (*Madrid* 865). Azorín cita unas palabras de la correspondencia de Unamuno a Ganivet, en las que el rector de Salamanca se queja de la Historia, a la que califica de «imposición de ambiente» (865). Para Unamuno, según la cita azoriniana, atendemos a los relatos de «*sucesos* históricos», que ocurren y se olvidan, pero no a «los *hechos* subhistóricos, que permanecen y van estratificándose en profundas capas» (895). Recordamos relatos de hazañas del pasado y desatendemos otros, como por ejemplo los repartos de pastos de pueblos olvidados, que tienen mayor impacto en la vida de una comunidad (865). Por eso a Azorín, como a Unamuno, no le interesan las listas de batallas o de fechas que congelan el tiempo en parcelas aisladas; por el contrario, busca la verdadera historia, la historia viva, en el presente[9]. De este modo, en Azorín se produce lo que Louis Montrose califica como «el cambio de la Historia a las historias» (20). Este planteamiento histórico azoriniano se materializa en lo que José Antonio Maravall llama la «microhistoria»[10], es decir, una forma de entender la historia basada en el reflejo de hechos concretos de la realidad (49). Para Azorín la sustancia de la historia está en lo cotidiano, la rutina y la monotonía de la vida diaria, porque es en este plano donde se aprecia lo que cambia, lo que dura, lo que pervive y, por consiguiente, donde mejor se manifiestan los problemas históricos (49). Este planteamiento refleja el cambio de perspectiva que descubrió sagazmente José Ortega y Gasset en la prosa del escritor alicantino. Según Ortega, Azorín logra una inversión de planos ya que encuentra la esencia y características de un pueblo en lo humilde y lo trivial y rechaza, en cambio, lo grande y monumental (310). Azorín, por la *peripeteia*, propone que la esencia de un pueblo se proyecta en el plano de la realidad cotidiana y no en el mítico de los sucesos de la Historia.

Las microhistorias son relatos breves o pequeñas historias, de tono anecdótico, permeadas por la preocupación temporal. Suelen ser historias sobre

---

[9] De acuerdo con Fox, Unamuno y Azorín rechazan la Historia, con mayúsculas, y buscan lo eterno en el aluvión de cosas insignificantes e «inorgánicas»: «Este presente histórico —intrahistoria según el término unamuniano; lo que subsiste en la evolución para Azorín— es la sustancia de la historia, su base eterna» (34).

[10] Quiero expresar mi agradecimiento al profesor Geoffrey Ribbans que me sugirió explorar el tema de la microhistoria.

personajes diversos —reales o ficticios y, con frecuencia, clásicos de la literatura— así como sus rutinas y su entorno. Con estos relatos, Azorín no persigue la curiosidad pintoresca, ni el relato costumbrista de la vida provinciana. De acuerdo con Maravall, lo que quiere es llegar a lo grande sirviéndose de lo pequeño y sin importancia (55). En esta nueva visión, las cosas adquieren un protagonismo esencial pues permiten revivir sensaciones pasadas y además reflejan el paso temporal. Un libro viejo, una música olvidada, un detalle, despiertan en el recuerdo algo ocurrido pero, al mismo tiempo, hacen revivir emociones diferentes cada vez que las recordamos. Las cosas tienen la capacidad de permanecer inalterables y, al mismo tiempo, de evocar sensaciones distintas. Por eso Azorín parte de biografías de personajes secundarios —los olvidados de la Historia—, de objetos cotidianos, de pormenores sin importancia que se repiten y, retomándolos, los refunde en un presente simultáneo. Mediante ellos construye un mosaico que refleja la realidad que para él, en palabras de Maravall, es el «hondo estrato de la autenticidad histórica» de un pueblo (51). Así, mediante estos relatos fragmentados entreteje el tiempo de un pueblo.

A diferencia de los planteamientos realistas, la microhistoria presenta una visión discontinua y fragmentada y no busca ofrecer un conjunto ordenado ni cronológicamente sucesivo de la realidad. Como afirma Azorín en *Las confesiones de un pequeño filósofo*: «tomaré entre mis recuerdos algunas notas vivaces e inconexas —como es la realidad—» (46). Para Maravall, esta discontinuidad es esencial en la visión azoriniana del mundo puesto que la microhistoria es, en definitiva, una repetición de esas discontinuidades (53).

Desde el punto de vista nuevo historicista, el carácter anecdótico de la microhistoria azoriniana la convierte en instrumento de gran valor representativo. Una de sus cualidades es que esas notas fragmentadas de la vida cotidiana ayudan, en palabras de Gallagher y Greenblatt, a identificar y criticar los códigos culturales de una sociedad, a la vez que permiten que un pueblo se conozca mejor (73). Un ejemplo son las descripciones de interiores de casas, fondas y casinos en los que cree encontrar la esencia de lo castellano ya que, según Fox, Azorín encuentra en los tipos y cosas de los pueblos «un ritmo eterno que describe la psicología de la raza española: la resignación y el dolorido sentir («ya es tarde»), la sumisión y la inercia ante los hechos («¿qué le vamos a hacer?») y la idea abrumadora de la muerte» (Introducción, *Castilla* 50-51).

Otro aspecto importante que Azorín y Machado comparten con el Nuevo Historicismo es la relevancia que ambos conceden a los detalles insignificantes de la vida diaria. De hecho, este interés por lo cotidiano no se limita a los estudiosos nuevo historicistas. La crítica reciente está mostrando una gran atracción por las cosas que aparecen en los textos literarios. Los críticos de los estudios culturales, los expertos en el materialismo o los seguidores de una perspectiva psicológica, entre otros, se muestran últimamente fascinados por estudiar los objetos de la vida diaria[11]. Los objetos, tanto en Azorín como en Machado, cumplen varias funciones dentro del texto: acentúan el paso del tiempo, identifican un marco espacial, o simplemente, son fragmentos anecdóticos que describen un ambiente. Pero además de estas funciones textuales, los objetos de uso diario abren el texto a la realidad. Gallagher y Greenblatt, en sus estudios, postulan la primacía de las cosas, reconociéndolas como el modo en que la experiencia vivida, la vida diaria y las instituciones se introducen en el texto literario (30). Ambos críticos dan importancia a los objetos como forma de incluir representaciones del contexto real en los textos literarios. Greenblatt ha estudiado el intercambio de posesiones entre indios y conquistadores de América como base de su análisis de la representación en *Marvelous Possessions*. Gallagher, en la obra escrita conjuntamente con Greenblatt, parte de la patata como elemento de representación en la discusión sobre la imaginación materialista en la Irlanda del siglo XIX. Desde mi lectura nuevo historicista, quiero demostrar que los objetos nimios en los escritos de Azorín y Machado son un vehículo a su crítica de la sociedad de la época.

Las microhistorias como instrumento crítico

Las representaciones de las microhistorias de Azorín son un instrumento de crítica política, histórica y social, pues muestran los entresijos de una sociedad tradicional y contribuyen a descubrir los problemas de la España eterna que sobreviven en el presente. Esta visión crítica sirve en *Castilla* para poner en evidencia, por ejemplo, el atraso español frente al progreso europeo en «Los ferrocarriles» y «El primer ferrocarril castellano»; el estado ruinoso del país en «Ventas, posadas y fondas» y la brutalidad de sus gentes en «Los toros». Así, mediante las microhistorias y los detalles representativos insignificantes pone de manifiesto los «males de la patria»[12] a la vez que materializa su preocupación por reflejar la identidad nacional a través de la literatura.

---

[11] En relación con este tema, acaba de publicarse recientemente *A Sense of Things* de Bill Brown. Sobre el estudio de las cosas desde la aproximación de los estudios culturales, véase Ben Highmore, *Everyday Life and Cultural Theory* y, del mismo autor, *The Everyday Life Reader*. También, para el estudio de las cosas desde un planteamiento materialista, véase la colección de ensayos editados por Daniel Miller, *Material Cultures: Why Some Things Matter*.

[12] Afirma Maravall que la función de la microhistoria es ayudar a «la reforma eficaz del estado» (62).

Machado comparte planteamientos semejantes a los de Azorín. La preocupación de Machado por España viene desde su juventud[13]. Aurora de Albornoz considera que le fue inculcada ya en sus años de la Institución, y se desarrollaría luego con la lectura de las obras de Unamuno[14], unido a su estancia decisiva en tierras castellanas (115). Es la misma preocupación histórica que comparte con otros escritores de la época y que trasluce en *Campos de Castilla*. Machado sostiene una postura próxima a la de las microhistorias de Azorín, ya que en muchos de los poemas ofrece una visión fragmentada de pequeñas narraciones de seres marginales, descripciones del paisaje o aspectos de la vida cotidiana en los que muestra actitudes que no han cambiado, problemas políticos y vicios sociales que se perpetúan en el tiempo. Los poemas que mejor reflejan estas actitudes son algunos de los «noventayochistas». Así, vemos retratados la indigencia y el abandono en «El hospicio» (C) y en «Un loco» (CVI); la avaricia, en «Un criminal» (CVIII); la envidia y el «cainismo» en «La tierra de Alvargonzález» (CXIV); la pobreza rural y el sistema de vida casi feudal, en «Campos de Soria» (CXIII); el señoritismo, en «Del pasado efímero» (CXXXI) y en «Llanto de las virtudes y coplas por la muerte de don Guido» (CXXXIII); y la rutina, el aburrimiento y la monotonía de la vida de los pueblos, en «Poema de un día» (CXXVIII).

Sin embargo, a diferencia de Azorín que escribe basándose en fuentes librescas junto con apuntes de viajes y excursiones, Machado vivió en Soria. Su contacto diario con sus tierras y sus gentes le lleva a darse cuenta de la pobreza del medio, de los problemas sociales de esa sociedad rural anclada en el pasado. Por eso, junto al retrato de sus males, muestra también su evolución personal hacia la compasión humana. Frente al distanciamiento pictórico de Azorín, se produce en Machado un proceso inverso de acercamiento: va del reconocimiento de los problemas —en tonos más reales y crueles—, al encariñamiento y aceptación de sus gentes y su paisaje que culmina en la emoción. De ahí que ante tierras y ciudades decrépitas sienta esa «tristeza que es amor» que nos recuerda en un verso famoso[15].

Además de denunciar los males de España, Machado, como Azorín, se sirve de estas pequeñas historias para resaltar su propósito literario: la bús-

---

[13] Aurora de Albornoz apunta que sus primeras colaboraciones, escritas a los dieciocho años y publicadas en *La Caricatura*, anticipan ya temas críticos contra la sociedad que desarrollaría más tarde (113).

[14] En su discurso en el homenaje a Antonio Pérez de la Mata, pronunciado el primero de octubre de 1910, afirma Machado: «Los tesoros de archivos y bibliotecas, donde sacian su voracidad sabios y eruditos, son bien exiguos comparados con el enorme caudal de humano esfuerzo que no alcanzó la consagración de la historia, de la antología, del catálogo, de la simple tradición de unas cuantas generaciones» (3: 1485). Esta afirmación recuerda a las de Unamuno en *En torno al casticismo*.

[15] El verso 109 del segmento VII de «Campos de Soria» (CXIII).

queda de una conciencia y una psicología propia de los españoles a través de la literatura. Y, como Azorín, emplea textos literarios del pasado como documentos históricos. Un poema que ilustra esta postura es «La mujer manchega» (CXXXIV), que inicialmente se publicó con una dedicatoria: «A Dulcinea». En sus versos vincula personajes cervantinos con tipos, labores y elementos de la vida cotidiana. Aparecen juntas la mujer genérica —«La Mancha y sus mujeres», o «es la mujer manchega»—, junto a las de inspiración literaria cervantina y azorinesca[16]: «La novia de Cervantes / y del manchego heroico, el ama y la sobrina» (2-3), «la esposa de don Diego y la mujer de Panza, / la hija del ventero» (6-7), «Dulcinea» (25) y «buena Aldonza» (47). Toda esta galería de mujeres están unidas por medio de las labores diarias. De esta forma, la representación de la mujer del pasado y su rutina doméstica se perpetúa en el presente, ya que unas y otras están asociadas al marco cotidiano de la casa y sus labores, mediante enumeraciones que recuerdan las que emplea Azorín:

(el patio, la alacena, la cueva y la cocina,
la rueca y la costura, la cuna y la pitanza), (4-5)

Abundan en *Campos de Castilla* las coincidencias de Machado con Azorín en cuanto a su forma de entender la historia. Machado también construye microhistorias narrativas y se interesa por personajes y menudencias cotidianas como instrumentos que reflejan mejor la historia que los grandes héroes o sus hazañas. Como el escritor alicantino, parte de textos clásicos literarios que son para él fuente de la historia y sobre los que reelabora sus creaciones. De este modo, como Azorín, une la preocupación historicista y social al interés por encontrar una conciencia nacional a través de la literatura.

La pasión por Castilla

Antes de seguir adelante quiero detenerme a comparar las dos obras castellanas de estos autores. Parece innecesario resaltar la coincidencia de los títulos —*Castilla* de Azorín y *Campos de Castilla* de Machado— y que ambas se publicaron en el mismo año 1912. Es interesante que las dos tengan un nombre geográfico, dando así reconocimiento a una ciencia que había estado prácticamente ignorada en España y que empezó a ser apreciada a finales del XIX gracias, entre otros, a los esfuerzos de los institucionistas. De esta

---

[16] Recuérdese el relato de Azorín «La novia de Cervantes» en *Los pueblos* y también *La ruta de Don Quijote*.

forma, ambos autores reconocen y apoyan un discurso científico que circulaba en la sociedad y que no estaba suficientemente reconocido. El título escogido por Azorín es simplemente el de la región o del antiguo reino, limitándose por tanto al nombre geográfico, aunque lo emplea en su sentido histórico más amplio, ya que en su Castilla incluye a las dos regiones, tanto a la Vieja como a la Nueva[17], poniendo más énfasis en esta última al ubicar varias de sus historias en Toledo[18]. El título empleado por Machado con su referencia a los «campos» en plural es más ambiguo geográficamente, a la vez que anticipa su interés por la tierra —tema central de esta obra— y su prioridad por la naturaleza frente a las ciudades y pueblos, a pesar de su enorme carga histórica[19], mientras que a Azorín las ciudades y los pueblos le interesan mucho más[20]. Además, como señala Litvak (147), con ello se une a una corriente de la época, ya que en esos años abundan los títulos de obras relacionados con la naturaleza[21]. El título machadiano adelanta

---

[17] La España actual de las autonomías ha modificado la organización administrativa española. Castilla la Vieja, hoy comunidad autónoma de Castilla y León, incluía las siguientes provincias: Santander, Burgos, Logroño, Soria, Segovia, Ávila, Valladolid y Palencia. La provincia de Santander es hoy la comunidad autónoma de Cantabria y la de Logroño, la comunidad autónoma de La Rioja. Además, la comunidad autónoma de Castilla y León ha incorporado las provincias correspondientes al antiguo reino de León: León, Zamora y Salamanca. Por su parte, Castilla la Nueva incluía: Madrid, Toledo, Ciudad Real, Cuenca y Guadalajara. En la nueva organización, Madrid se ha convertido en comunidad autónoma independiente. La antigua región de Castilla la Nueva ha pasado a llamarse Castilla-La Mancha y ha incorporado la provincia de Albacete.

[18] En algunos de sus relatos Azorín especifica claramente que el escenario es Toledo, como es el caso de «La fragancia del vaso». En otros, no se dice de forma explícita. Referencias diversas —casi siempre literarias— hacen pensar que muchos de sus escritos tienen como escenario la vieja ciudad imperial. Tanto en «Una ciudad, un balcón» como en «Las nubes» alude al paisaje urbano o a los personajes descritos en La Celestina. Aunque no se sabe con certeza el escenario celestinesco, parece ser Toledo. En la primera parte de «Lo fatal», refiere al episodio del hidalgo de Lazarillo de Tormes que se desarrolla también en esa ciudad castellana. Sin embargo, el marco geográfico de «Cerrera, cerrera...» es Salamanca, que en tiempos de Azorín era una provincia leonesa.

[19] Afirma acertadamente Carlos Beceiro que a Antonio Machado no le interesan los monumentos y tiene «ceguera por el pasado» (Antonio Machado 23, énfasis del crítico). Esta ausencia es muy sorprendente ya que el poeta vivió en ciudades o pueblos —Soria, Baeza, Segovia— de marcado carácter monumental. Beceiro atribuye este silencio a una intención deliberada del poeta. El propósito de Machado es mostrar la postración de Castilla en el presente y no la gloria y el esplendor de su pasado. Además, con ello se aleja de los poetas románticos y su pasión por las ruinas, a la vez que subraya su deseo de buscar el alma de España en la tierra, sus gentes y su paisaje.

[20] Azorín dedica todo un capítulo de Castilla a «La catedral» en el que, según Inman Fox, por los detalles que aporta el autor, describe la de León (146).

[21] Litvak menciona, entre otros, Almas de violeta, Ninfeas, Pastorales y Jardines lejanos de Juan Ramón Jiménez y Paisajes de Miguel de Unamuno. Machado conocía bien y admiraba la obra de estos dos escritores a quienes, además, dedica poemas en sus «Elogios».

también su carácter paisajístico. Si en la edición de 1912 se limita a dar «visiones» de las tierras castellanas, en la versión ampliada escrita en Baeza incorpora «visiones» andaluzas. Algunos críticos consideran que estos poemas casi constituyen un libro diferente[22]. Pero lo cierto es que muchas de estas «visiones andaluzas» están teñidas de añoranza por las «tierras pobres del alto Duero»[23] y contienen más evocaciones castellanas que descripciones andaluzas, como vemos en «Recuerdos» (CXVI) o «En estos campos de la tierra mía» (CXXV)[24].

Muchos de los pequeños ensayos o historias contenidos en *Castilla* de Azorín son de inspiración literaria o libresca, como ocurre en casi toda su producción según ha demostrado espléndidamente Fox[25]. En esta ocasión se inspira en obras clásicas de la literatura como *La Celestina* o *Lazarillo*, «el dolorido sentir» del verso de Garcilaso o algunas novelas ejemplares de Cervantes, llegando incluso a recrear algunas de ellas. Otras veces, sus fuentes son librescas y entre éstas prefiere los libros y guías de viajes y manuales técnicos[26]. Además se inspira en cuadros de El Greco y Velázquez. Por último, y como el mismo Azorín informa en el prólogo, en esta obra concede importancia a los objetos y cree haber experimenta-

---

[22] Carlos Beceiro, en su artículo «Antonio Machado y su visión paradójica de Castilla», dice que el libro que empezó en la primera edición con «los campos de Castilla», acaba en una especie de «campos de Andalucía», por los muchos versos dedicados a esta tierra añadidos en la segunda edición (158). El propio Machado, en carta a Juan Ramón Jiménez fechada en Soria el 20 de septiembre de 1911, afirma: «En breve publicaré un libro que le remitiré. Es un intermedio. Mi libro vendrá más tarde. Empiezo a verlo hoy y lo escribiré en unos cuantos años» (3: 1493). Y en otra carta a Juan Ramón de principios de 1913, «preparo tres libros que pueden responder a los títulos siguientes: *Hombres de España, Apuntes de paisaje, Canciones y proverbios*» (3: 1521). Pero en una carta a Ortega del 2 de mayo de 1913 vemos lo que pasó con estos proyectos: «La muerte de mi mujer me dejó desgarrado y tan abatido que toda mi obra, apenas esbozada en *Campos de Castilla*, quedó truncada» (3: 1531).

[23] Según expresión empleada por el propio Machado y tomada de una carta a Unamuno, escrita en Baeza en la primavera de 1913 (3: 1533).

[24] Si bien, como afirma Geoffrey Ribbans en el prólogo a su edición de esta obra, hay también algunos poemas netamente baezanos o manchegos —ejemplos de esto serían, a mi juicio, «Los olivos» (CXXXII) o «La mujer manchega» (CXXXIV)— o de interpretación nacional, como «El mañana efímero» (CXXXV), que nada tienen que ver con su experiencia de Castilla la Vieja (15).

[25] Sobre este tema, véase su artículo «Lectura y literatura. (En torno a la inspiración libresca de Azorín)», antes mencionado.

[26] Azorín se inspira no sólo en las obras literarias sino también en las artísticas. La pintura ejerce un papel fundamental en su obra no sólo en cuanto a la técnica impresionista de su estilo, ya que muchos cuadros —*Las Meninas* de Velázquez, *El caballero de la mano en el pecho* o *El entierro del Conde de Orgaz*, de El Greco, entre otras— sirven, al igual que las obras literarias, como punto de arranque a su inspiración. Fox alude a ello de pasada en su excelente artículo, antes aludido, sobre la inspiración libresca de Azorín y, más recientemente, Jurkevich ha publicado un profundo análisis sobre este tema en *In Pursuit of the Natural Sign*.

do a través de ellos «la creación de la corriente perdurable —e inexorable— de las cosas» (99).

Por su parte, *Campos de Castilla* presenta en su conjunto una visión
concreta y emotiva de la tierra castellana, en la que predomina el tono meditativo, y en la que destaca, como en la de Azorín, su intensa preocupación
temporal. Es una visión que vemos evolucionar a lo largo de la obra —más
noventayochista en los poemas más tempranos, más intimista después—.
La obra incluye poemas de estilo diverso. Unos son narrativos y en forma
de viñetas o pequeñas historias y muestran seres marginales de la realidad,
como vemos en «El loco» (CVI) o «Un criminal» (CVIII). Abundan los de
carácter puramente descriptivo como «Amanecer de otoño» (CIX). Y otros
son ocasionales como los que integran los «Elogios». Es ésta una sección
que añadió Machado en la segunda edición y que Alonso Zamora Vicente
define acertadamente como «diario de lecturas» y «repertorio de amistades»
(315). Esto es interesante porque, si bien es menos evidente la inspiración
literaria en la obra machadiana que en la de Azorín, no hay duda de que
también está presente. Ya vimos antes la influencia de los poetas medievales
y del Romancero en esta obra. Cervantes figura en el poema dedicado a la
mujer manchega[27]. Y en los «Elogios», además de dar homenaje a sus maestros, como Giner de los Ríos en CXXXIX, a sus amigos —Valcarce en
CXLI—, o a sus poetas favoritos —Berceo en CL—, reconoce a los escritores más influyentes del momento y a sus obras: Valle-Inclán y su *Flor de
santidad* en CXLVI, Unamuno y su *Vida de Don Quijote y Sancho* en CLI,
Juan Ramón Jiménez por sus *Arias tristes* en CLII y *Platero y yo* en CXLII, y
dos poemas a Azorín por su libro *Castilla*: «Desde mi rincón» (CXLIII)[28]
dentro de los «Elogios», y antes «Al maestro "Azorín" por su libro *Castilla*»
(CXVII), incluido en el «ciclo de Leonor».

El poeta dejó testimoniado el impacto que le causó la lectura de esta
obra de Azorín tanto en su correspondencia personal[29] como en sus versos
al dedicarle, en la edición aumentada de *Campos de Castilla*, dos poemas
con título o dedicatoria muy parecidos y que luego analizaremos: «Al maestro "Azorín" por su libro *Castilla*» (CXVII) y uno de los «elogios», «Desde
mi rincón» (CXLIII). Este último va acompañado del epígrafe: «Al libro

---

[27] Otros críticos también han identificado al retrato de «Fantasía iconográfica» (CVII)
con la figura quijotesca de Cervantes.

[28] Por error tipográfico, en la séptima edición de *Campos de Castilla* de Ribbans, este poema
—«Desde mi rincón»— aparece numerado CXLII. Según el orden secuencial, le corresponde el
número CXLIII, que es el que utilizo. Esta errata ha sido corregida en las siguientes ediciones.

[29] En carta a Juan Ramón, con motivo del envío del poema «Desde mi rincón», dice Machado sobre *Castilla*: «[. . .] este libro de Azorín, tan intenso, tan cargado de alma ha removi-
do mi espíritu hondamente y su influjo no está ni mucho menos, expresado en esta composición» (3: 1519).

Castilla, del maestro "Azorín", con motivos del mismo»[30], palabras casi idénticas al título del anterior poema[31]. El segundo poema, escrito en Baeza en 1913, fue leído en el famoso homenaje que se dio a Azorín en Aranjuez. Con estos dos poemas a un mismo libro y a su autor[32], Machado rinde un homenaje privado y personal —al margen del oficial, del que hablaremos luego— que denota el influjo que esta obra ejerció en el poeta. El escritor alicantino correspondió a esta deferencia dedicándole años más tarde *Un pueblecito. Riofrío de Ávila* (1916) con las palabras: «Al querido y gran poeta Antonio Machado su amigo *Azorín*»[33].

La nueva estética de las cosas

A mediados de 1912 y en el plazo de un breve tiempo, la vida de Machado cambia por completo. En abril publica *Campos de Castilla*, obra que es bien acogida por la crítica. Poco después, el primero de agosto, muere Leonor, y días más tarde abandona definitivamente Soria y viaja a Madrid,

---

[30] Agradezco a Jordi Doménech la correción que me hace con respecto a una errata muy corriente relacionada con este epígrafe, que figura en la edición de Ribbans y en la de A. Albornoz y G. de Torre. Según Doménech, este poema se publicó por primera vez en *El Porvenir Castellano* (1913), y posteriormente en las ediciones de *Poesías completas* —hasta la de 1936— con el sustantivo «motivos» en plural. El poeta no emplea este vocablo en singular —«motivo»— porque no se refiere a la ocasión, es decir al acto de homenaje en el que se leyó el poema, sino que Machado escribe sus versos basándose en «motivos» del libro *Castilla* de Azorín.

[31] Las repeticiones en los títulos —recuérdense los varios poemas sobre las «orillas del Duero»— es algo muy frecuente en *Campos de Castilla* y que se presta a confusión. Al ser varias, creo que es algo intencionado y no fruto casual de un descuido. Sobre ellas trataré en el último capítulo.

[32] Es cierto que también dedica dos poemas a Juan Ramón Jiménez, como acabamos de señalar, aunque por dos obras distintas: *Arias tristes* y *Platero y yo*, y dos poemas a Rubén Darío, sin mencionar obras concretas. Lo destacable, con respecto al caso de Azorín, es que Machado dedique dos poemas a un autor con motivo de un mismo libro lo que, a mi juicio, subraya más el impacto que le causó esta obra. Además, Machado escribió dos poemas más a Azorín, lo que corrobora su impacto. Uno, incluido en «Glosando a Ronsard y otras rimas» (CLXIV) de *Nuevas canciones*, y otro, inédito, recogido por Bernard Sesé, «A otro Azorín todavía mejor» (367). Sesé reconoce en el segundo el «eco de la lectura de *Castilla* de Azorín» que, en mi opinión, todavía es más evidente en el poema de *Nuevas canciones* (367).

[33] Al enterarse de este gesto, Machado escribió una carta a Azorín en la que dice: «V. nos descubre almas bellas desconocidas de todos, entre los libros viejos que nadie lee. ¡Y cuántas intuiciones de la España real que buscamos no tendríamos si acertáramos a descubrir los buenos Bejaranos Galavis! En efecto, aun en los pueblos más embrutecidos, se encuentra algún hombre despierto, inteligente y noble que compensa con creces la grosería del ambiente. Son el alma invisible e ignorada de España, y darla a la luz es la verdadera y santa erudición» (3: 1584).

desde donde tramita el traslado a Baeza. En ese mismo año Azorín, pocos días antes de terminar diciembre, publica *Castilla*. Al poeta le debió llegar esta obra cuando ya estaba instalado en tierras andaluzas y su lectura le hizo revivir su doble dolor personal: la añoranza de Soria y su vida allí con Leonor. Aunque no sabemos la fecha exacta de su composición, es por entonces cuando escribe «Al maestro "Azorín" por su libro *Castilla*» (CXVII). Este poema describe a un caballero enlutado esperando la llegada del correo en una venta castellana. Está escrito en pareados alejandrinos, el metro recuperado por los modernistas. Es de contenido muy diferente a los que le preceden y siguen, pues se encuentra ubicado entre los del «ciclo de Leonor», aunque creo que su situación dentro de la obra tiene una justificación lógica. Su inclusión provoca un cambio brusco, ya que tanto el poema que le precede, «Recuerdos» (CXVI), como el que le sigue, «Caminos» (CXVIII), están inspirados por la visión directa de un paisaje, el de Baeza, que en el primero compara con el soriano preferido, y en el segundo le lleva a evocar la ausencia de Leonor, recordada en ese «¡Ay, ya no puedo caminar con ella!» (30). Frente a estos poemas de clara inspiración sensorial, Machado en «Al maestro "Azorín" por su libro *Castilla*» (CXVII) encuentra su arranque inspirador en un procedimiento totalmente diferente y esencialmente azoriniano. Siguiendo a su maestro, Machado parte de la inspiración literaria, dejando que un texto se interponga entre su emoción personal y su producción. A mi juicio, esto explicaría el tono diferente de este poema que ha llevado a algún crítico a considerarlo como «demasiado *literario*»[34]. El poeta parte de *Castilla* de Azorín —el mismo libro que está elogiando— y recrea una venta, una de las escenas contenidas en sus páginas. Es el mismo proceso que Azorín emplea al describir la suya, ya que al escribir «Ventas, posadas y fondas» se inspira en varias fuentes: para las primeras, en *El Ventero* del duque de Rivas; para las segundas, en las posadas de *Ángel Guerra* de Benito Pérez Galdós y en el *Manual para viajeros en España* de Richard Ford y el *Itinerario descriptivo de España*, del francés conde de Laborde; y para las terceras, en *Superchería* de Leopoldo Alas y en el *Manual del viajero español de Madrid a París y Londres* del escritor costumbrista Antonio María Segovia[35]. De acuerdo con Fox, las descripciones de estas ventas destartaladas y estas fondas viejas de las que habla Azorín, a pesar de estar llenas de detalles prolijos, no pertenecen a una realidad concreta, «son imágenes encontradas en otros textos escritos» (51) o, como en otras ocasiones, «un texto viene a servir de interpretación de una realidad quizá observada» pero a

---

[34] Según las opiniones de Antonio Sánchez Barbudo (250) y Ribbans («"Ciclo de Leonor"» 89).

[35] Para la referencia completa de estas obras, véase las notas a pie de página de «Ventas, posadas y fondas» de la edición de Fox (119-26).

la que suplanta (53). Al emplear este recurso, Azorín ve la realidad a través de una lente, la de otros textos literarios que le alejan de la observación directa y que terminan por convertirse en el foco central de su narración. Es una técnica muy habitual en él que, a veces, lleva a casos extremos, como vemos en *Un pueblecito*, precisamente el libro que dedicó a Antonio Machado y que llevaría a Ortega a escribir su famoso ensayo «Primores de lo vulgar». En esta obra describe Riofrío de Ávila, pero no mediante sus observaciones directas sino a través del libro escrito por un oscuro cura rural, don Jacinto Bejarano Galavis[36], obra en dos volúmenes que encontró al azar en uno de los puestos de la feria del libro madrileña. En esta obra Azorín expresa su intención de no visitar personalmente Riofrío para no alterar la visión creada por este casi anónimo sacerdote de pueblo: «la imagen del pueblecito de la sierra de Ávila es mejor que el propio pueblecito» (595). El monovarense prefiere la visión literaria a la real, anteponiendo la procedente de los textos a la percibida por sus propios sentidos, convencido, como afirma Miguel Ángel Lozano Marco, de que «gracias a Bejarano ha adquirido la imagen "verdadera" a la que la realidad exterior nada tiene que añadir» (148). Al final, como demuestra Antonio Risco, Azorín termina por hacer metaficción literaria[37].

Machado, en los dos poemas dedicados a Azorín, parte de un punto semejante: de *Castilla*, una obra literaria. Si bien en «Desde mi rincón» (CXLIII) sólo se refiere a ella en la primera parte, en una evocación de la tierra querida por ambos y que describe usando motivos azorinianos, como adelantaba en el epígrafe, en el poema «Al maestro "Azorín" por su libro *Castilla*» (CXVII) se deja llevar más por el patrón literario, aunque no debemos olvidar que Machado en su recreación incluye varios toques personales. En primer lugar, es una venta soriana —las de Azorín son ventas literarias españolas, como vimos, a las que añade su experiencia personal—. O, mejor dicho, es una evocación de esa venta, ya que escribe desde Andalucía. Se trata de la de Cidones, en la carretera de Soria a Burgos, que debió visitar en su excursión a las fuentes del Duero y a la que también alude en su texto en prosa de «La tierra de Alvargonzález» (286). Para la descripción del establecimiento, sus dueños y sus enseres, el poeta sigue las pautas de la azoriniana, adoptando así el estilo del homenajeado como es costumbre en

---

[36] Azorín en «La feria de los libros», recogido en *Clásicos y modernos*, afirma la importancia de estos libros anodinos y desconocidos, sin valor bibliográfico alguno, pero que a él tanto le gustaba descubrir, como el del cura Galavis, porque «en muchos de estos libros anodinos, vulgares, humildes, suele estar el verdadero espíritu de un pueblo». En ellos encuentra «una erudición especial e inconfundible», formada en lenta búsqueda de curiosidad espiritual y nada semejante a la que se obtiene en los volúmenes escritos por los «grandes nombres» (765).

[37] Sobre este tema, véase su estudio *Azorín y la ruptura con la novela tradicional*.

Machado. Como en una pintura de género, ambos retratan un espacio interior marginal: la cocina de una venta de pueblo. Azorín la describe así: «en la vasta cocina, bajo la ancha campana de la chimenea, borbollan unos pucheros, dejando escapar un humillo tenue a intervalos, produciendo un leve ronroneo» (120). Y Machado la suya: «Leonarda, la ventera […] es una viejecita / que aviva el fuego donde borbolla la marmita» (2-4), insistiendo más tarde: «Se oye la marmita al fuego borbollar» (8); mientras el ventero Ruipérez, «contempla silencioso la lumbre del hogar» (7).

Azorín siente una pasión especial por estos objetos de la vida diaria, por los elementos más sencillos: cacharros de cocina, detalles de las baldosas del suelo, cuarterones de las puertas, enseres y aperos de labranza. Afirma Manuel Granell que Azorín se aproxima a la realidad como un miniaturista, dando una visión cercana de lo que le rodea. Describe, casi siempre en presente, lo que hay en torno suyo, llevando lo insignificante a un primer plano. Pero recuerda Granell, lo que realmente persigue no son las cosas en sí, sino «sus sensaciones, la proyección de su sentimiento» (137).

Machado también comparte esta predilección por las cosas. De acuerdo con Helen F. Grant, las cosas humildes ya están presentes en sus primeras poesías (459) y aparecen más intensificadas en *Campos de Castilla* (462). Según Grant, su preferencia por los objetos humildes le aleja de Rubén Darío y de Juan Ramón Jiménez —excepto en *Platero y yo*— y le acerca a Unamuno (459). En mi opinión, las cosas son su punto de unión entre el texto literario y la realidad y, en este sentido, le aproximan a Azorín.

Esta pasión de Azorín por las cosas no es exclusiva de *Castilla*, pues ya está presente en muchas de sus obras anteriores. De hecho, ya en 1903, en la revista *Alma Española* escribió sobre «Mi filosofía de "las cosas"», en donde expresa la inquietud que le suscitan los objetos, compañeros de la vida[38]. Considera que no existe ninguna cosa vulgar: «Un mueble, un objeto anodino, una baratija que vemos todos los días y a todas las horas encierran tanta vida como nosotros mismos» (74). Estas cosas baratas y feas —jarrones, polveras, portarretratos, barómetros, despertadores— de las casas de los pueblos, le producen una impresión de angustia porque viven una vida de vulgaridad y de hastío (74).

Machado comparte esa atracción por los objetos de todos los días, aunque no aparecen en sus escritos con tanta profusión como en los de Azorín. En primer lugar, porque se trata de poesía y el género no permite la inclusión de tantos detalles. Además, porque Machado no se inclina tanto por los interiores de las casas y prefiere los paisajes de las tierras castellanas. Aún así, en *Campos de Castilla* encontramos: papeles, libros viejos, espejos, gafas, relojes, bombillas, ruecas, candiles, lares donde el fuego arde, marmitas y al-

---

[38] Recogido en la obra de Pablo Beltrán de Heredia, *Azorín en su inmortalidad* (74).

dabas, por citar unos cuantos. Sin embargo, esta predilección por los objetos de la vida diaria no es una influencia del libro de Azorín, pues ya figuran en la edición de 1912 de *Campos de Castilla*, publicada meses antes que el libro azoriniano. De hecho, en el fragmento V de «Campos de Soria» (CXIII), encontramos:

> La nieve. En el mesón al campo abierto
> se ve el hogar donde la leña humea
> y la olla al hervir borbollonea. (51-53)

Se trata, pues, de una pasión compartida, aunque no sería descartable una posible influencia de otras obras anteriores del alicantino, en las que ya se manifiesta su predilección por los objetos cotidianos[39].

Los objetos insignificantes en Machado sirven, de entrada, para situarnos en un espacio concreto, contribuyendo así al carácter narrativo, pero también para incluir lo que Gallagher y Greenblatt llaman «un toque de lo real», que abre el texto a la experiencia vivida, a lo material, a lo práctico, llevándolo más allá de la palabra escrita (23). En estos versos, la leña humeante y la olla identifican el interior de un mesón castellano. La referencia al lugar que, como afirma Julián Marías, parece una acotación escénica, es casi imprescindible en muchos poemas de Machado (16). Es un recurso que está ya presente en su obra anterior *Soledades. Galerías. Otros poemas*. «Es la clase», dice en «Recuerdo infantil» (V), o «Está la sala familiar sombría» en «El viajero» (I). Y en el poema que estamos analizando: «La venta de Cidones está en la carretera / que va de Soria a Burgos» (1-2). Esta concreción establece, según Marías, un tono de credibilidad, de experiencia vivida (16). Es, además, un rasgo muy típico de los romances.

Otras veces, recae en las cosas una función dramática que acentúa el mensaje que desea transmitir. Este uso es muy frecuente en los cantares de gesta y en los antiguos romances —recuérdese la lista de objetos personales que menciona el Cid al abandonar su feudo y que comentamos en otro capítulo—. Machado emplea las cosas diarias de manera semejante en el romance de Alvargonzález, cuando los dos hermanos recuerdan el crimen cometido: «los Alvargonzález velan / un fuego casi extinguido» (303-304) y añade luego: «no tienen leña ni sueño» (309). La noche es larga y fría: «Un candil humea / en el muro ennegrecido» (311-12). El sentido de culpabilidad se acrecienta en los hermanos y, progresivamente, el entorno corrobora

---

[39] La atención que presta Azorín a las pequeñas cosas materiales está ya presente abundantísimamente en sus primeras novelas: *La voluntad*, *Antonio Azorín* y *Las confesiones de un pequeño filósofo*, por ejemplo. También había publicado ya artículos y escritos en los que manifiesta su amor por los objetos.

ese estado de ánimo. El poeta crea una atmósfera que subraya el dramatismo de la escena:

> El viento la puerta bate,
> hace temblar el postigo,
> y suena en la chimenea
> con hueco y largo bramido. (321-24)

Pero con frecuencia el carácter descriptivo trasciende la función espacial y, como en Azorín, sirve para dar la temporal. Machado también asocia las cosas con el paso del tiempo, pero además emplea el efecto temporal para reflejar la decadencia castellana actual, tan lejos de su pasado glorioso. De esta forma, por medio de las cosas, introduce en el texto una crítica histórica y social. Esto lo vemos claramente en la sección VI de «Campos de Soria» (CXIII), en donde el poeta, tras nombrar a la ciudad e identificarla con su lema histórico — el «*Soria pura, / cabeza de Extremadura*» (79-80), alude a sus nobles edificios y monumentos pero describiéndolos con epítetos que reflejan su actual deterioro[40]:

> con su castillo guerrero
> arruinado, sobre el Duero;
> con sus murallas roídas
> y sus casas denegridas! (81-84)

Afirma Pérez Firmat que la visión de la ciudad «da paso a una percepción segmentada, en la que la ciudad se desintegra en sus partes constitutivas: portales, escudos, callejones, y varias clases de habitantes —*hidalgos*, perros, cornejas» (5) (en cursiva en el original). En mi opinión, esta representación fragmentada de la ciudad abre el texto al mundo de lo real. Por medio de los detalles, el discurso arquitectónico se incorpora al poema, y con él la crítica de la realidad, de ese pasado decadente que todavía pervive. De este modo, los detalles nimios introducen en los versos una dimensión histórica y social que, de acuerdo con Nancy Newton, complementan a la visión estética de los campos castellanos (19).

En la edición ampliada de *Campos de Castilla*, Machado emplea las cosas con mayor innovación. En «La mujer manchega» (CXXXIV), mediante una enumeración de actividades rutinarias, que de nuevo recuerda a las de Azorín, hace un retrato psicológico de la monotonía de la vida de la mujer de estas tierras, «la musa ordenadora» que:

---

[40] Miguel Ángel Lozano Marco asocia estas imágenes con el *topos* simbolista de la «ciudad muerta» en un interesante artículo dedicado a este tema.

alinea los vasares, los lienzos alcanfora;
las cuentas de la plaza anota en su diario,
cuenta garbanzos, cuenta las cuentas del rosario. (20-22)

Pero es en el «Poema de un día» (CXXVIII) donde logra transmitir mejor y de forma más original el aburrimiento de la vida en los pueblos. Sorprende la novedad en la selección de objetos prosaicos, no escogidos por su valor estético o su asociación con el pasado, o la propia sonoridad de las palabras —Azorín emplea vocablos antiguos y sonoros; Machado prefiere las expresiones coloquiales y los dichos populares—. El poeta escoge en esta ocasión cosas útiles, sin belleza, contemporáneas —«mi paraguas, mi sombrero, / mi gabán» (152-53)—, y enumera los actos más anodinos que se suceden adquiriendo una importancia inusitada y paródica, remarcada por los versos de pie quebrado:

Anochece;
el hilo de la bombilla
se enrojece,
luego brilla,
resplandece,
poco más que una cerilla.
Dios sabe dónde andarán
mis gafas... entre librotes,
revistas y papelotes,
¿quién las encuentra?... Aquí están.
Libros nuevos. Abro uno
de Unamuno. (88-99)

Las cosas contribuyen de manera efectiva a crear ese ambiente de tedio y, por medio de ellas, representa la vida española de la época. En los pueblos de vida aletargada se vive, sin embargo, en lucha «sin tregua con el reló» (50), verso que recuerda obligatoriamente al «Es ya tarde» (54) de Azorín en *Las confesiones de un pequeño filósofo*. Machado llega a establecer un diálogo con las cosas, como vemos que hace con el reloj:

Tic-tic, tic-tic... Ya te he oído.
Tic-tic, tic-tic... Siempre igual,
monótono y aburrido.
Tic-tic, tic-tic, el latido
de un corazón de metal. (42-46)

A través del reloj el poeta, por un lado, distingue entre el tiempo real y el psicológico; y por otro, el sonoro tic-tic despierta un doloroso recuerdo personal que evoca veladamente:

Pero ¿tu hora es la mía?
¿Tu tiempo, reloj, el mío?
(Tic-tic, tic-tic)... Era un día
(tic-tic, tic-tic) que pasó,
y lo que yo más quería
la muerte se lo llevó. (53-58)

Machado, como Azorín, se sirve del *rhopos* para añadir una dimensión espacial y temporal y así reflejar la idea del aburrimiento y la monotonía de la vida provinciana y, mediante ello, la crítica de que nada cambia. Pero en ocasiones, a diferencia del escritor alicantino y más próximo a Jorge Manrique, las cosas, y las sensaciones asociadas con ellas, suscitan recuerdos y emociones personales que el poeta, con delicadeza y contención, apenas deja traslucir.

El caballero del «dolorido sentir»

Volviendo de nuevo al poema «Al maestro "Azorín" por su libro *Castilla*» (CXVII), en él encontramos otra reelaboración azoriniana, también de inspiración libresca: un caballero enlutado que es, por un lado, clara recreación azoriniana y, por otro, como afirma Ribbans, *alter ego* del poeta que acaba de enviudar (Introducción 61). Esto último, en mi opinión, justificaría la inclusión del poema dentro del ciclo dedicado a Leonor. En los poemas en homenaje a Azorín, no podía faltar una referencia a esta figura del caballero enlutado que es una constante en *Castilla*. Aparece, por ejemplo, al final de «Una ciudad, un balcón» (141) y en el Calisto de «Las nubes» (161), relato en el que Azorín además transcribe los versos de Juan Ruiz y que son su fuente inspiradora del caballero meditativo con la mano en la mejilla. Machado, como veremos, también alude a él en su otro poema dedicado a Azorín. En éste describe a un hombre de expresión triste, que moja su pluma en el tintero y escribe sobre una mesa de pino: «El caballero es joven, vestido va de luto» (12). Son cualidades que, por otro lado, también podemos identificar con el poeta. Con frecuencia, Machado incluye objetos personales o detalles de su vestimenta: el «torpe aliño indumentario», el bastón, las gafas, el luto del joven, con los que logra dar volumen y carácter humano a sus figuras. Por medio de ellos incluye representaciones del contexto social.

Este caballero enlutado espera la llegada del correo. De nuevo, como Azorín, las esperas, el ir y volver de las cigüeñas, la trashumancia de las ovejas, las subidas y bajadas al monte, las idas y venidas cotidianas marcan el paso del tiempo que en este caso aparece aún más subrayado por el atardecer y el declinar del día. Frente a la gran Historia de fechas y acontecimientos importantes, los textos de Azorín y Machado reflejan ese otro tiempo, el de la pequeña historia, el de «los hechos menudos». Estos detalles introducen en el texto aspectos de la realidad pero, a la vez, son una crítica del escritor y del poeta a una sociedad que no cambia, que se perpetúa en su pasado. La espera y el morir del día se intensifican, como vemos, por su efecto en el paisaje —«las lomas azuladas» (21), «darán al sol de ocaso su resplandor de acero» (24)—, y por la transformación que gradualmente se produce en el interior de la venta. Los objetos de la vida diaria contribuyen efectivamente a hacer más presente el paso de las horas:

La venta se obscurece. El rojo lar humea.
La mecha de un mohoso candil arde y chispea. (25-26)

En la chimenea destaca la presencia del humo en ese «humear», epíteto convertido en verbo como es uso frecuente en Azorín. El candil corrobora la llegada de la oscuridad, pero al especificar que es «mohoso», indica su envejecimiento, subrayando con ello el paso inexorable del tiempo en los objetos, así como la pobreza de sus dueños, que no pueden reemplazarlo por otro. Es, además, un artefacto, un documento de la memoria social.

Hemos apuntado cómo, progresivamente, el caballero contemplativo se aleja de la evocación azoriniana y se convierte en autorretrato machadiano —joven, enlutado, también escritor y meditativo, que habita en ventas humildes, siempre a la espera del correo que trae la diligencia:

El enlutado tiene clavados en el fuego
los ojos largo rato; se los enjuga luego
con un pañuelo blanco. ¿Por qué le hará llorar
el son de la marmita, el ascua del hogar? (27-30)

La modesta marmita hirviendo en el fuego, como la sartén en el famoso cuadro de Velázquez de la *Vieja friendo huevos*, pasa a ocupar el centro de la escena. La olla es, por un lado, una constante de los pueblos: omnipresente en la vida cotidiana, cociendo lentamente al amor de la lumbre. Su representación es, por lo tanto, testimonio de la vida diaria y eso le convierte en documento vivo de otra forma de entender la historia. Al mismo tiempo, es una memoria artesanal de quien la hizo con sus manos. En esto es semejante al cántaro velazqueño de *El aguador de Sevilla*. Por otro lado, la marmita representa la imagen eterna de la pobreza castellana, pues es una imagen arcaica, del retraso de la vida rural anclada en el pasado frente a las modernas cocinas económicas madrileñas. Es, además, símbolo de la continuidad temporal, de ese pasado todavía vivo en el presente. A la vez, la visión y el sonido del puchero suscitan emociones entrañables, ya que el poeta los asocia con otras ollas, con los recuerdos de su pasado personal, que expresa en forma de pregunta retórica, sin esperar respuesta.

Ortega, con motivo de la publicación de *Un pueblecito* de Azorín, afirma que entre la voz narrativa y el cura Galavis se da un caso de *sinfronismo*, concepto que define como «coincidencia de sentido, de módulo, de estilo entre hombres o entre circunstancias desparramados por todos los tiempos» (320), ya que al poco de comenzar la biografía del cura de aldea intuimos que Azorín va a darnos también la suya propia. Su intención, observa Ortega, como en todas sus producciones más logradas en las que parte de un libro viejo, un cuadro, un edificio antiguo, una persona fallecida, no es una búsqueda arqueológica, sino que aspira a revivir esos objetos o personas desaparecidas (317). La afinidad existente entre la vida del escritor y del cura robustece la experiencia e intensifica la emoción vital, viene a decir Ortega (319). Y así, opina el filósofo, «una lectura, una persona, un hecho sobrevenido prestan de súbito tal misteriosa corroboración a nuestras íntimas germinaciones» (319). El efecto es que ambas afinidades se potencian. De manera semejante, nos encontramos que Machado en este poema no sólo recrea una venta castellana a la manera de Azorín en *Castilla,* sino que va más lejos: su situación personal y su experiencia propia —su estancia en las ventas castellanas y su «dolorido sentir» personal— se identifican con la azoriniana a través de su obra narrativa, produciendo un caso de sinfronismo que refuerza su propia evocación.

El poema concluye con otra alusión al tiempo y la llegada del correo:

> Cerró la noche. Lejos se escucha el traqueteo
> y el galopar de un coche que avanza. Es el correo. (31-32)

La referencia temporal, la llegada de la noche y con ella el fin de la jornada, se intensifica con ese «traqueteo» y ese «galopar» del coche que avanza, acentuado por el encabalgamiento de los versos en el último pareado que anticipa la llegada del correo y con él, el final de la espera y la conclusión del poema. Los sonidos desempeñan un papel importante en la estética de Azorín y Machado. Contribuyen a reflejar la monotonía, el continuo repetirse de los acontecimientos, sin que nada los altere: el tañido de las campanas, el borbollar de las marmitas, el crujir del fuego, el repiqueteo de la lluvia, el canto del gallo, el silbido del tren, la llegada del correo. Todos ellos rompen el silencio castellano y, al hacerlo, sirven para contrastarlo, para luego volver a la calma, a la continuidad eterna. De acuerdo con Marguerite Rand, contribuyen a transmitir la idea del eterno retorno y «la pervivencia del pasado» (709).

Los objetos cotidianos, podemos concluir, además de su valor estético, sirven en Azorín para evocar un escenario, pero sobre todo dan una idea del tiempo que, a su vez, está cargada de crítica histórica y social: reflejan su transcurrir o dan sensación de perpetuidad, de que nada cambia, de que todo en España permanece. Comenta con acierto Fox que esto se ve reforzado por el uso de un lenguaje rebuscado, ya que emplea arcaísmos y recupera palabras en desuso para los objetos de la casa, las descripciones de enseres y utensilios, así como los oficios y gremios, con el fin de «dar un aire de tradición a sus observaciones sobre España» (123). Este uso de nombres antiguos es consecuente con sus planteamientos historicistas. La recuperación de viejos vocablos tiene relevancia histórica puesto que contribuye a la búsqueda y formación de la identidad nacional. Al mismo tiempo, ese lenguaje que intenta recuperar suele pertenecer al mundo de lo nimio: oficios humildes, objetos de uso diario, utensilios de trabajo. Responden a su interés por los «hechos menudos», a su interés microhistórico. Otras veces, afirma este crítico, sus descripciones físicas de las cosas parecen listas o inventarios, largas enumeraciones «exiliadas de un mundo vital, como en un diccionario o un museo» (49-50). Con este recurso busca un cierto distanciamiento para dar autonomía a los objetos. El efecto que desea es alejarse, a la manera de un pintor, para poner el énfasis en lo que Fox llama «la perspectiva visual» (50). De acuerdo con Fox, en esto radica la novedad de Azorín y de su nueva forma de ver las cosas (50). Para Fox, Azorín aspira a reflejar la realidad externa con imparcialidad. Sin embargo, malogra su propósito. Entre el observador y el objeto contemplado, Azorín intercala la lente de sus lecturas y su visión literaria. De esta forma, se desvía de su objetivo inicial. En lugar de darnos una visión de la realidad, termina ofreciendo un comentario sobre un texto literario, que le aleja del mundo real.

Machado también se sirve de los objetos cotidianos pero, a diferencia de Azorín, no busca distanciarse de ellos interponiendo una lente literaria, sino que emplea las cosas y sus sensaciones para acercarse a una realidad exterior a él y aceptarla. Las cosas son la vía para salir de sí mismo y llegar al otro, así como para recordar un tiempo personal y un pasado específico. Además, mediante las cosas introduce un acento más humano e íntimo ya que no se muestra indiferente ante ellas, pues suscitan en él una reacción emocional que suele expresar de dos maneras. La primera es afectiva y al mismo tiempo paradójica. Los objetos permeados por el tiempo reflejan una realidad —de postración, de abandono, de pobreza— que reconoce pero por la que, al mismo tiempo, siente afecto. De ahí que acompañe las sombrías descripciones con exclamaciones llenas de emoción. Tras describir el estado de deterioro del olmo seco en el poema del mismo título, CXV, exclama: «¡El olmo centenario» (5). En otras ocasiones, las cosas familiares suscitan una reacción íntima, apenas esbozada, que se manifiesta en forma de velada alusión íntima, como vemos en este poema a Azorín. En estos versos las cosas y ruidos de todos los días —la chimenea, la marmita y el candil, también presentes en otros poemas suyos castellanos[41]—, despiertan recuerdos de su pasado en Soria —que no menciona directamente— y mediante ellos brota una emoción, la de una etapa personal ya concluida: su vida en Castilla con Leonor. Como en otros poemas de aparente tono objetivo, especialmente del ciclo de Leonor, se trata de un poema en clave. Y como en ellos, lo nimio —las violetas y las zarzas en flor de la primavera soriana recordadas desde Baeza, el sonar de la marmita y el crepitar del fuego en una oscura venta— sirven además para despertar emociones no mencionadas directamente por el yo poético, pero que veladamente se dejan intuir.

Aparentemente, podría verse en este poema un cuadro costumbrista. Sin embargo, es bastante más complejo, ya que alusiones personales aparte, incluye el efecto de las lecturas de Azorín y termina por ser una reflexión sobre el propio acto de leer y de identificación con lo leído. Como en otros poemas laudatorios, Machado homenajea a uno de sus maestros mediante el estilo imitativo y el empleo de referencias literarias de sus obras, pero las referencias de estos versos componen un complicado juego de espejos. El poeta evoca una escena cotidiana de una venta humilde, que al mismo tiempo es versión revivida de la que relata Azorín en *Castilla*, que a su vez es visión revivida de otras ventas de otras referencias literarias —Galdós, Clarín, guías y libros de viajeros— en la que se encuentra el caballero ensimismado azoriniano, figura a su vez reelaborada a partir de la de Juan Ruiz y que a través de Azorín llega a Machado, quien mediante sinfronismo azoriniano, se incluye a la manera de un *alter ego*. Machado, fino lector de Azorín, capta y refleja este juego de referencias incluyéndolas en su poema con el que rinde reconocimiento al libro *Castilla* a la vez que recuerda su pasión mutua por la tierra castellana.

La fiesta de Aranjuez

Una mañana de noviembre de 1913 se reunió en Aranjuez un grupo de intelectuales, bajo la iniciativa de José Ortega y Gasset y Juan Ramón Jiménez, para homenajear a Azorín que había tenido que retirar su candidatura a la Real Academia por presiones políticas. La renuncia, que desencadenó fuertes protestas en periódicos madrileños[42], culminó en este acto. Entre los ausentes figuraba Machado, que remitió un poema que fue leído por Juan

---

[41] Aparecen en «Campos de Soria» (CXIII) y en «La tierra de Alvargonzález» (CXIV).

[42] Se publicaron muchos artículos sobre este tema, por ejemplo en *ABC*, *La Tribuna*, *El Heraldo de Madrid*, y además se escribieron cartas abiertas a la Academia. Estos documentos están transcritos en la obra de Pablo Beltrán de Heredia, *Azorín en su inmortalidad*.

Ramón: «Desde mi rincón» (CXLIII)[43]. El rincón es Baeza, donde el poeta se acababa de trasladar tras la muerte de Leonor. El poema está dividido en dos partes. En la primera predomina el recuerdo a la Castilla amada por ambos y que evoca con motivos azorinescos. En la segunda, titulada «Envío», el poeta adopta un tono exhortatorio urgiéndole a que abandone su nueva postura descomprometida. Como mencionamos antes, este poema va acompañado de un epígrafe que refleja la honda emoción que le produjo a Machado la lectura de *Castilla* y en la que insiste en los primeros versos:

> Con este libro de melancolía,
> toda Castilla a mi rincón me llega; (1-2)

Seguidos por una descripción del paisaje tanto físico como psicológico:

> Castilla la gentil y la bravía,
> la parda y la manchega. (3-4)

Esta descripción se extiende a sus ríos, que cruzan la meseta —recordemos la importancia que tienen para Machado, especialmente el Duero, corazón castellano—:

> ¡Castilla, España de los largos ríos
> que el mar no ha visto y corre hacia los mares; (5-6)

La alusión marina refiere a «El mar» de *Castilla*, donde Azorín se lamenta: «No puede ver el mar la vieja Castilla» (154). En este ensayo, considera las consecuencias sufridas por esta región al no tener acceso al mar, siguiendo así las teorías de Jovellanos que veía en ello una de las causas de su empobrecimiento[44]. Además, durante siglos, sus habitantes han buscado en la costa una vía de salida de nefastas consecuencias: la emigración hacia el Nuevo Mundo, causa de una fatal hemorragia para las tierras castellanas[45].

---

[43] Machado lo incluiría después editado en su segunda edición de *Campos de Castilla*. La Residencia de Estudiantes publicó un librito dedicado a este acto: *Fiesta de Aranjuez en honor de Azorín*, en 1915. En él se recogen el discurso de Ortega, el poema que escribió Juan Ramón con motivo de este acto, la carta que envió Baroja desde París, el poema que mandó Antonio Machado —y que luego modificaría, de ahí que según Zamora esta lectura pública equivale a una primera edición del poema— y el discurso de agradecimiento de Azorín. También se incluyen listas de los asistentes y de los que se adhirieron con testimonios escritos.

[44] Sobre este tema, véase la nota a pie de página de la edición de *Castilla* de Fox (153).

[45] Machado alude a la emigración en varios de sus poemas: «A orillas del Duero» (XCVIII), «Por tierras de España» (XCIX), «La tierra de Alvargonzález» (CXIV), entre otros.

El poeta insiste, versos después, en las tonalidades ocres y pardas de sus tierras:

> Castilla azafranada y polvorienta,
> sin montes, de arreboles purpurinos, (17-18)

Descripción en la que no dejan de estar presentes los elementos nimios del paisaje que tanto gustan a ambos:

> Castilla de los páramos sombríos,
> Castilla de los negros encinares! (7-8)

Tras el paisaje, aparece el paisanaje. Campesinos y pastores pueblan la meseta castellana en los dos autores:

> Labriegos transmarinos y pastores
> trashumantes —arados y merinos—,
> labriegos con talante de señores,
> pastores del color de los caminos. (9-12)

La preferencia por las gentes sencillas es otro punto común entre Machado y Azorín, sintiendo especial predilección por los labriegos, además de pastores trashumantes, cazadores, caminantes, leñadores o carpinteros. Sin embargo el poeta, a diferencia del escritor monovarense y más en sintonía con Unamuno, también incorpora «al hombre malo del campo y de la aldea» (17), como en «Por tierras de España» (XCIX). Un rasgo característico de Azorín es su especial atracción por los nombres de los oficios. A menudo incluye largas enumeraciones de gremios artesanos que ya casi han desaparecido. Lo vemos, por ejemplo, en «Una ciudad, un balcón» de *Castilla*: «En el pueblo, los oficiales de mano se agrupan en distintas callejuelas; aquí están los tundidores, perchadores, cardadores, arcadores, perailes; allá, en la otra, los correcheros, guarnicioneros, boteros, chicarreros» (136). Él mismo explica este interés en *Tiempos y cosas*[46] al comentar que son el alma de las ciudades, forjada al compás del lento transcurrir del tiempo. En ellos reside el espíritu de la historia y del pueblo y no en los libros o monumentos: «buscadlo aquí, entrad en estos obradores; oíd las palabras toscas y sencillas de estos hombres; ved cómo forjan el hierro, o cómo arcan la lana, o cómo labran la madera, o cómo adoban las pieles» (71-72). Para Azorín, interesarse por las cosas pequeñas es ponerse en comunicación «con las células vivas y palpitantes que crean y sustentan las naciones» (71-72). De ahí que Ma-

---

[46] Para esta obra he manejado la edición editada por la Librería General de 1929.

chado incluya en su homenaje una referencia a las listas de artesanos que
tanto gustan a Azorín:

> Castilla —trajinantes y arrieros
> de ojos inquietos, de mirar astuto—,
> [...]
> boteros, tejedores,
> arcadores, perailes, chicarreros, (23-28)

Tampoco podía faltar de nuevo la referencia a las queridas ventas descritas en tantas páginas azorinianas, entre ellas «La fragancia del vaso» y sobre todo «Ventas, posadas y fondas» de *Castilla*. Machado, como Azorín, elogia especialmente sus nombres sonoros y geográficos:

> ¡Oh, venta de los montes! —Fuencebada,
> Fonfría, Oncala, Manzanal, Robledo—.
> ¡Mesón de los caminos y posada
> de Esquivias, Salas, Almazán, Olmedo! (32-35)

El poeta y el escritor, en su atracción compartida por el tema del tiempo y las cosas de la vida ordinaria, sienten especial predilección por los tañidos de las campanas[47]. En *Castilla* aparecen varias veces. Así, en «Una ciudad, un balcón» escribe Azorín: «Ya se han despertado las monjas de la pequeña monjía que hay en el pueblo; ya tocan las campanitas cristalinas» (137). Por su parte, el poeta, en su homenaje, se hace eco de estas descripciones:

> La ciudad diminuta y la campana
> de las monjas que tañe, cristalina... (36-37)

Machado no podía pasar por alto las abundantes referencias literarias contenidas en *Castilla* —a Juan Ruiz, a Lope de Vega, a la Celestina— y a ellas alude en su poema:

> ¡Oh, dueña doñeguil tan de mañana
> y amor de Juan Ruiz a doña Endrina!
> Las comadres —Gerarda y Celestina—.
> Los amantes —Fernando y Dorotea—.
> ¡Oh casa, oh huerto, oh sala silenciosa!

---

[47] En el capítulo dedicado a los poetas primitivos, aludimos a la importancia de las campanas en el cantar épico y en Machado.

¡Oh divino vasar en donde posa
sus dulces ojos verdes Melibea!
¡Oh jardín de cipreses y rosales,
donde Calisto ensimismado piensa,
que tornan con las nubes inmortales
las mismas olas de la mar inmensa! (38-48)

En relación a estos típicos motivos azorinescos, recogidos por Machado en
su poema homenaje, afirma Blanco Aguinaga que son un escamoteo constante. Según el crítico, Azorín transforma los finales trágicos de los clásicos en
«*happy endings*», lo que supone un rechazo de la Historia (312). En apariencia,
se trata de un mecanismo que fusiona lo real y lo literario, y que lleva a pensar
que el pasado nunca muere, pero «en rigor, consiste en una negación sistemá-
tica y radical de la Historia, de la del tiempo de Azorín y de la del tiempo de
cada uno de los autores o libros que con inusitado desenfado pone nuestro autor al servicio de su escapismo» (312). Para Azorín, el hoy es casi como el ayer.
De acuerdo con Antonio Risco, la alteración del relato clásico le hace perder
su dramatismo original ya que «la desmesura mítica queda banalizada al nivel
de la vida cotidiana más vulgar» (169). Mediante este procedimiento, Azorín
vulgariza a las figuras clásicas y con ellas, a los mitos y a la Historia.

Machado, que hasta aquí había compartido en gran medida los planteamientos historicistas de Azorín, empieza a mostrar sus diferencias. El poeta
resume la posición azoriniana que refleja su concepción temporal contenida
en *Castilla*, su eterno «ver volver», y con el que no está del todo de acuerdo:

¡Y este hoy que mira a ayer; y este mañana
que nacerá tan viejo! (49-50)

Por último, Machado emplea en estos versos un último motivo azori-
nesco. De nuevo, incluye la imprescindible referencia al caballero ensimismado con la mano en la mejilla, figura emblemática azoriniana a la que,
como vimos, ya había aludido en forma de *alter ego* en el otro poema. Ahora Machado se refiere a ella en términos muy diferentes:

Basta. Azorín, yo creo
en el alma sutil de tu Castilla,
y en esa maravilla
de tu hombre triste del balcón, que veo
siempre añorar, la mano en la mejilla. (61-65)

Con la referencia al caballero meditativo cierra la alusión a *Castilla* e inicia, con nuevo tono, la conclusión de esta parte del poema. Hemos visto

cómo, en unos versos anteriores, había anticipado la divergencia de actitud entre los dos, ahora reafirmada con ese rotundo «Basta», y en la que insistirá todavía más en la segunda parte del poema. Machado ve las cosas de otra manera. Sin dejar de ser consciente de que hay un pasado que sigue vivo, el de la España eterna azoriniana, no teme enfrentarse a esa otra realidad, esa España vulgar —Ribbans la califica acertadamente de «frívola y decadente» (*Campos* 78)—, que nada tiene que ver con «los primores» de Ortega, y que Machado describe con toda su crudeza. Esa otra España actual, dice el poeta, es «un pueblo que ayuna y se divierte / ora y eructa» (69-70), «pueblo impío» que «juega al mus de espaldas a la muerte» (70-71). Es aquí donde incluyó unos versos todavía más críticos, de contenido anticlerical, que fueron leídos en el homenaje pero que luego suprimió y no llegó a incluir en la segunda edición de *Campos de Castilla*[48]. Sin embargo, como apunta Sánchez Barbudo, tampoco se queda en esa España (306). Lo que de verdad le preocupa es el futuro y, por eso, mantiene una actitud más optimista que Azorín: «creo en la libertad y en la esperanza» (73). Confirma esta actitud en la segunda parte del poema, el «Envío», que termina por convertirse en un mensaje directo y de arenga a Azorín para que abandone su actitud reaccionaria. El poema pierde en calidad poética aunque revela un Machado más consecuente con sus ideales políticos y sociales. Para José María Valverde, el «Envío» marca el punto de divergencia que a partir de ahora se observa en los dos escritores: Azorín, «cada vez más clásico e inmóvil, como distanciándose de la realidad»; Machado, desde su perspectiva casi metafísica, «cada vez más encarado con la verdad efectiva de su país y su sociedad, como base de su más amplia visión de la vida y del mundo en general» (107). Una actitud que, de acuerdo con Blanco Aguinaga, seguirá una trayectoria inversa a la de los demás miembros de su generación, ya que mientras los demás fueron abandonando progresivamente sus aspiraciones iniciales, Machado evolucionó hacia una actitud más comprometida (321). Por

---

[48] Estos versos, luego suprimidos, aparecen en la edición de *Fiesta de Aranjuez* realizada por la Residencia de Estudiantes (35):

> Malgrado de mi porte jacobino,
> y mi asco de las juntas apostólicas
> y las damas católicas,
> creo en la voluntad contra el destino.
> A pesar de la turba milagrera
> y sus mastines fieros,
> y de esa clerigalla vocinglera,
> —¡corazoncitos de Jesús tan hueros!—
> creo en tu Dios y, el mío.

Para un análisis más detallado sobre ellos, véase la contribución de Alonso Zamora Vicente, «Apostillas a un poema de A. Machado».

su parte Azorín, a pesar de sus buenas intenciones pronunciadas en el discurso de Aranjuez[49], alejado de los ideales políticos y sociales de su juventud, terminó por adoptar una cómoda postura conservadora, que le llevó a caer en el esteticismo literario.

Machado, como Azorín, se sirve de las microhistorias para recrear el tiempo de un pueblo. De esta forma, reemplazan a la Historia por una conjunción de historias. Este planteamiento coincide con los postulados nuevo historicistas. Además, sus microhistorias incorporan la presencia de seres humildes y marginales —campesinos, locos, parricidas, habitantes de un hospicio— y, mediante ellas, sus vidas y su paisaje, construye su visión histórica de Castilla. De este modo, como para los nuevo historicistas, el texto literario es documento histórico y la historia es un documento literario, o en palabras de Montrose, se manifiesta «la historicidad del texto y la textualidad de la historia» (20). Ambos son textos[50]. En esta visión son importantes las cosas diarias y la rutina de todos los días. Machado, como el escritor alicantino, emplea los objetos para introducir en el texto una nueva estética de las cosas. Ambos vinculan los objetos diarios con la preocupación temporal —el eterno sucederse, el nada cambia, el tedio y el aburrimiento— pero, a la vez, son artefactos, documentos memorialistas, y también vehículo de su crítica política y social: la de una España rural anclada en un pasado casi feudal. Sin embargo, les diferencia su actitud: mientras Azorín adopta un distanciamiento pictórico y literario y termina por caer en la pasividad y el inmovilismo, Machado opta por el reconocimiento de estos problemas, adoptando posturas cada vez más comprometidas, abierto a un futuro esperanzador e incluyendo siempre la emoción junto a la crítica.

---

[49] Azorín, en su discurso de respuesta durante el homenaje, afirmó la importancia de lo social sobre lo estético: «No es *principalmente* una orientación literaria lo que, a mi parecer, nos congrega aquí. La estética no es más que una parte del gran problema social. Para los que vivimos en España; para los que sentimos sus dolores; para los que nos sumamos —¡con cuánta fe!— a sus esperanzas, existe un interés supremo, angustioso, trágico, por encima de la estética. Desearemos la renovación del arte literario; ansiaremos una revisión de todos los valores artísticos tradicionales; mas esas esperanzas y esos anhelos se hallan englobados y difusos en otros ideales más apremiantes y más altos. En balde perseguiríamos lo menos si no pusiéramos antes nuestro empeño en conseguir lo más» (*Fiesta de Aranjuez* 44-45).

[50] De acuerdo con Brannigan, uno de los principios del Nuevo Historicismo es que los textos literarios y los no literarios —entre los que incluye a la historia— se estudian conjuntamente «para describir los modos dominantes» de representación (63). En este sentido, y desde el punto de vista del estudio de la historia, Hayden White defiende la teoría de que la historia es una forma de narración, «historical narratives», y, por tanto, comparten características estructurales y formales con las demás narraciones literarias (*Tropics of discourse* 82).

IV
Paisaje y cambio de perspectiva
en *Campos de Castilla*

La contribución fundamental de lo nimio es ese trastrueque de planos por el que lo secundario, los elementos que habitualmente se integran en el telón de fondo de una obra artística, pasan a ocupar o compartir el lugar principal. Tradicionalmente, al paisaje le ha correspondido por antonomasia el plano del fondo. Esto no significa que hasta finales del siglo XIX no existieran descripciones paisajísticas; si bien, su función, tanto en pintura como en literatura, se limitaba en mayor o menor medida, a dar perspectiva y densidad a la figura humana. La novedad que se produce a finales de siglo y comienzos del XX es doble: primero, ahora el paisaje y sus elementos ocupan la atención del artista; segundo, el interés por el paisaje se irá materializando en vistas cotidianas, en las que el artista destaca lo ordinario: girasoles, gallinas, rocas y barrancas.

Los versos de Antonio Machado revelan este cambio de perspectiva, como puede verse en el poema «Las encinas» (CIII) dedicado a estos árboles, tan sobrios y típicos de Castilla. Sus versos hacen referencia a los encinares del Guadarrama, fondo de tantos retratos reales:

> y tú, encinar madrileño,
> bajo Guadarrama frío,
> tan hermoso, tan sombrío,
> con tu adustez castellana
> corrigiendo
> la vanidad y el atuendo
> y la hetiquez cortesana!... (107-13)

Machado alude a cuadros de Velázquez como *Felipe IV cazador*, *El cardenal infante don Fernando de Austria* o el retrato del príncipe *Baltasar Carlos*. En ellos, los personajes reales posan en traje de caza, acompañados de sus perros —«con lebreles / elegantes y corceles» (116-17)—. Fueron pintados por encargo de la corte para decorar la Torre de la Parada, el pabellón real de caza situado en los montes El Pardo. Y todos ellos, recogen contrafondos de encinas, nubes y montes azulados de la sierra madrileña, especialmente el dedicado al joven príncipe. Velázquez representa las figuras reales como símbolos de la nación, cuyo poder resalta todavía más al contrastarlas con los sencillos árboles del fondo. La caza es una actividad tradicionalmente asociada con los monarcas porque, como ejercicio físico, adiestra en la agilidad corporal, y por su estrategia y toma de decisiones, favorece el desarrollo de la capacidad de mando. Sin embargo, Machado en su poema, mediante la *peripeteia,* rescata a las encinas de esas escenas cinegéticas y les concede el primer plano. Primero las compara a otros árboles: el fuerte roble, «el roble es la guerra, el roble / dice el valor y el coraje» (11-12), el alegre pino, la palmera exótica, las hayas legendarias, los chopos de las riberas, los olmos de los parques, los fragantes manzanos, eucaliptos y naranjos, o la elegancia del ciprés. Frente a todos ellos, el poeta resalta el carácter nimio de este árbol, convertido en protagonista del poema:

> ¿Qué tienes tú, negra encina
> campesina,
> con tus ramas sin color
> en el campo sin verdor;
> con tu tronco ceniciento
> sin esbeltez ni altiveza,
> con tu vigor sin tormento,
> y tu humildad que es firmeza? (58-65)

El poeta hace hincapié en los aspectos insignificantes que llevan generalmente a «ignorar» al árbol y que quedan subrayados por el uso de la anáfora:

> En tu copa ancha y redonda
> nada brilla,
> ni tu verdioscura fronda
> ni tu flor verdiamarilla. (66-69)

E insiste en la descripción y en el uso de anáforas para destacar, aún más rotundamente, la humildad de la encina:

> Nada es lindo ni arrogante
> en tu porte, ni guerrero,
> nada fiero
> que aderece tu talante.

> Brotas derecha o torcida
> con esa humildad que cede
> sólo a la ley de la vida,
> que es vivir como se puede. (70-77)

Precisamente por eso las escoge como símbolo del campo: «El campo mismo se hizo / árbol en ti, parda encina» (78-79) y, en definitiva, del pueblo al vincularlas con «los buenos aldeanos» (125) de las tierras castellanas. De este modo, Machado hace con el paisaje lo mismo que Manrique con la corte de Juan II. El poeta medieval, como comentábamos, retrata la corte castellana no a través de las hazañas heroicas del monarca, sino sirviéndose de los elementos cotidianos que constituyen el trasfondo de su corte: los amadores, la música, las danzas, los vestidos chapados. Por medio de ellos veíamos cómo Manrique representa el tiempo histórico y el espacio político. De igual manera, Machado presenta un nuevo *bathos* textual y democratizador: frente a la concepción de que la patria se encarna en la figura del monarca, como en los retratos cinegéticos velázqueños, propone que se encuentra en la tierra y en quienes la trabajan[1].

Un ejemplo semejante de alteración de la perspectiva lo encontramos en el primer segmento de «Campos de Soria» (CXIII). Los detalles más nimios del paisaje —como «las sierras calvas», «los cerros cenicientos», o «las diminutas margaritas blancas»—, o los anónimos pobladores de esas tierras —el «caminante» y los «pastores»— roban protagonismo al Moncayo. Lo mismo ocurre con el deterioro del olmo seco, protagonista indiscutible de un poema memorable con el mismo título, CXV, al que asocia con el leñador, el carpintero, el carretero, o los habitantes «de alguna mísera caseta» (20). Estos cambios de perspectiva provocan un nuevo *bathos* textual, de lo sublime a lo humilde.

De acuerdo con Simon Schama, «los paisajes son cultura antes que naturaleza; son construcciones de la imaginación proyectadas en bosques, agua y rocas» (61). De ahí que como respuesta a la cuestión de la identidad nacional, Machado busque en la historia pero también en la naturaleza: en el paisaje y su geología, en el entorno cotidiano donde habita el pueblo que para él personifica la idea de nación. Este planteamiento concuerda con el proyecto liberal de construcción nacional de fin de siglo, de inspiración romántica y que, según Helen Graham y Jo Labanyi, aspiraba a incorporar a la población rural en el estado moderno «en un intento de hacer coincidir al "pueblo" con la nación» (6). Machado presenta su propuesta empleando la técnica de los romances: resaltando los detalles y desdibujando a los protagonistas, en este

---

[1] Para Machado es más patriota el que trabaja la tierra con el arado o picando en la mina que el que da su vida por la patria en una batalla. Sobre este tema, véase la nota 26 de la introducción.

caso el pueblo. Además, de forma consciente, Machado incorpora, a través de estos detalles descriptivos, otros discursos contextuales de su sociedad y con ellos dibuja un nuevo paisaje rural castellano. Paisaje que es el lienzo sobre el que construye su representación nacional en *Campos de Castilla*.

Precedente pictórico

Esta alteración de planos, de dar importancia primordial al paisaje y a lo secundario, se produjo en pintura antes que en literatura. Azorín[2] menciona dos referencias importantes: primero, la desaparición de la figura humana en los cuadros de paisajes de los impresionistas franceses, con lo que el paisaje aparece como centro absoluto de la obra pictórica; y segundo, la importancia de Carlos de Haes, que introduce el paisajismo pictórico en España y cuyas obras solía contemplar Azorín durante muchas horas, aprendiendo de ellas la técnica descriptiva (*Madrid* 856). Junto a la importancia de Haes hay que añadir la de su discípulo Aureliano de Beruete, ambos pertenecientes a la escuela de paisajistas españoles. Sobre ambos trataré luego.

En el capítulo anterior estudiamos la atracción por las cosas de Machado y Azorín. Su otra predilección común es el paisaje, ahora convertido en tema fundamental y en ocasiones único de algunas de sus creaciones, así como la presencia de muchos detalles nimios contenidos en ellos. Los paisajes castellanos de ambos comparten varios rasgos. En primer lugar, el interés por la configuración geológica del terreno como forma de conocer la identidad de España, así como el impacto que la constitución del suelo tiene en la historia y en la cultura, aspecto también presente en Unamuno. En segundo lugar, la influencia de los movimientos pictóricos del momento, especialmente de la escuela de paisajistas españoles, configuran su percepción estética de la realidad[3]. Analizo estos dos temas en los siguientes capítulos. Por último, coinciden en el uso de la descripción de la naturaleza como signo de representación de la decadencia de Castilla, tema historiográfico fundamental en ambos escritores. Sin embargo su actitud ante el paisaje es diferente: en las descripciones de las campiñas desoladas de Azorín predominan el distanciamiento, el pesimismo, el inmovilismo y la resignación; mientras que en las roquedas de Machado, junto al reconocimiento de esa decadencia, hay también un acercamiento personal y afectivo hacia esa tierra, así como un deseo por un futuro esperanzador que se apoya en el amor al campo y a sus gentes.

---

[2] Azorín afirma en *Madrid* que en esa época coexisten tres focos de estética en España: «la escuela del 98, el wagnerismo y los paisajistas» (897).

[3] Gayana Jurkevich ha analizado extensivamente la influencia de la geología y la pintura en Azorín.

El paisaje como preocupación noventayochista

La atracción por el paisaje no es exclusiva de Machado o Azorín. Este último afirma en *Madrid* que es una preocupación extensiva a los demás miembros de la llamada generación del 98: «Nos atraía el paisaje» (856). El paisaje como tema no era nuevo. Lo innovador era el protagonismo del paisaje por sí mismo. Para los escritores antiguos la preocupación fundamental era el hombre mientras que ahora se ha trasladado a la tierra.

El interés por el paisaje no nace de forma espontánea. Como informa Litvak, a lo largo del siglo XIX la literatura se había ido interesando de manera progresiva por la naturaleza (*Transformación* 145). En 1844 Enrique Gil publica *El señor de Bembibre*, obra que se considera puntal en el tratamiento moderno del paisaje, seguidas de otras de Fernán Caballero, Armando Palacio Valdés, José María de Pereda, adquiriendo mayor importancia en las obras de Emilia Pardo Bazán o Vicente Blasco Ibáñez. Sin embargo, como apunta Litvak, en todos ellos la naturaleza sigue siendo un «escenario para el desarrollo de las pasiones humanas» (*Transformación* 145). Para Fox, la diferencia entre el paisaje novecentista y el del 98 es que éstos buscan su esencia así como el impacto en la mentalidad de sus habitantes (*Invención* 172). Los escritores del 98 dan tanta importancia al paisaje que llegan, en ocasiones, a eliminar la presencia humana. Un ejemplo es el poema de Machado «En abril, las aguas mil» (CV):

A través de la neblina
que forma la lluvia fina,
se divisa un prado verde,
y un encinar se esfumina,
y una tierra gris se pierde. (11-15)

Se ha escrito mucho sobre el paisaje en los miembros de la generación del 98 y a los numerosos estudios me remito. Laín Entralgo les atribuye el «invento» del paisaje castellano y reconoce que a este descubrimiento de la tierra circundante añaden «una personal visión de la historia y de la vida de España» que se «interpone entre el ojo y la superficie del paisaje» (29). No se trata pues de una descripción realista o de un mero esteticismo. El propio Azorín reconoce esta intención en el discurso de Aranjuez en 1913, en el que tras afirmar que la estética no es «más que una parte del problema social» (44) dice: «A la comprensión del paisaje queremos unir la comprensión de la raza y de la historia» (50). Contrariamente a lo que dice Azorín, la preocupación por el paisaje de los noventayochistas se interpreta hoy de otra manera. Como ha demostrado Blanco Aguinaga en su estudio sobre la obra de juventud del 98, en la primera época de estos escritores no hay tal «paisajismo», ya que las alusiones al campo en sus obras tempranas, cuando aparecen, cumplen una función muy diferente: sirven para poner en evidencia el desarrollo caótico del capitalismo de la España subdesarrollada (294). De este modo, los jóvenes del 98 se apartan de la tradición paisajística de la España del siglo XIX: la «antiprogresista que va de Fernán Caballero a Pereda y Trueba» (294). Según Blanco, el paisajismo noventayochista es un fenómeno tardío, un refugio bajo el que se acogen casi todos estos escritores finiseculares en sus últimas etapas, como salida hacia una evasión esteticista, tras abandonar sus preocupaciones históricas. El caso de Machado es precisamente la excepción, dándose un proceso a la inversa: para el poeta el paisaje «es vía de entrada crítica en la Historia» (320). Así pues, la actitud de Machado responde a planteamientos diferentes de los otros noventayochistas. De ahí que en este capítulo me concentre en analizar el paisaje y sus aspectos nimios en los poemas de *Campos de Castilla*.

Antonio Machado, poeta paisajista

Los primeros versos descriptivos de Machado aparecen en un poema muy temprano titulado «Invierno» (II), publicado en la primera edición de *Soledades* (1903), que no fue recogido en la edición posterior. En ellos alude al paisaje castellano:

El cipresal sombrío
lejos negrea y el pinar menguado,
que se esfuma en el aire achubascado,
se borra al pie del Guadarrama frío. (11-14)

Sin duda, como opina Ribbans, son un antecedente a los poemas de *Campos de Castilla*. Si bien es cierto, las demás descripciones de esta primera obra y de la que le sigue, son muy diferentes al tono difuminado de este poema (*Niebla* 147).

Tras estos tanteos parnasianistas[4], Machado adopta una visión emotiva ante el paisaje, rasgo que caracterizará a sus dos primeras colecciones. Tanto en *Soledades* como en la posterior *Soledades. Galerías. Otros poemas* el paisaje es, casi siempre, recordado —escenas de su infancia en Andalucía— o un

---

[4] Machado no incluyó estos primeros poemas descriptivos —«Invierno», «Crepúsculo», «Otoño»— en su segunda edición de *Soledades. Galerías. Otros poemas*. Son, además, un primer intento de componer un ciclo a las estaciones, de vincular tiempo y naturaleza, tema que empleará en otras composiciones de *Campos de Castilla*. Helen F. Grant recuerda que esto lo hizo Meléndez Valdés en el siglo XVIII y, posteriormente, Rubén Darío y Valle-Inclán.

paisaje soñado e irreal. Cerezo Galán dice que son el telón de fondo de una vivencia propia o «la mínima apoyatura sensible que requiere la ensoñación» (504). Por eso algunos críticos[5] no los consideran propiamente paisajes. En ambos casos, como afirma Beceiro, el paisaje es antes que nada «el espacio idóneo para proyectar un estado de ánimo» y, por tanto, la interacción de paisaje y estado anímico —y no el paisaje solamente— se convierte en el elemento fundamental (*Antonio Machado* 18). Un ejemplo es la silvaromance «Desgarrada la nube; el arco iris» (LXII).

Hacia el final de su segunda obra, se opera un cambio importante en la actitud poética de Machado. Del mundo intimista del yo y de la introspección de las «galerías», el poeta pasa a la búsqueda del «otro», del mundo exterior y el encuentro con la naturaleza y con las gentes del campo. Del paisaje del alma, a buscar el alma del paisaje. Testimonio del cambio son estas afirmaciones, procedentes de una carta a Unamuno de 1904, que tanta influencia tiene en Machado por estas fechas: «No debemos crearnos un mundo aparte en que gozar fantástica y egoístamente de la contemplación de nosotros mismos; no debemos huir de la vida para forjarnos una vida mejor que sea estéril para los demás» (3: 1474).

En los últimos poemas escritos para su segunda colección, que luego situó al principio de la obra, se observan ya las consecuencias de este cambio. En «Hacia un ocaso radiante» (XIII) encontramos versos muy semejantes a la visión de la realidad llena de detalles nimios que caracterizará a *Campos de Castilla*:

> En una huerta sombría,
> giraban los cangilones de la noria soñolienta.
> Bajo las aguas obscuras el son del agua se oía.
> Era una tarde de julio, luminosa y polvorienta. (9-12)

En mayo de 1907 Machado viaja a Soria para tomar posesión de la cátedra de francés del Instituto. Su primera visita soriana apenas dura unos días pero le causa una honda impresión que transcribe en un poema, «Orillas del Duero» (IX), y que todavía llega a incluir al principio de su segunda obra, a punto de publicarse. Poema final de un libro que es en realidad el primero del siguiente: «Se ha asomado una cigüeña a lo alto del campanario» (1). Queda atrás la ecuación de estados anímicos y paisaje: «Es una tibia mañana. / El sol calienta un poquito la pobre tierra soriana» (5-6). No hay una toma de postura ante el problema de España, como ocurrirá más tarde. Es, de acuerdo con Beceiro, «una estampa soriana que acaba en himno exultante» («Antonio Machado» 129). El poeta describe el paisaje que va

---

[5] Además de Cerezo Galán, también Aurora de Albornoz.

descubriendo, el que tiene ante sus ojos —los verdes pinos, los chopos, el Duero—. Anota sólo unos detalles, con una técnica comparable al apunte pictórico. La descripción refleja el paso del tiempo en la naturaleza: la transición del invierno a la primavera, presente en tantas composiciones suyas. Tras la descripción, añade su reacción personal. El estremecimiento ante la humilde llegada de la primavera después del invierno que expresa, en exclamaciones emocionadas, en la segunda parte del poema, especialmente en los versos finales: «¡Belleza del campo apenas florido, / y mística primavera!» (14-15), «¡Hermosa tierra de España!» (20). Es ésta una fórmula que repetirá en muchos de los poemas descriptivos: primero, detalla los elementos del paisaje y la naturaleza, deteniéndose en los detalles más insignificantes; después, expresa la emoción que ellos le producen. Así logra distinguir los objetos, que gozan de entidad propia, de los sentimientos.

Con estos versos Machado inicia realmente su poesía descriptiva, la que caracterizará a *Campos de Castilla*. Como afirma Beceiro, el paisaje en esta tercera obra ya no es pretexto para «fijar una situación anímica, sino como sustancia objetiva, si bien teñida nerviosamente de connotaciones espirituales —visión y sentimiento, meditación y esperanza—» (*Antonio Machado* 22). Sin embargo, no todos los poemas descriptivos de esta obra son iguales[6]. El paisaje aparece de distintas maneras asociado a preocupaciones diferentes. Sin ánimo de hacer una clasificación exhaustiva, vamos a distinguirlos en varios grupos, siguiendo en líneas generales la agrupación de Beceiro[7] («Antonio Machado»).

Varios de los poemas iniciales continúan, en menor medida, esta línea de descubrimiento y sorpresa de «Orillas del Duero» (IX). En ellos predomina la descripción plástica con rasgos precisos y concretos[8]. Retratan una escena, pero ahora con más detalles que en el primer poema soriano, por-

---

[6] En 1913, tras la publicación de la primera edición de *Campos de Castilla*, Machado comenta en una nota autobiográfica que tiene casi terminados tres volúmenes: *Hombres de España*, *Cantares y proverbios* y *Paisajes de España*. Al parecer, estaba preparando un libro de paisajes que no llegó a publicar. No sabemos cuáles de estos poemas incluyó en su segunda edición de *Campos de Castilla*.

[7] Yvan Lissorges plantea su estudio de los poemas paisajísticos machadianos desde el punto de vista cronológico. Estudia la visión de Castilla en tres períodos: 1907-1909, que caracteriza por el ver directo y la reacción personal; 1910-1912, etapa en la que predomina la visión histórica; y 1913-1914, en la que estudia el tema de Castilla como representación de España.

[8] Bartolomé Mostaza opina que Machado en las descripciones de sus paisajes casi no detalla, consecuencia de una percepción muchas veces hecha a distancia (625). No estoy de acuerdo con esta generalización. Machado incluye muchos detalles como puede verse, entre otros, en los poemas «Amanecer de otoño» (CIX), «Orillas del Duero» (CII), así como en muchas de las secciones de «Campos de Soria» (CXIII) y de la «La tierra de Alvargonzález» (CXIV).

que ya no son fruto de un viaje rápido sino de una vivencia continua[9]. Ejemplos de este tipo de poemas paisajísticos son «Amanecer de otoño» (CIX) y «Pascua de Resurrección» (CXII), publicados en 1909 bajo el título significativo de «Apuntes» que luego quitó, y junto a ellos, el posterior y tan visual, «En abril, las aguas mil» (CV).

Otro tipo de poemas descriptivos, más típico de esta obra, presenta el paisaje unido a la reflexión. En 1910 Machado publica «A orillas del Duero» (XCVIII), originalmente titulado «Campos de Castilla» que luego cambió al adoptarlo como título de la colección. Es, sin duda alguna, un poema fundamental, lo que explica su colocación al principio de la obra. Aunque muchos críticos lo consideran un poema noventayochista, coincido con Ribbans al resaltar la importancia del elemento descriptivo —que abre y cierra el poema— ya que es precisamente la contemplación del paisaje la que da pie a la meditación sobre España. De acuerdo con el crítico inglés, las reflexiones de Machado sobre la historia y la realidad social de España nacen de su visión del paisaje y no pueden desgajarse de él (44). Machado, sin dejar de contemplar el panorama soriano, ve en él la reificación del problema castellano y, aún más, de toda España, entrando por esta vía en las coordenadas críticas del regeneracionismo y la generación del 98. La contemplación de ese paisaje le lleva a la evocación del pasado, pero no lo hace de forma idealista, como recuerda Blanco, sino como un pasado histórico que hay que superar (319).

A lo largo de esta investigación hemos mencionado, repetidas veces, que la tierra es tema fundamental de *Campos de Castilla*. Tanto es así que provisionalmente, como recuerda Beceiro, el libro se tituló *Tierras de Castilla* y que tres de sus grandes poemas incluyen este término en sus títulos (*Antonio Machado* 88)[10]. Este interés por la tierra también refleja la preocupación

---

[9] Señala Beceiro que la visión castellana de Machado nace de una «radicación más efectiva en la vida concreta» de Castilla, de su vivencia en esas tierras y en contacto directo con sus habitantes durante cinco años. Esto le diferencia de los demás noventayochistas que escriben desde el «enclave privilegiado de Madrid» o desde Salamanca, ciudad provinciana pero universitaria, y cuyas meditaciones surgen de unos apuntes a vuela pluma, fruto de una excursión o un viaje (*Antonio Machado* 7).

[10] Según Beceiro, en carta de Manuel Machado a Juan Ramón a principios de 1911, estos poemas son «Por tierras de España» (XCIX), titulado inicialmente «Por tierras del Duero», «La tierra de Alvargonzález» (CXIV) y «Tierras de Soria», que luego tituló «Campos de Soria» (CXIII) (88). Otro poema, sin título, de esta misma colección, pero que incluye la palabra «tierra» en el primer verso es «Allá en las tierras altas» (CXXI). Sobre la repetición de palabras en los títulos de los poemas machadianos, véase la nota 14 del capítulo seis. Además, de acuerdo con Pérez Firmat, Machado emplea a menudo la palabra *campo* como sinónimo de *tierra* (4).

La importancia del sustantivo «tierra» no acaba ahí. Al parecer, según descubrió Jordi Doménech, el primer título del libro fue *Tierras de España* y, como tal, apareció en el catálogo general de la editorial Renacimiento de 1911 («Sobre la publicación» 5). Aunque como punde los institucionistas por buscar la identidad nacional en el propio suelo, tanto a nivel científico —geográfico, geológico, orográfico, como veremos—, como a nivel estético. El poeta presenta una imagen de la tierra tanto en su visión directa de la naturaleza —contemplada desde distintas perspectivas— como a través de su gente: paisaje y paisanaje. De ahí que cobren importancia otros poemas que, sin ser tan descriptivos, revelan otros aspectos de la tierra: la desolación de esos campos y las duras condiciones de vida de quienes viven de ellos. En esta línea, los poemas más representativos son «Por tierras de España» (XCIX) y «El dios ibero» (CI) porque incorporan, junto a la visión paisajística e histórica, el impacto económico y social de este paisaje en quienes lo habitan.

La visión más crítica se va atemperando a medida que transcurre su estancia en Soria. El encuentro con Leonor, su matrimonio, el cariño creciente por Castilla y sus habitantes, hacen que sus poemas descriptivos tomen nuevo rumbo. De esta forma, sin abandonar la descripción realista y crítica, ahora el poeta muestra también su afecto hacia esas tierras, en una visión que Beceiro califica de «paradójica», de dolor y amor simultáneamente («*Antonio Machado*» 139), y que vemos en «Campos de Soria» (CXIII) o en «Orillas del Duero» (CII), como en este verso: «¡Oh tierra ingrata y fuerte, tierra mía!» (18).

A partir de 1912, residiendo ya en Baeza, las descripciones vuelven a cambiar. El poeta trata, fundamentalmente, dos escenarios: el campo castellano, que ya no ve pero describe desde la distancia, y desde su mundo interior[11];

---

tualiza Doménech, ese título correspondía a un proyecto mucho más ambicioso que proyectaba el poeta pero que posteriormente, por circunstancias personales, no se materializó. Por eso, para cumplir con el compromiso contraído con la editorial, entregó a finales de ese año *Campos de Castilla*, una parte restringida de un proyecto mayor. Para más información sobre este tema, véase el artículo de Doménech, «Sobre la publicación de *Campos de Castilla*». Para complicar más las cosas, Manuel Machado, en una carta escrita sin fecha pero probablemente de finales de 1911 a Juan Ramón, se refiere al libro que estaba escribiendo su hermano Antonio y lo titula *Tierras de Castilla*. Agradezco a Doménech la generosidad de compartir conmigo estos datos, así como sus comentarios y aclaraciones en relación a este tema.

[11] Beceiro afirma que los versos castellanos escritos desde Baeza continúan la «visión interiorista» que inició en «Campos de Soria» («Antonio Machado» 140). Personalmente, creo que los poemas descriptivos de esta época —que incluyen varios del «ciclo de Leonor»— presentan una visión del paisaje muy diferente —teñidos de dolor y nostalgia— a la de sus poemas anteriores, incluso a la introspección de los versos finales de «Campos de Soria» (CXIII):

> ¡Oh!, sí, conmigo vais, campos de Soria,
> tardes tranquilas, montes de violeta,
> alamedas del río, verde sueño
> del suelo gris y de la parda tierra,
> agria melancolía
> de la ciudad decrépita,
> me habéis llegado al alma,
> ¿o acaso estabais en el fondo de ella? (133-40)

o el campo andaluz, visto *in situ* pero del que se siente desarraigado. El primero es un paisaje descrito físicamente desde lejos y, por tanto, escrito desde la memoria —muchos de sus versos aparecen ahora en forma interrogativa—, pero en el que abundan las referencias concretas porque se trata de un pasado todavía muy reciente, como afirma Beceiro, de ahí la precisión que caracteriza a esas evocaciones y que encontramos en los versos de «A José María Palacio» (CXXVI) o en «Recuerdos» (CXVI) («*Antonio Machado*» 141). La muerte de su mujer y el alejamiento de la patria adoptada —en «En estos campos de la tierra mía» (CXXV) afirma «yo tuve patria donde corre el Duero» (3)— son el tamiz por el que filtra sus descripciones. Esta misma emoción afecta también, pero en sentido opuesto, a su visión de los paisajes andaluces, que describe con prolijidad de detalles pero sin afecto:

> mas falta el hilo que el recuerdo anuda
> al corazón, el ancla en su ribera,
> o estas memorias no son alma. […] (29-31)

Carentes de alma, las visiones andaluzas no consiguen alegrarle, como en «Caminos» (CXVIII): «yo contemplo la tarde silenciosa / a solas con mi sombra y con mi pena» (2-4).

Esta agrupación revela varios tratamientos del paisaje. El primero, que coincide con los poemas de la primera edición, destaca la preocupación por la tierra como suelo patrio. El poeta busca en el paisaje las marcas de una identidad nacional: la identificación con la tierra castellana y el reconocimiento de sus problemas históricos, sin olvidar sus consecuencias económicas y sociales. El segundo, en los poemas que añade de 1912 a 1917, predomina un paisaje permeado por una marca afectiva: la de la doble ausencia de Soria y Leonor. Por último, están los poemas andaluces en los que describe sin afecto la rica vega andaluza. El poeta hace un esfuerzo fallido por identificarse con su tierra natal. En conjunto, la naturaleza sirve como referencia espacial y temporal en los poemas descriptivos. Sin embargo, en los de la primera edición, los elementos naturales del entorno suscitan la meditación histórica, económica y social; mientras que en los de la segunda, los sentimientos y recuerdos que el paisaje despierta en el poeta se interponen en la contemplación de la naturaleza. En los primeros predomina el conocimiento de esa tierra como suelo patrio, y en los segundos se impone una visión más subjetiva y personal.

En estos poemas la descripción de la tierra adquiere *estatus* de protagonista. Esto se debe, en parte, a la influencia de las nuevas tendencias pictóricas, paisajismo e impresionismo, que llegan tardíamente a España. Machado, como otros escritores de la época, incorpora algunas de sus aportaciones y enfoques innovadores. Pero estos poemas se caracterizan, además, por las muchas referencias a elementos nimios de la naturaleza: detalles sobre la composición del suelo, la configuración del terreno, o del renacer de unas hojas de un olmo seco.

Texto poético y contexto social y cultural

Una de las premisas básicas del Nuevo Historicismo es la ruptura de la división formalista entre el mundo estético y el social, entre el texto literario y el contexto histórico. Esta postura crítica rechaza la separación artificial propuesta por el Nuevo Criticismo y proclama, como afirma H. Aram Veeser, que tanto los textos literarios como los no literarios «circulan inseparablemente» en la sociedad, y se influyen mutuamente creando una compleja red de intercambios culturales (xi). En la España de finales de siglo XIX y principios del XX, entre los discursos sociales dominantes quiero destacar dos. Primero, quiero subrayar la importancia de la geología y las ciencias naturales, que empezaron a ser reconocidas por el mundo académico y que ocasionaron grandes disputas entre los partidarios de un discurso científico civil y los que querían controlarlo en nombre del gobierno o la Iglesia. Segundo, voy a resaltar el impacto de la pintura de paisaje y de los impresionistas, esta última originadora también de un debate cultural. En los dos capítulos siguientes me propongo analizar la presencia de la geología y de la pintura de la época en los versos paisajísticos de *Campos de Castilla*. Siguiendo la metodología del Nuevo Historicismo, voy a contrastar primero estos versos con *Los males de la patria* del geólogo Lucas Mallada, y por otro, con los cuadros de dos pintores de la época, los paisajes de Carlos de Haes y Aureliano de Beruete. De acuerdo con Greenblatt, el Nuevo Historicismo rompe la distinción entre estética y realidad ya que la estética no pertenece a una esfera diferente, sino que es «una forma de intensificar la realidad única que todos habitamos» («Culture» 6-7). Desde esta perspectiva, no se trata de una mera representación mimética o, como afirma gráficamente Krogh, Machado no busca «pintar paisajes con palabras» (7). Desde una lectura nuevo historicista, la pintura de la época es otro discurso que circula en la sociedad y los cuadros son otros textos cuyas representaciones influyen en los poemas de Machado. Por su parte, Machado al incorporar préstamos del contexto cultural apoya esos discursos —ambos originadores de controvertidos debates sociales— y de esta forma se subraya la conjunción entre el texto literario y el contexto social y científico de la cultura en que se escribieron.

V

La geología y los versos paisajísticos machadianos

Desde finales del siglo XVIII y especialmente durante la primera mitad del XIX, la historia natural y otros saberes agrupados bajo la rúbrica de «ciencias naturales» —como la botánica, la zoología y la meteorología— alcanzaron gran desarrollo y popularidad en Alemania, Francia, Inglaterra y, posteriormente, en Estados Unidos. De todas ellas, la geología es la que estuvo más de moda teniendo un impacto considerable, como ha demostrado Rebecca Bedell, en la pintura de paisaje, así como en general en artistas, escritores y críticos como Ruskin (8). Precisamente Ruskin, que dio mucha importancia a los detalles nimios de la naturaleza, influyó mucho en Unamuno, quien a su vez la ejerció en Machado, según ha demostrado Litvak[1]. Bedell resalta con respecto a Estados Unidos la relación simbiótica que mantuvieron geólogos y paisajistas. Partiendo de una misma base —la observación detallada del mundo natural—, ambos se beneficiaron mutuamente y sus iniciativas tuvieron una enorme repercusión cultural, de carácter recreativo, económico, turístico, intelectual, religioso y patriótico (ix), destacando especialmente su impacto en la construcción de la identidad nacional (15).

En España, el interés por la geología aumentó a partir del reinado de Isabel II. Como informa J. Vernet Ginés, el impulso de la industria minera y la inversión del capital extranjero en el subsuelo español, estimularon la necesidad de conocer mejor los yacimientos (xi). Estanislao Ribera i Faig apunta que, durante la segunda mitad de siglo, un gran número de ingenieros extranjeros vinieron a España para estudiar y explotar los yacimientos, especialmente las minas de Huelva (18). Sin embargo, esto sólo no explica el carácter popular que llegó a alcanzar esta ciencia. Un síntoma es el inicio del coleccionismo de rocas y minerales que logró contar con muchos adep-

---

[1] Sobre este tema, véase el artículo de Litvak, «Ruskin y el sentimiento de la naturaleza en las obras de Unamuno».

tos. Según afirma Litvak, la geología de montaña se convirtió en tema de interés social. Como había ocurrido ya en otros países, se organizaron conferencias —en el Ateneo de Madrid—; se publicaron reseñas de congresos o crónicas de expediciones en revistas de la época; se crearon sociedades excursionistas, y progresivamente su impacto se fue haciendo notar tanto en literatura como en pintura (*El tiempo* 22).

La presencia de la geología se observa en los textos literarios de la época. Emilia Pardo Bazán, en un cuento titulado «Una pasión», relata la atracción por las piedras de los dos protagonistas, la voz narrativa femenina que se dedica a coleccionar minerales —«*pedruscos bonitos*» (142)—, de los que describe muchos ejemplares haciendo alarde de sus conocimientos; y un tal Federico Bruck, un científico amante de las formas de las rocas y de la estructura de la tierra, que ve escritas en las piedras «la historia del globo» (144). El cuento refleja la gran afición por las rocas que existía en el país en ese momento en sus dos manifestaciones: la geología y la mineralogía. Por un lado, la vocación científica, representada por el geólogo, revela el incipiente reconocimiento de esta ciencia, antes ignorada, así como las duras condiciones en las que tenían que trabajar los que se dedicaban con pasión a seguir su vocación investigadora. Además, el relato pone en evidencia el atraso educativo y cultural del país que no prestaba apoyo a esos hombres dedicados a la investigación. Por otra parte, la mineralogía entendida como pasatiempo, está representada por la coleccionista. Ella encarna la curiosidad de la burguesía y su afán por recoger, clasificar y exhibir especímenes curiosos. Además, en la medida de sus posibilidades, contribuye con sus esfuerzos al avance de la investigación. Sin embargo, no se atreve abiertamente a plantearse las cuestiones políticas y religiosas que el debate geológico estaba despertando —como el creacionismo—, evitando así el enfrentamiento con las posturas que estaban defendiendo las fuerzas más conservadoras de la sociedad. Frente al interés por el estudio de los minerales y por la estructura y composición de la tierra que muestran los protagonistas, resalta la ceguera de la Iglesia, representada por el cura de los Castros, que acoge al geólogo en sus investigaciones de campo, pero que es incapaz de entender la curiosidad científica del investigador. No es éste el único texto literario que recoge el impacto de la geología en la literatura. Litvak menciona su influencia en otras obras como *La Sierra Nevada* de Luis de Rute, *Costas y montañas* de Amós de Escalante y, especialmente, en *Peñas arriba* de José María de Pereda (*El tiempo* 23)[2].

La popularidad de la geología se debió, en parte, a su capacidad para conectar con los grandes problemas del hombre. La geología, en un princi-

---

[2] Sobre este tema, véase también el artículo de Litvak, «Geología y metafísica: las montañas en *Peñas arriba* de Pereda».

pio, sirvió para ofrecer pruebas que fueron tomadas como corroboración del origen bíblico de la creación y para entender mejor el orden divino del planeta. Muchos geólogos explicaban la presencia de formaciones curiosas del terreno, descubiertas en las muchas expediciones científicas que se organizaron en esta época, al diluvio universal o a interpretaciones diversas del Génesis. Por eso, muchos vieron en esta ciencia un instrumento al servicio del creacionismo religioso. En España, tanto el gobierno como la Iglesia intentaron controlar este debate. Los posteriores descubrimientos —como la edad de la Tierra— siguieron alimentando agitadas discusiones intelectuales que aumentaron con la publicación en 1859 de *On the Origin of Species* de Charles Darwin, traducido y publicado en España en 1877. La polémica continuó, como apunta Litvak, hasta fines de siglo (*El tiempo* 27, 28). Es importante mencionar que Antonio Machado Núñez, abuelo del poeta, fue uno de los primeros en divulgar las teorías darwinistas en España. Comenta Dale J. Pratt que Machado Núñez ya incluyó las teorías darwinistas en sus clases de historia natural en la Universidad de Sevilla en la década de 1860 (28). Otra obra polémica pero fundamental, como apunta Pratt, fue *Principles of Geology* del escocés Charles Lyell, obra en tres volúmenes, publicada en Inglaterra en 1830, y que ejerció una influencia profunda en Darwin y otros científicos de la época. Lyell defendía que la observación de los procesos geológicos bastaba para explicar por sí sola la historia de la Tierra. El segundo volumen lo dedicó por entero al estudio de las rocas y sus metamorfosis debida a los cambios de temperatura. La traducción se publicó en España en 1847. María Dolores Jiménez y Joaquín Agudelo, en un estudio sobre la obra científica de Machado Núñez, revelan que escribió su tesis doctoral en 1863 sobre *«El origen y progreso de la Geología»* en la que introduce las ideas de Lyell (173). Por su parte, Pratt menciona que ya en 1843 impartió un curso de geología en la Universidad de Sevilla basándose en las teorías del geólogo escocés. De esta forma, Machado Núñez introdujo las nuevas teorías geológicas en el país antes de la publicación de esta obra en español y con ello contribuyó activamente al debate geológico (26-27).

La aprobación de esta ciencia en España adquirió connotaciones políticas. Desde muy temprano, el gobierno intentó controlar el debate sobre el creacionismo. Prueba de ello es, como afirma Francisco Pelayo López, el decreto de 1834 impuesto por el gobierno para censurar las publicaciones de geología (citado por Pratt 26). Apunta Pratt que, en 1835, Casiano del Prado publicó en respuesta su *Vindicación de la geología*, en la que exponía las contradicciones entre esta ciencia y los textos bíblicos (26). Años después, el ministro Manuel Orovio publicó un decreto en 1867 con el que intentaba someter el discurso científico civil bajo el control del gobierno y la Iglesia. El gobierno apartó de sus cátedras a varios profesores «krausistas» por defender ideas en contra de la moral y la religión. Tras el fracaso de la I República, Orovio volvió a ocupar un cargo ministerial en el gobierno de Cánovas de 1874. Informa Thomas F. Glick que, en esta segunda etapa gubernamental, su objetivo fue atacar a los defensores de las ideas darwinistas, sobre todo Augusto González Linares y Laureano Calderón, zoólogo y minerólogo respectivamente (5). Más tarde, los dos se unirían a Francisco Giner de los Ríos y formaron parte del claustro de la Institución Libre de Enseñanza que fue centro de acogida y apoyo de los intelectuales «apartados».

El reconocimiento de la geología, la geografía y demás ciencias naturales en España, como había ocurrido con anterioridad en otros países, están vinculadas a la construcción de una identidad nacional. Giner y un grupo de intelectuales relacionados con la Institución fueron los primeros en dar reconocimiento social a estas ciencias. Para los institucionistas, el conocimiento y la familiarización con el terreno español se convirtió en materia obligatoria de estudio, no sólo por su carácter científico, sino como una de las señas de identidad. De acuerdo con Gayana Jurkevich, el conocimiento del terreno se hizo imperativo, ya que mediante el reconocimiento del suelo y del entorno se podía obtener una imagen certera del estado de atraso en el que se encontraba el país y que era tan necesario regenerar (28).

La geografía también cobró un auge enorme. A mediados de siglo, Casiano del Prado ya había publicado varios trabajos, entre otros su *Descripción física y geológica de la provincia de Madrid*, y levantó numerosos croquis y mapas. Pascual Madoz publicó su voluminoso *Diccionario geográfico-histórico-estadístico de España*, Francisco Coello su *Atlas de España*, y en las aulas de las escuelas se colgaron mapas del país que, como señala Jo Labanyi, servían para inculcar a los jóvenes un sentido de ciudadanía (27).

Formación geológica de Machado

Sorprende la abundancia y variedad de referencias a la naturaleza en los versos de Machado[3]. El poeta sabe distinguir entre jaras y cambroneras; entre olmos, chopos y álamos; lo mismo que entre calizas y basaltos; y sólo alguna vez confunde a las golondrinas con los vencejos[4]. Apunta Steven L.

---

[3] Este saber identificar y reconocer especies de árboles, pájaros o rocas es mucho más común en los países anglosajones que en España. Agradezco al profesor Enrique Merino sus comentarios sobre geología.

[4] En el primer «Orillas del Duero» (IX) de *Soledades. Galerías. Otros poemas*, encontramos: «Girando en torno a la torre y al caserón solitario / ya las golondrinas chillan» (2-3). Según Carlos López Bustos, por los chillidos debían de ser vencejos (107).

Driver que sus versos demuestran sus conocimientos naturalistas y que en sus poemas descriptivos no hay contradicciones científicas sobre la naturaleza (47). A veces, emplea vocablos del campo, lo que sirve para subrayar el protagonismo que quiere dar al pueblo así como su respeto y admiración por lo popular. Este uso del lenguaje, tan preciso y en busca siempre del término adecuado, es una característica compartida con otros escritores de la época, especialmente Azorín[5]. Sin embargo, esto no basta para explicar el dominio de esta terminología. Machado sabe reconocer e identificar lo que está viendo. Por eso no necesita recurrir a un lenguaje metafórico, del que reniega cuando es innecesario porque existe un vocablo ajustado. Él mismo había dicho: «Silenciar los nombres directos de las cosas, ¡Qué estupidez!» (3: 1211). Por todo ello creo que los versos de Machado translucen una formación naturalista[6].

Es casi seguro que los primeros conocimientos naturalistas le llegaran a Machado a través de su abuelo paterno, mencionado antes, médico y catedrático de ciencias naturales en Sevilla primero, y luego desde 1883 en Madrid, donde se trasladó con toda la familia. Se dedicó sobre todo a la zoología y a la geología, especialidad en la que ocupó la primera cátedra existente en el país. Publicó muchas monografías sobre temas de ciencias naturales y colaboró con la Institución Libre de Enseñanza. Además, le gustaba dar largos paseos, afición que compartió su nieto. Al trasladarse la familia a Madrid, Machado pasó a ser alumno de la Institución, donde contó con una formación geológica privilegiada. Por esos años, este centro abandonó la enseñanza universitaria para dedicarse a la elemental[7]. Informa Vicente Cacho Viu, que en 1878 Rafael Torres Campos[8] viajó, enviado por la Institución, a la Exposición Universal de París para aprender las últimas novedades pedagógicas (467). Entre las que adoptó el centro estaban: favorecer la enseñanza intuitiva, proscribir lecciones aprendidas de memoria, esti-

---

[5] Afirma Azorín en *Madrid* que los del 98 aspiraban a escribir «claro y preciso», evitando especialmente el uso de la hipérbole: buscaban transmitir «la sensación de la realidad no mediante adjetivos morales sino a través del detalle expresivo». Rechazaban el epíteto calificador buscando, en cambio, «el pormenor auténtico» (866). Y en otro pasaje, añade que se interesaban por «la precisión de las palabras» (898).

[6] A principios de 1913 Machado escribió una nota autobiográfica en la que confiesa «tener afición a todas las ciencias» (3: 1524). De hecho, Thomas F. Glick, en su estudio sobre la recepción de la teoría de la relatividad y la recuperación de la ciencia en España, comenta sobre algunos escritos de Machado que demuestra estar muy bien informado científicamente (281).

[7] A partir del curso 1878-79 la Institución se dedicó a la enseñanza primaria y secundaria.

[8] Rafael Torres Campos, además de pedagogo, era historiador y geógrafo. Según la *Enciclopedia universal*, fue secretario de la Sociedad Geográfica de Madrid, profesor de geografía moderna y académico de la Historia (1437). Estaba especialmente interesado en el tema de los ríos y en 1889 publicó un capítulo dedicado a ellos en su obra *Estudios geográficos*.

mular los ejercicios descriptivos y, por último, practicar excursiones instructivas[9], desconocidas en España y que ocuparon un papel primordial en el método educativo institucionista[10].

Como afirma Jurkevich, la Institución fue pionera en incluir el estudio del terreno español en su plan de enseñanza (29). Esto es algo que hacían tanto en clase como en las excursiones. El propósito de las excursiones, según Cacho, no era sólo gozar del aire libre y disfrutar de las emociones estéticas, sino también «poner en contacto a sus alumnos con las nuevas realidades económicas y sociales» (500). Cada excursión tenía, además de un destino específico, un propósito concreto del que luego se publicaba un resumen en el *Boletín de la Institución*. A este respecto, es un documento muy significativo «El cuestionario de excursiones generales» de 1896, que recoge Manuel B. Cossío, y en el que se formulan los principios de observación que debían practicar los estudiantes en sus salidas campestres (290-95). Según este documento, los alumnos debían apuntar descripciones del camino —montañas, llanuras, puertos—, fijarse en la clase de terreno por el que pasaban —granito, arena, caliza— e incluso recoger ejemplares de minerales, de botánica y zoología para clasificarlos luego. Además, los estudiantes realizaban dibujos en sus excursiones. Esta práctica artística, junto con las visitas a museos y monumentos, eran parte importante de su educación. En este sentido, los hombres de la Institución fueron también pioneros en introducir clases de apreciación de arte y estética. Las primeras excursiones fueron a museos, el Jardín Botánico, barrios madrileños o a visitar los alrededores de la capital. En años sucesivos viajaron por ciudades castellanas y otras regiones, buscando, según Cacho, «el contacto vivificante con los paisajes y la realidad del país» (505).

Las excursiones se multiplicaron tanto que la Institución tuvo que solicitar la colaboración de amigos[11]. Además de los profesores apartados de sus cátedras por razones políticas, mencionados antes, se incorporaron otros nombres ilustres que impartieron materias científicas en el centro. Entre

---

[9] Aunque los noventayochistas realizaron muchas excursiones y viajaron extensamente por la geografía nacional para conocer bien España, no fueron los pioneros en estas actividades. Antes que ellos, los institucionistas adoptaron las excursiones instructivas. Si bien es cierto que, como afirma Cacho, ya existían antecedentes en nuestro país en Barcelona: la Associació Catalanista d'Excursions Científiques, creada en 1876 con fines arqueológicos, y la Associació d'Excursions Catalana, con fines deportivos y fundada en 1878 (500).

[10] Según Cacho, en el curso 1879-1880, año en que se incluyó la enseñanza de párvulos, se modificaron los planes de estudio de la elemental y superior, especialmente en el campo de las ciencias naturales, incluyendo lecciones de historia natural —que también se impartía a los más pequeños— y agricultura e industria (472-73).

[11] Antonio Molero Pintado recoge una clasificación de las excursiones de la Institución hecha por Lorenzo Luzuriaga, que las divide en cuatro grupos: geográficas y naturalistas, artísticas e históricas, instructivas y científicas, y técnicas e industriales (86).

otros colaboradores figuraron los naturalistas Joaquín Costa[12], José MacPherson[13] y Blas Lázaro[14]. El descubrimiento de la sierra del Guadarrama[15] —también presente en la poesía machadiana—, se debe a los institucionistas y a la dedicación y entrega de varios geólogos de prestigio, colaboradores del centro: Salvador Calderón y Francisco Quiroga, además de MacPherson. En 1886 crearon la Sociedad para el Estudio del Guadarrama[16] y en 1895 los profesores y alumnos iniciaron sus exploraciones siguiendo los mapas del geógrafo Casiano del Prado.

Por último, es posible que Machado siguiera aprendiendo sobre la naturaleza con amigos y conocidos en sus largos paseos y excursiones[17]. Su amigo José María Palacio, a quien se dirige en uno de sus poemas más bellos, cargado de referencias a la naturaleza, era funcionario del Servicio Forestal Provincial.

Poeta de las piedras

Machado refleja su preocupación por España buscando en los paisajes las raíces e identificación con la tierra castellana. Sus descripciones se alejan

---

[12] Joaquín Costa, uno de los más famosos regeneracionistas, fue nombrado profesor y bibliotecario al fundarse la Institución Libre de Enseñanza. De 1880 a 1883 dirigió el *Boletín de la Institución*. Según la *Enciclopedia universal*, tenía especial interés por la geografía y fue miembro de la Sociedad Geográfica Española, así como director de la *Revista de Geografía Comercial*. Publicó libros y colaboró en muchas publicaciones de la época.

[13] José MacPherson era gaditano, geólogo y amigo de Giner de los Ríos en su época de destierro en Cádiz. Según la *Enciclopedia universal*, fue miembro de la Sociedad Geográfica de Madrid y de la Española de Historia Natural (1229). Publicó un «Ensayo evolutivo de la Península Ibérica».

[14] Blas Lázaro era doctor en Farmacia y Ciencias Naturales. Prestó servicio en el Jardín Botánico de Madrid desde 1881 hasta 1892. Según la *Enciclopedia universal*, fue catedrático de botánica descriptiva en la Facultad de Farmacia y escribió muchas publicaciones, entre las que destacan *Las regiones botánicas de la Península Ibérica* y *Compendio de la flora española* (1220-21).

[15] Los nombres de Giner, Cossío y Menéndez Pidal son inseparables del Guadarrama, según Lafuente Ferrari. El Albergue Giner en Siete Picos, así como la Fuente de Cossío, en la Morcuera, o la Fuente de los Geólogos, en la subida a Navacerrada, perpetúan sus recuerdos. Los hermanos Machado figuraron entre los alumnos iniciados en ese amor a la Sierra y a la contemplación de la naturaleza (97).

[16] Los firmantes del manifiesto y los estatutos fueron, según María del Carmen Pena, MacPherson, Riaño, Giner, Cossío y Beruete (50).

[17] En el verano de 1914, al terminar el curso en Baeza, marcha a Madrid y desde allí hace varias excursiones al Guadarrama. Una de esas excursiones la hace con su hermano José y el matrimonio Masriera, a quienes dedicó el poema «Las encinas». En *Los complementarios* relata esa excursión realizada el 3 de agosto de 1914. Pernoctaron en la casita de la Institución de Cercedilla. En el tren de vuelta se encontraron con Cossío (3: 1171).

de los paisajes pintorescos, así como de los verdes cantábricos, típicos del
gusto decimonónico, y de su vinculación con los planteamientos metafísi-
cos de éstos, que veían la naturaleza como vía de acercamiento a Dios[18].
También se apartan de los bellos jardines exóticos o de la naturaleza ajardi-
nada de la poesía modernista de principios del XX. Por el contrario, los versos de Machado presentan una nueva visión de la naturaleza, la del entorno
cotidiano, que además refleja las preocupaciones científicas de la época.
Esta visión predominantemente geológica coincide con la que Giner de
los Ríos define como «una estética de la geología» (363). Giner reconoce al
suelo, «la costra sólida del planeta», como elemento paisajístico fundamental, dando importancia a los materiales que lo componen (363). Considera
que su constitución geológica, junto con el clima y el relieve, forman parte
del medio natural del hombre y, como consecuencia, influyen en su cuerpo
y espíritu (366). De este modo, como dice Litvak, Giner resalta la vinculación del «suelo con el paisaje, de la geología con la estética» (*El tiempo* 38).
    A Machado le preocupa la forma, tipo y constitución del terreno. Su
hermano José, al comentar su amor por la naturaleza, decía que su poesía
dio voz humana al paisaje, especialmente «a las piedras» (21). De nuevo
Machado se interesa por lo nimio. El poeta de las peñas del alto numantino
se erige otra vez en cantor de lo humilde, como ya había hecho antes con
las moscas y las encinas[19]. En los poemas paisajísticos, sobre todo en los de
la primera edición, destaca su interés por reconocer el suelo castellano a través de su geografía, su geología, su fauna y flora[20], pero sobresale especial-

---

[18] Sobre este tema véase el artículo sobre geología y metafísica de Litvak.
[19] En «Las moscas» (XLVIII) había escrito: «[. . .] Moscas vulgares, / que de puro familiares / no tendréis digno cantor» (25-27). En «Las encinas» (CIII) afirma:

> Mientras que llenándoos va
> el hacha de calvijares,
> ¿nadie cantaros sabrá,
> encinares? (6-10)

En ambos poemas el poeta se fija en lo insignificante —moscas y encinas— para reificar, en
el primer caso, la humildad y fortaleza de la gente del campo; y en el segundo, la fugacidad
del tiempo. En los dos poemas emplea el tono manriqueño y el verso de pie quebrado empleado por el poeta medieval.
[20] La incorporación al texto de detalles naturalistas responde a una nueva visión de la
tierra geográfica y geológica especialmente, pero además de la botánica, la zoología y la meteorología, ciencias que empezaban a gozar en España de reconocimiento en el ámbito
científico y social. Así, destacan las abundantes referencias a la flora, representada por árboles y plantas. Sobresalen los árboles: «robles y encinas», «olmos de los caminos», «chopos de
las riberas», «verdes álamos», «olivares polvorientos». También alude a la pobre vegetación
que cubre esas tierras: «hierbas montaraces», «romero, tomillo, salvia, espliego». Abundan
«las zarzas», y menciona varias veces la sencilla belleza de sus flores: «blanquean los zarzales
florecidos». Sin embargo, apenas aparecen flores ornamentales. Sólo la presencia de las «di-

mente el abundante número de referencias al suelo[21]. Tomemos como ejemplo los dos poemas de las riberas del Duero. En el primero, «A orillas del Duero» (XCVIII), encontramos los siguientes vocablos: «quiebras», «pedregal», «cerros», «agrios campos», «monte alto y agudo», «redonda loma», «cárdenos alcores», «parda tierra», «serrezuelas calvas», «colinas obscuras», «desnudos peñascales», «de altos llanos y yermos y roquedas». La mayoría de estos sustantivos refieren a formaciones montañosas y vuelven a aparecer en otros muchos poemas de esta colección. A menudo rechaza la adjetivación descriptiva y prefiere otras que, según Lafuente Ferrari, aportan una «misión emotiva» (90): «agrios», «parda», «desnudos», «calvas». En mi opinión, estos adjetivos subrayan además la pobre calidad del terreno para la agricultura, incorporando las condiciones económicas y sociales de quienes lo cultivan y habitan. Así, por medio de la descripción geológica, Machado trasciende el esteticismo del paisaje y conecta con los problemas de la gente que vive de la tierra.

En el segundo poema, «Orillas del Duero» (CII), de título y marco geográfico muy semejante, Machado también enumera formaciones del terreno: «páramo», «campillo», «pradera», «diminutos pegujales», «tierra dura y fría», «roca y roca», «pedregales desnudos», «cerros de plomo y de ceniza», «calvas roquedas de caliza» y «hoces y barrancas». Incluye expresiones locales que lo aproximan a los habitantes de esos campos: «diminutos pegujales», «pelados serrijones». Destaca su capacidad de identificar y reconocer la composición del suelo como se ve en estos versos:

> Entre cerros de plomo y de ceniza
> manchados de roídos encinares,
> y entre calvas roquedas de caliza, (35-37)

---

minutas margaritas blancas» y alguna violeta silvestre que salpican los verdes pradillos en la primavera.

En menor escala, hace su aparición la fauna, aves y animales, que dotan de movilidad a la escena: «aves de altura», «buitre de alas anchas», «el merino pace», «el toro» que rumia, «dos lindas comadrejas», «los pardos borriquillos», «los lentos bueyes que aran», «los galgos agudos».

[21] En los poemas escritos en Baeza y añadidos en la segunda edición, siguen estando presentes elementos de la geografía, geología, fauna y flora de la tierra española, pero, junto a ellos, se impone una visión afectiva del paisaje. En muchas alusiones a la naturaleza aparece más subrayado el matiz temporal. Predominan las referencias expresadas en formas interrogativas, así como el uso del subjuntivo y del futuro en los tiempos verbales: «antes que te derribe, olmo del Duero», cuando esté la «encina roja crujiendo en tus hogares», «¿Dará sus hojas verdes el olmo aquel del Duero?», tendrá «la roqueda parda más de un zarzal en flor». También la fauna, animales y aves, aparece vinculada al paso de las estaciones o de las horas del día: «viajeras golondrinas» en vuelo migratorio, los trashumantes «rebaños de merinos» rumbo a las praderas numantinas, por donde «cruza el ágil ciervo», «donde reina el águila» y «donde a la tarde beben las yuntas fatigadas».

De nuevo, la constitución del suelo le sirve para reafirmar la pobreza de esas tierras para la agricultura. Ya en el primer cuarteto-lira define el renacer de la primavera soriana como «primavera humilde» (1-2). En la segunda estrofa, compara la textura pobre de esos campos con las burdas ropas de sus mujeres, cuyas tierras de escasa productividad no pueden alimentar más que a desnutridos animales:

> ¡Campillo amarillento,
> como tosco sayal de campesina,
> pradera de velludo polvoriento
> donde pace la escuálida merina! (5-8)

En la tercera estrofa, el poeta alude a los «pegujales / de tierra dura y fría» (9-10) que un día producirán «pan moreno», es decir, el pan de pobre calidad y alimento de los labradores. Este retrato *in crescendo* de la pobreza del suelo soriano alcanza su clímax en la estrofa cuarta, donde el poeta, mediante el recurso de la repetición y la aliteración de las erres, insiste en la mala calidad del suelo y en la aspereza de su textura. Esta abundancia de rocas y malezas convierten esta tierra en geografía inhóspita: un *hábitat* más propio del águila —o del buitre y de las aves rapaces que menciona en «A orillas del Duero» (13)—, que del agricultor que aspira a ganarse la vida con ellas:

> Y otra vez roca y roca, pedregales
> desnudos y pelados serrijones,
> la tierra de las águilas caudales,
> malezas y jarales,
> hierbas monteses, zarzas y cambrones. (13-17)

En geología, el agua es un elemento fundamental, causa de la erosión y del desgaste. El contraste de tierra y agua aparece con frecuencia en los versos machadianos: frente a la inmovilidad de las rocas, la movilidad del agua; frente a la eternidad de las piedras, la fluidez del río; frente al pasado eterno, el devenir continuo. También en estos dos poemas vemos que frente a la sequedad y aspereza de las tierras se contrapone el agua, en forma de río. La presencia del Duero es esencial, tanto que llega a convertirse en protagonista de estos y otros muchos poemas. En «A orillas del Duero» (XCVIII) lo define como «corazón de roble de Iberia / y de Castilla» (33-34). Versos antes, las descripciones de la configuración del terreno y del curso del río —«las serrezuelas calvas por donde tuerce el Duero» (19)— llevan al poeta a meditar sobre las glorias del pasado y la postración del presente. En el segundo poema, «Orillas del Duero» (CII), lo declara «padre río», lo contrasta con la tierra: «que surca de Castilla el yermo frío» (40) y lo vincula al eterno paso de las estaciones y del tiempo.

La presencia de detalles geológicos se hace más evidente al contrastarla con las figuras humanas. Unas veces están representadas por gente humilde del campo —el labrador, el pastor, el arriero— o por seres marginales —el cazador furtivo, el emigrante, el loco, el parricida, el criminal o los palurdos—. Encarnan la continuidad eterna, a la manera unamuniana, de los seres antiheroicos frente a los personajes de la historia: Myo Cid o los héroes de la España mística y guerrera que menciona en «A orillas del Duero» (XCVIII). El heroísmo de estas figuras sirve como contraste para denunciar la postración del presente. Otras muchas veces, estos seres humanos anónimos aparecen en forma de figuras empequeñecidas, como vemos en estos versos: «lejanos pasajeros / ¡tan diminutos! —carros, jinetes, arrieros—» (29-30). Esto es algo que también se observa en la pintura de la época[22]. Por último, a veces desaparecen del todo, como vimos: «campos sin arados» (36), «caminos sin mesones» (37). La despoblación es un rasgo muy característico de la pintura de paisaje y que, según María del Carmen Pena, enfatiza «la soledad y el abandono de estos parajes» (101). Además, refleja el cambio de perspectiva operado. De acuerdo con Fox, este paisaje desolado e inhóspito resalta «la insignificancia humana» (34).

Los detalles geológicos no son el tema principal de las composiciones de Machado. Sin embargo, entretejidos en sus versos añaden una nueva dimensión a su preocupación temporal. La abundancia de rocas y formaciones topográficas revelan un nuevo aspecto: el tiempo geológico. Frente al tiempo limitado y rígido de la Historia —la de períodos arbitrarios—, Machado propone otro: el tiempo en la naturaleza. Afirma Ted Underwood que la representación romántica de la historia delega en el mundo inanimado un particular sentido histórico (237). Según este crítico, esta concepción de la historia, aunque no cuenta con fechas ni notas a pie de página, «es más que una simple generalización del sentido de tiempo» (237). Así, de acuerdo con esta interpretación, los signos naturales de los versos de Machado documentan esta nueva forma de concebir la historia, cuyo tiempo se mide de manera diferente. El poeta se muestra muy sensibilizado a las distintas formas de la costra de la tierra y a sus cambios. Unas veces, estos signos de la naturaleza registran un transcurrir temporal lentísimo, como ocurre con las transfor-

---

[22] Sobre este tema, véase el estudio de Bedell sobre la pintura americana de fin de siglo. Sister Katherine Elaine ha analizado la función simbólica que tiene la doble imagen del hombre en los paisajes de Machado: «símbolo de lo peor en aquella España contemporánea, miserable, decadente e ignorante y, al mismo tiempo, símbolo también de lo mejor en la España del pasado» (273). En mi opinión, la representación machadiana del hombre del campo en el presente no es siempre negativa.

maciones de las piedras y de la corteza terrestre: «las quiebras de valles y barrancas» (22) que encontramos en «Campos de Soria» (CXIII). Otras, los
elementos naturales documentan un cambio muy rápido, como la erosión
violenta reflejada en «Por tierras de España» (XCIC): «la tempestad llevarse
los limos de la tierra» (6). También recoge el tiempo cíclico de las estaciones, presente en tantos poemas machadianos; el de las horas, marcando el
ritmo de los días; el de los fenómenos naturales —la lluvia, la nieve, el sol y
el viento azotando la superficie de los campos— y el de los ciclos migrato-
rios. Al representar la idea del tiempo como algo continuo y presente en el
paisaje, lo convierte en la barrera entre los vivos —los diminutos viajeros,
las viejas enlutadas— y los muertos —Myo Cid, los capitanes—, logrando
enfatizar, como apunta Underwood, «la otredad del pasado» (238). De esta
forma, Machado elabora una concepción histórica en consonancia con la de
otros escritores de la época: la intrahistoria de Unamuno y las microhistorias
y los hechos menudos de Azorín. Así Machado, a través de los detalles geológicos, ofrece una nueva visión de la historia en el paisaje.

Los poemas paisajísticos, con sus detalles geológicos, dan a conocer una
parte de España doblemente desconocida para muchos españoles. Por un
lado, el país era desconocido físicamente por la mayoría de sus habitantes,
dadas las dificultades que había todavía para viajar y la escasez de vías de
comunicación. De acuerdo con Giner, los españoles desconocían España, se
quedaban en las ciudades, no salían al campo, ni conocían más allá del lugar en que vivían. De este modo, estos poemas y otros muchos de este libro, dejando a un lado sus otras intenciones, se convierten en pequeños
apuntes pictóricos que dan a conocer el paisaje castellano, del que destacan
sus rasgos geológicos. De hecho, el interés geológico, tan de moda durante
el siglo XIX, fue causa originadora del turismo y del inicio del excursionismo
recreativo y cultural. Además, estos versos presentan una representación de
Castilla que no encaja con la estereotipada de los extensos trigales, sino esa
otra de montañas agrestes, de escasa rentabilidad agrícola, de pobre calidad
del terreno, y de desnudos «páramos sombríos». La pobreza geológica y la
dificultad geográfica de este paisaje muestran en toda su crudeza una realidad ignorada y explican, como apuntaba Giner, la necesidad de una regene-
ración. Por otra parte, todas estas referencias a piedras, árboles, plantas y
animales comunes[23] ponen el énfasis en lo cotidiano. Este conjunto de elementos nimios de la naturaleza, además de presentar un marco geográfico y
temporal concreto, transmiten la preferencia por el entorno diario y su deseo de conectar con el pueblo llano, a la vez que revelan los problemas de

---

[23] A Juan Ramón Jiménez le pareció excesivo este uso prolijo de detalles insignificantes,
así como el empleo de vocablos regionalistas, y criticó su estilo afirmando que terminaría por
hacer poesía regionalista.

quienes habitan esas tierras. La yuxtaposición de este texto literario con *Los males de la patria* de Lucas Mallada, conjunto de ensayos escrito por un ingeniero y geólogo de la época, servirá de marco contextualizador a la representación machadiana del paisaje[24].

Los males de España

Machado, al llegar a Soria, se ve sorprendido por la belleza austera de su paisaje, lo que no le impide darse cuenta, en palabras de Beceiro, de su realidad: «la innegable pobreza de la tierra» (*Antonio Machado* 106). Aspecto que, de acuerdo con este crítico, no está suficientemente destacado en la obra de los otros escritores del 98. Sin embargo, Mallada había intentado en 1890 convencer a sus compatriotas de que España era mucho más pobre de lo que suponían. Mallada escribió una serie de artículos, poco optimistas, sobre el campo español, de cara a una posible reforma, en los que incluía consideraciones políticas y económicas. Sabía que sus conclusiones poco alentadoras iban en contra de la imagen eufórica que el país tenía de sí mismo en la España de la década de los 90. Tanto es así que este ingeniero de minas, fundador de la paleontología en España, viajero infatigable y autor de estudios geológicos, inicia su obra pidiendo perdón:

> Tan arraigada se halla en España la creencia de que vivimos en un país muy rico y de muchos recursos naturales, que no sin cierto encogimiento nos permitimos decir algo en contrario, pidiendo ante todo perdón a los que desde el comienzo nos tachen de pesimistas. (15)

No iba desencaminado Mallada, pues el mismo Azorín describe esta obra como tremenda, «un libro sombrío, pesimista, sobre España» (877)[25].

---

[24] José Tudela, en un trabajo publicado en *Celtiberia* en 1961, reconoce la influencia de las ideas de Mallada en la prosa de Machado, especialmente en su primer artículo soriano escrito en la primavera de 1908, «Nuestro patriotismo y *La marcha de Cádiz*». Aunque Tudela reconoce que el influjo de estas ideas están presentes también en sus versos, su análisis se concentra fundamentalmente en este artículo.

[25] Azorín, en *Madrid*, dedica un capítulo a «El libro de Mallada». Confiesa no haber leído el libro hasta muchos años después, aunque conocía sobradamente sus tesis fundamentales. Es muy probable que Machado, si no lo había leído, las conociera también, pues Pío Baroja se encargó de propagarlas entre los noventayochistas. Lucas Mallada era muy amigo de Serafín Baroja, el padre de los Baroja. Ambos eran ingenieros (877). Pío y Ricardo Baroja, el escritor y el pintor, a su vez tenían gran amistad con Manuel y Antonio Machado. Señala Luis S. Granjel que solían coincidir en algunas tertulias madrileñas, como la del Nuevo Café de Levante (81). Además, añade Granjel que Mallada fue uno de los colaboradores de la Institución Libre de Enseñanza (38).

Las tesis de Mallada sobre la pobreza esencial y el atraso español proceden de la observación directa del suelo y de la interpretación de datos científicos, unido a sus conocimientos de derecho y administración. Dedica el primer capítulo de su obra a demostrar las causas de la escasa feracidad del campo español. La tierra es seca y está desarbolada, el país es pobre —tanto que Mallada cree que quienes no conocen el origen del nombre de Castilla la Vieja podrían pensar fácilmente que se debe a su decrepitud y no a su historia (18)— y los labriegos viven obligados a «sobriedad perpetua» (18): mal vestidos, mal alimentados y mal albergados (19). Prueba evidente de todo esto es la emigración. La gente del campo tiene que irse a otras tierras porque no puede subsistir trabajando las suyas. Como consecuencia, el campo se va despoblando progresivamente. Machado también se hace eco de estos problemas, como veíamos en «A orillas del Duero» (XCVIII), en donde describe una tierra «de campos sin arados, regatos ni arboledas» (36); de ciudades «decrépitas»; caminos vacíos y «sin mesones»; sólo habitadas por «atónitos palurdos»; y que todavía sufre la emigración: «que aún van, abandonando el mortecino hogar» (39)[26].

Una de las causas fundamentales de la pobreza del suelo español es el rigor de las temperaturas —máximas y mínimas muy extremadas— y la sequedad del clima. Recoge Mallada los lamentos de tantos labriegos: la frecuente sequedad del otoño que impide la siembra, así como el frío invernal que aniquila muchas plantas; o la escasez de lluvia en primavera o el calor abrasador del verano que imposibilitan los frutos (23).

En tono próximo al de Mallada, el poeta también refiere a este tema, en los versos de «El dios ibero» (CI), donde encontramos esta invocación:

¡Oh dueño de la nube del estío
que la campiña arrasa,
del seco otoño, del helar tardío,
y del bochorno que la mies abrasa! (15-18)

Según Mallada, el relieve orográfico influye en la pobreza de nuestro suelo —España es el país más montañoso de Europa después de Suiza—, que unido a la orientación de sus montañas, colocadas en forma de barreras contra las corrientes atmosféricas, son causa de la falta de lluvia (24). En sus versos, Machado celebra, casi como un campesino, la caída de la lluvia, como vemos en «Poema de un día» (CXXVIII): «¡Señor, / qué bien haces! Llueve, llueve / tu agua constante y menuda / sobre alcaceles y habares»

---

[26] También alude a la emigración en «Por tierras de España» (XCIX): «Hoy ve sus pobres hijos huyendo de sus lares» (5), así como en «La tierra de Alvargonzález» (CXIV) y, como vimos, en el elogio dedicado a Azorín, «Desde mi rincón» (CXLIII).

(13-16). Para Mallada, más importante que la sequedad del terreno, es la altitud de las tierras y su constitución geológica, que hace que muchas provincias sean prácticamente improductivas:

En unas, por sus enormes moles de rocas enteramente desnudas; en otras, porque sus planicies o páramos se alzan a tal nivel que sus recursos agrícolas han de cercenarse en gran modo, pues implica su altitud una temperatura media muy baja, y en todas, por el número infinito de sus quebradas, barrancos, ramblas pedregosas, colinas, cerros totalmente desprovistos de tierra vegetal. (25)

Machado dedica muchos versos a describir la geología de ese terreno que hace a sus tierras pobres para la agricultura[27], como veíamos al analizar los dos poemas de las orillas del Duero. Desde Baeza, recuerda la calidad de estas tierras en el poema a Azorín (CXVII):

[. . .] Todavía los grises serrijones,
con ruinas de encinares y mellas de aluviones,
las lomas azuladas, las agrias barranqueras,
picotas y colinas, ribazos y laderas
del páramo sombrío por donde cruza el Duero, (19-23)

Por último, Mallada cierra este ensayo aludiendo a otra de las causas de la pobreza de nuestro suelo: la escasez de árboles. Hay escasez, por un lado, de leña y madera, lo que a su vez repercute en distintas industrias. Y por otro, esa falta de arbolado incrementa la sequedad de la tierra (30-31). Denuncia el arrasamiento vandálico de nuestros bosques y montañas cuyas tierras hoy están desoladas y son improductivas. Son bosques que muestran sus rocas al descubierto, apenas las cruzan los rebaños, no hay moradores ni sendas: «hoy no encontraréis más que ruinas, enormes peñones y grandes cantaleras» (32). Siendo esto deleznable, Mallada critica con más fuerza el escaso amor que sentimos los españoles por los árboles y que llega en algunos casos a la aversión por ellos.

Machado recoge esta misma idea en varios poemas[28]. Su predilección por los árboles se refleja en poemas como «Las encinas» (CIII), «Los olivos» (CXXXII), o «A un olmo seco» (CXV), junto a tantas otras especies arbó-

[27] Los noventayochistas confunden lo que es la geología propiamente —el estudio de los medios naturales— con la agricultura. Era un error propio de la época de una ciencia que todavía no se había especializado.

[28] Como señala Jurkevich, Azorín también recoge estas preocupaciones en «Los árboles y el agua».

reas que aparecen repetidamente en sus versos. Su preferencia por lo humilde le lleva a describir las especies más comunes, literariamente ignoradas:
álamos dorados, chopos del río, acacias desnudas, olmos secos. Así describe
a la encina «negra», «campesina», de «ramas sin color», de «tronco ceniacien-
to»: «En tu copa ancha y redonda / nada brilla» (66-67). Pero además, critica duramente al «hombre malo» de esas tierras que destroza su propia riqueza natural, como vemos en «Por tierras de España» (XCIX):

> El hombre de estos campos que incendia los pinares
> y su despojo aguarda como botín de guerra,
> antaño hubo raído los negros encinares,
> talado los robustos robledos de la sierra. (1-4)

Es consciente de las consecuencias que estas acciones han tenido en la
tierra:

> Hoy ve sus pobres hijos huyendo de sus lares;
> la tempestad llevarse los limos de la tierra
> por los sagrados ríos hacia los anchos mares;
> y en páramos malditos trabaja, sufre y yerra. (5-9)

Mallada denuncia también otras causas que contribuyen al deterioro de
España: el estado de estancamiento de la ganadería y la agricultura; la falta
de una política hidráulica y de un plan de repoblación forestal; la distribu-
ción injusta de la propiedad y el anacrónico sistema de impuestos; la irra-
cionalidad del trazado ferroviario, entre otros. Pero junto a todo esto, destaca los vicios y defectos del carácter español: la fantasía, la pereza, la falta
de patriotismo y la ignorancia, que nos llevan a soñar y a no actuar y contribuyen enormemente al empobrecimiento del suelo (61). Mallada acusa
de falta de patriotismo a tantos aristócratas y burgueses absentistas —que
tienen propiedades desatendidas, «yermas, desarboladas y secas» (48)—
porque prefieren una vida de ociosas diversiones urbanas en lugar de renta-
bilizar sus propiedades (50). Machado se hace eco del mismo problema en
su logrado retrato del señorito provinciano en «Del pasado efímero»
(CXXXI):

> Sólo se anima ante el azar prohibido
> sobre el verde tapete reclinado,
> o al evocar la tarde de un torero, (15-17)

Posee tierras aunque no se preocupa gran cosa por ellas, como vemos en este cuarteto:

Un poco labrador, del cielo aguarda
y al cielo teme; alguna vez suspira,
pensando en su olivar, y al cielo mira
con ojo inquieto, si la lluvia tarda. (25-28)

Machado comparte y refleja en sus versos las preocupaciones que Mallada siente por la tierra española. De esta manera, hace que su visión descriptiva del paisaje castellano adquiera profundidad, trascendiendo con ello el mero esteticismo paisajista[29].

El debate geológico

Estos detalles descriptivos sobre la constitución y configuración del terreno y la mala calidad agrícola de sus tierras contribuyen efectivamente a la construcción de una nueva representación de España. En primer lugar, presentan la visión histórica de Machado mediante la identificación de una nueva forma temporal —el tiempo en la naturaleza—, un modo de entender la historia más próximo a la del hombre del campo. Además, estos signos naturales conllevan referencias sociales y económicas —de la calidad de esas tierras, de las formas de vida de sus gentes, de sus problemas como la emigración— que materializan su crítica al pasado y denuncian su pervivencia en el presente. Es ésta una postura en línea con el historicismo de otros escritores de la época. Por último, esta representación implica una aceptación de la realidad castellana inmediata. Una representación que rompe con la visión de España, totalmente alejada de la realidad, que predominaba en esa época. En este sentido, Mallada alude a la imagen de color de rosa que muchos españoles tenían sobre la realidad del país a finales del XIX (15). También Luis S. Granjel describe a la sociedad española de fin de siglo como «infantil y tontamente alegre» (35). Para Enrique Lafuente Ferrari, había que romper con una historia sustentada en mentiras y reconciliarse con la verdad del pueblo español (91). Los poemas paisajísticos de Machado, con sus muchas referencias geológicas que evidencian la pobreza de la tierra, ofrecen una representación que socava esa imagen irreal.

La inclusión de un lenguaje geológico en los versos machadianos tiene una repercusión doble. Por un lado, significa el reconocimiento del poeta a esta ciencia que estaba empezando a institucionalizarse académicamente en España y que tantos debates sociales estaba originando. Por otro lado, de

---

[29] Lissorgues afirma que la captación de ciertos detalles, insólitos en medio de ocasiones solemnes —como las comadrejas— revelan «una mirada alerta a las más nimias manifestaciones de vida en los espacios muertos» (227).

acuerdo con Glick, una de las causas del desastre colonial y de la derrota del 98 era el retraso técnico y científico de España. Por eso, desde principios de siglo, las fuerzas políticas conservadoras entendieron la necesidad de unirse a otras corrientes de la sociedad y llegar a un consenso (8). El objetivo era despolitizar la educación universitaria e intentar liberarla en lo posible del control religioso «para crear un clima que fuera propicio al desarrollo de la ciencia y que fuera favorable a la discusión abierta de ideas científicas» (8). Era urgente modernizar España y sacar al país del atraso científico en el que se encontraba estancado desde hacía siglos. Más aún, había que superar viejos partidismos y despolitizar el discurso científico. Machado, al incorporar un lenguaje y una visión geológica de la tierra, se une y apoya este esfuerzo.

Así, los poemas descriptivos machadianos, además de construir una representación nacional que incorpora elementos del contexto económico, histórico y social, también presentan una visión geológica y natural del paisaje. Al mismo tiempo, estos poemas son la respuesta y el apoyo de Machado al debate científico del momento. Por último, estos poemas introducen un nuevo concepto de belleza. Una belleza que, de acuerdo con Driever, implica «una apreciación estética que incluye los más modestos ambientes» (43). Es éste un concepto de belleza que tiene mucho que ver con la nueva estética pictórica del momento.

VI
Las orillas del Duero, *suite* impresionista de *Campos de Castilla*

En la historia del arte, la pintura de paisaje fue considerada durante mucho tiempo un género secundario. Sir Joshua Reynolds, en sus *Discursos* publicados a finales del siglo XVIII, la reconoce como categoría artística pero la incluye en el último escalafón. De hecho, según Clark, el paisaje no se consolidó en Europa hasta el XIX (147). A lo largo de ese siglo, el paisaje es interpretado de formas diferentes. Desde la visión de la naturaleza como algo grandioso y sublime que es también un vehículo de acercamiento a Dios; al mundo natural vinculado con el pintoresquismo y el costumbrismo regionalista; pasando por el descubrimiento de los que pueblan esos paisajes y mediante ellos del tema social del trabajo —campesinos, picapedreros— mostrando la lucha por la supervivencia, como en las pinturas de Gustave Courbet; hasta la reivindicación de la vuelta a la naturaleza como rechazo a la sociedad industrial, proclamada por Ruskin y el grupo de los prerrafaelistas ingleses. Todas estas formas de ver la naturaleza van abriendo camino al paisaje —y, como consecuencia, al hombre del campo y las cosas insignificantes de su entorno— hasta adquirir el protagonismo fundamental que le conceden primero los pintores paisajistas y luego los impresionistas.

Apunta Jurkevich que los escritores noventayochistas buscaron la alianza con aquellos pintores paisajistas de la época con los que compartir su deseo por retratar «una visión auténtica de España» (35). Es conocida la vinculación de Unamuno con Zuloaga o de Darío de Regoyos con toda la generación. Está por explorar, en cambio, la de Machado con Carlos de Haes y, especialmente, con Aureliano de Beruete, pintores que, como ha estudiado Jurkevich, influyeron mucho en Azorín.

La pintura de paisaje en España

En España, como informa Jurkevich, la pintura de paisaje se convirtió en materia de estudio en 1824 cuando se introdujo en la Escola de Nobles

Arts de Barcelona. Veinte años después, en 1844, la Escuela de Bellas Artes de San Fernando de Madrid creó la primera cátedra que ocupó Jenaro Pérez Villaamil. Sin embargo, según esta crítica, los principales esfuerzos para el reconocimiento del paisajismo en España provinieron, por un lado, del pintor español de origen belga, Carlos de Haes, que introdujo la pintura al aire libre en 1857 (30) y, por otro, al impulso de los institucionistas, Giner de los Ríos y especialmente Cossío, que incluyeron la enseñanza visual artística —apreciación estética, historia del arte, junto con la realización de dibujos y bocetos al aire libre— dentro del plan de estudios de la Institución Libre de Enseñanza (21). Así, el naciente interés pictórico por el paisaje conecta con las aspiraciones de los institucionistas por definir lo español, tanto a través de la geografía y demás ciencias del entorno físico del hombre, como con la literatura y las artes pictóricas.

Carlos de Haes rompió con la tradición del paisajismo histórico, con la concepción de que la pintura de paisaje debía servir a otros propósitos que el de ser un retrato de la naturaleza por sí misma. Para él, el paisaje de los fondos en los cuadros antiguos no podía ser considerado como tal paisaje porque, como recoge Azorín en *Madrid*, reconocido admirador de Haes, siempre se pintaba lo mismo y carecían de originalidad (897). Haes pintó paisajes castellanos pero, a diferencia de sus discípulos, prefería los más umbrosos del norte de España, de gusto más típicamente decimonónico. Durante la década de los setenta, introdujo una novedad temática importante: el interés por la composición natural del terreno. Se dedicó intensamente a pintar escenas montañosas de los Pirineos, los Picos de Europa y la sierra del Guadarrama, en las que destaca la orografía y composición geológica. En sus enfoques resalta el tipo de configuración montañosa y su pincel insiste en la textura geológica de la composición del suelo, rasgo que además subraya en los títulos: *Paisaje del Guadarrama con pico en granito, Desfiladero de la Hermida en calizas, Peñas de Alsasua, Los Picos de Europa (La Canal de Pancorbo)*. Todo esto refleja el creciente interés y popularidad que, como hemos visto, estaba alcanzando la geología. Su otra pasión eran los árboles, que para él, en palabras citadas por Azorín, «son las verdaderas figuras del paisaje», porque cada uno está dotado de una fisonomía particular, situado en un lugar propio, desplegando su «verdadero carácter» (897). De esta forma, el creciente interés por la botánica queda también testimoniado en sus obras. Es menos conocido que Haes, en algunos de sus óleos y sobre todo en sus aguafuertes, se interesó por el paisaje cotidiano —como en *Casas y árboles*— y, sobre todo, por las escenas de la vida diaria, especialmente por las orillas de los ríos, como vemos en *Barco en el río* o *Patos en el río*. Obras menores pero que, probablemente, conocieron sus discípulos.

La otra gran innovación de Haes es que impuso un nuevo método al rechazar el trabajo en el estudio, alejado del contacto directo con el entorno natural, prefiriendo la pintura al aire libre. Esto supuso una ruptura con la tradición pictórica precedente, adelantándose a la pintura *en plein air* de los impresionistas y al excursionismo de los de la Institución. Haes llevaba a sus estudiantes al Pardo y les enseñaba, según Jurkevich, a copiar directamente de la naturaleza, rompiendo con las convenciones tradicionales al dar prioridad a los reflejos de la luz y los aspectos descriptivos del paisaje, así como ignorando los estudios previos de composición (31).

Aureliano de Beruete, discípulo de Haes, procedía de familia acomodada. Se dedicó a la historia del arte —escribió un libro sobre Velázquez—, al coleccionismo —poseía obras excepcionales de El Greco, Goya, Miguel Ángel—, y a la pintura. Estudió en la Escuela de Bellas Artes de San Fernando y posteriormente en Francia con Martín Rico. Conoció la escuela de Barbizón y entró en contacto con el impresionismo e incorporó sus técnicas. Su pintura parte del realismo austero bajo la influencia de Haes. Como su maestro, se dedicó al cultivo del paisaje y a pintar al natural, con la misma predilección por las composiciones montañosas y la caracterización geológica, como se observa en *Ventisquero de los Alpes*. Luego evolucionó hacia el impresionismo, buscando la luz y sobre todo la sencillez de los paisajes castellanos. Pintó paisajes tanto extranjeros, en sus frecuentes viajes por Europa, como de muchas regiones de la geografía española. Sin embargo, predominan los de Madrid y sus alrededores —interesándose por los arrabales de la capital—, y las viejas ciudades castellanas, como vemos en *Vista de Toledo*, la ciudad que más retrató. También produjo series sobre la sierra del Guadarrama[1] y el río Manzanares. La crítica internacional, como recoge Jurkevich, lo reconoció como el pintor del paisaje desnudo y pelado de Castilla y de sus rocas áridas. Fue admirado por ser un artista capaz de enfrentarse al reto de no incluir concesiones de vegetación o motivos tradicionales que dulcificaran o presentaran una visión amable del campo (31). Rasgos que descubrimos en *Paisaje de Toledo entre cigarrales*. Por el contrario, Beruete sale al encuentro del paisaje humilde, seco y cotidiano como se aprecia en sus obras *Orillas del Manzanares, Orillas del Avia* o *El cementerio viejo*.

Beruete estuvo vinculado con la Institución desde sus comienzos. Fue uno de los accionistas fundacionales y su hijo fue alumno del centro. Además, colaboró personalmente en clases y actividades, especialmente como director de muchas de las excursiones. Según Cacho, muchos domingos de invierno, Beruete llevaba a un grupo de estudiantes al soto del puente de San Fernando a realizar dibujos de paisaje (505). Todavía más importan-

---

[1] Lafuente Ferrari recuerda que el Guadarrama pictórico fue descubierto por Martín Rico y después cultivado por Carlos Haes y sus discípulos, especialmente por Aureliano de Beruete que, a su vez, contagió a Sorolla, ambos muy amigos de la Institución (97).

te es que compartía con Giner la convicción de que había que descubrir el paisaje de Castilla y reivindicar lo castellano, como afirma Inman Fox, «como expresión del espíritu nacional» (Introducción, *Castilla* 97). Sin embargo, más famoso en otros países, en España era sólo conocido por una selecta minoría, entre los que se contaban los noventayochistas. Azorín le dedicó su libro *Castilla*[2] y otras muchas páginas y lo declara su «maestro de estética» porque, como afirma en *Tiempos y cosas*: «muestra el alma del paisaje» (195). Beruete murió en 1912 y meses más tarde Sorolla organizó como homenaje una exposición monográfica, dedicada en su mayoría a obras de Castilla, que le dio a conocer ante el gran público.

Cossío y Giner de los Ríos impulsaron la formación artística, basada en la apreciación estética, el estudio de la historia del arte, las visitas a los museos y las excursiones para hacer dibujos al natural. También fomentaron la publicación de estudios de historia del arte. En este sentido, su intención era volver la vista al pasado y recuperar la esencia de la cultura española, por medio del conocimiento y apreciación del legado artístico español. Los dos maestros de la Institución concebían el arte de forma historicista, planteamiento que influyó también en Machado. Los dos buscaban encontrar en las representaciones pictóricas de los maestros signos de la identidad nacional. De esta forma, la pintura, de acuerdo con Brannigan, interesa no como documento pictórico sino como artefacto cultural, semejante a otras formas de representación (58, 62). Destacan los escritos del primero sobre El Greco y del segundo sobre Velázquez. Ambos pintores fueron muy valorados por los impresionistas —especialmente Edouard Manet—, y por otros escritores españoles de fin de siglo, entre ellos Azorín y Baroja. Además, estimularon la observación directa de la naturaleza así como el desarrollo de la pintura de paisaje, todavía en estado incipiente, y cuyos antecedentes, como demostró Cossío, se encuentran en los fondos de las obras de Velázquez o Goya, o en las vistas de Toledo de El Greco. Este género pictórico contribuyó, junto a la geografía y otras nuevas ciencias, al reconocimiento del suelo y la naturaleza del entorno cotidiano. Esta educación era para ellos tan esencial que Cossío la resumió en una frase que fue divisa del centro: enseñar a los alumnos «el arte de ver» (24).

Machado apreciaba la pintura aunque no tuviera en este campo una preparación académica. Era una afición que compartía con otros miembros de su familia. Su abuela Cipriana, pintora *amateur*, le hizo un retrato cuando tenía

---

[2] La dedicatoria de *Castilla* reza: «A la memoria de Aureliano de Beruete. Pintor maravilloso de Castilla, silencioso en su arte, férvido» (97).

[3] Cuadro que actualmente es propiedad de la Hispanic Society de Nueva York. Según Carpintero, también hizo años más tarde un retrato de Cervantes que se instaló en la biblioteca de la Institución (104).

cuatro años[3]. Su hermano José, con quien estuvo muy unido sobre todo a finales de su vida, era pintor[4] y por él sabemos que durante los años en Madrid, Antonio visitaba todos los días el Museo del Prado (24). También, escribió versos dedicados a pintores[5]. Además, al escribir unas notas autobiográficas afirma que conoció el París de los impresionistas. En su juventud disfrutó de la educación estética y artística de la Institución, especialmente las clases impartidas por Cossío, reconocido historiador del arte, que impuso un nuevo método de aprendizaje basado en la contemplación directa de las obras de arte.

Los versos descriptivos de Machado reflejan los objetivos institucionistas de «ver» y conocer la tierra como medio de definir la identidad española, tanto en su composición geológica como en su apreciación visual[6]. Además, aprendió de sus maestros a rescatar los fondos de los cuadros, como vimos que hace en el poema «Las encinas» (CIII), dando así prioridad a lo humilde. Pero *Campos de Castilla* es también un lienzo que refleja el discurso pictórico de la época. En este capítulo, espero demostrar cómo Machado incorpora las formas de representación de este discurso en su construcción del paisaje.

Paisajismo e impresionismo pictóricos en Machado

La crítica no es unánime respecto a la presencia de rasgos pictóricos en *Campos de Castilla*. Dámaso Alonso opina que las raíces del arte machadiano habría que buscarlas más en el arte de los pintores preimpresionistas e impresionistas de esos años y no tanto en la filosofía de la época (172). Bernard Sesé lo reconoce como un gran pintor de paisajes y califica algunos de sus poemas castellanos como «cuadros» o «pinturas» (110, 111), comparando acertadamente algunas de sus descripciones —la Castilla miserable, dominadora y cubierta de harapos de «A orillas del Duero» (XCVIII)— con cuadros velazqueños, aunque no precisa cuáles (113). Para Juan José Martín González, el cromatismo machadiano es claramente pictórico (186), y José María Valverde vincula su energía cromática con la de Van Gogh (33). Por el contrario, Lafuente Ferrari, aunque reconoce en sus versos intereses co-

---

[4] Juntos publicaron *La guerra,* un libro de Antonio e ilustraciones de José, editado por Espasa-Calpe en 1937.

[5] «Amanecer de otoño» (CIX) está dedicado a Julio Romero de Torres, pintor de escenas costumbristas y reivindicado por Calvo Serraller como pintor noventayochista. También escribió un poema —perdido— a los paisajes de Santiago Rusiñol (3: 1520).

[6] Heliodoro Carpintero recoge un comentario de Juan Camps, el compañero de Instituto con el que Machado compartía paseos en Baeza, que ilustra los inicios del paisajismo al aire libre en España. Con frecuencia su paseo consistía en ir al encuentro del compañero Florentino Soria, catedrático de dibujo, que les decía donde iba a pintar, para regresar juntos. Soria pintaba paisajes al aire libre que luego vendía (101).

munes con los impresionistas, opina que su obra no es tan plástica como la de su hermano Manuel, en *Apolo*[7], subtitulada precisamente *Museo pictórico* (82), o la de Juan Ramón, y considera que no se le puede adscribir a esta tendencia debido a que su paleta adolece de fuerza (93). Por su parte, Ribbans atribuye el alejamiento de Machado del impresionismo sensorial «verlaniano», presente en su obra primera[8], a la influencia de Unamuno[9]. Para mí, los versos descriptivos de la obra castellana de Machado construyen un paisaje que comparte formas de representación de la escuela de paisajistas y de la nueva corriente impresionista, modos de representación del discurso pictórico del *milieu* cultural de la época. Un discurso, especialmente el de los impresionistas, que fue causa de otro debate cultural. Así Machado, al incorporar en sus representaciones préstamos impresionistas, está aceptando y mostrando su apoyo a los seguidores de esta escuela.

Machado comparte con paisajistas e impresionistas su amor por la naturaleza, que como él mismo confiesa «en mí supera infinitamente al del arte» (275). Sus descripciones coinciden con la apreciación geológica y arbórea de Haes y con los tonos terrosos y los paisajes cotidianos y humildes de Aureliano de Beruete[10]. Pero sobre todo, el poeta adopta encuadres y tomas del impresionismo —de las *suites*[11] y las series— que, en mi opinión, provienen de la posterior evolución impresionista de Beruete, su maestro en la Institución. Sin embargo, su paleta en *Campos de Castilla*, como la de Beruete, no sigue el cromatismo pictórico francés. Sus versos carecen de fuerza sensorial, y aunque predomina lo visual, no sigue el cromatismo del impresionismo galo[12]. En

---

[7] Antonio define en *Los complementarios* este libro de su hermano como «maravilloso libro de sonetos pictóricos» (3: 1156). *Apolo* (1911) lleva como subtítulo *Teatro pictórico* y los veinticinco sonetos tratan sobre cuadros. El libro está dedicado a Giner de los Ríos. También en *Los complementarios* Antonio incluye algunos comentarios sobre pintores: El Greco, Velázquez, Solana.

[8] Sobre el impresionismo de su primera obra, véase el capítulo dedicado a «La modernidad del lenguaje poético de "Soledades"» en *Las dos Soledades de Antonio Machado* de Horányi.

[9] Sobre este tema, véase el capítulo de Ribbans, «Influencia de Verlaine en Antonio Machado», de *Niebla y soledad*.

[10] Carpintero recoge otra anécdota de Juan Camps, catedrático y compañero del Instituto de Baeza, con quien Machado solía pasear. Había un sitio, recuerda Camps, desde el que se veían dos paisajes: uno con vegetación y otro seco. Alguien comentó la hermosura del verde. Machado, señalando con el bastón, afirmó que el hermoso era el seco (101).

[11] Los préstamos terminológicos son corrientes en el siglo XIX. El concepto de *suite* se emplea en música, pintura y geología.

[12] Azorín, en *Tiempos y cosas*, al comentar un libro sobre Velázquez del pintor impresionista francés Aman-Jean, rechaza que los paisajes de España sean coloristas y que la tierra española se caracterice por la energía de sus colores. Por el contrario, Azorín cree que en España, como en los demás países meridionales, la fuerza cegadora de la luz hace que todo quede reducido a «luz y sombra» (187). Para ambos, el pintor francés y el crítico español, esto justifica el predominio del blanco, el negro y el gris en la pintura española (187).

términos del color, Machado había empleado una gama de tonos más próxima a la del impresionismo francés en sus dos primeras obras. Para su obra castellana, en cambio, adopta la del pintor español. Machado incorpora algunas representaciones iconográficas realistas. El descubrimiento de la montaña es una contribución pictórica del XIX. Su presencia, de acuerdo con Litvak, se contrapone de forma antagónica al mundo urbano y artificial de la civilización (*El tiempo* 44, 49). Uno de los rasgos destacados por los pintores realistas es su magnitud y grandeza. Convertidas en «catedrales» de la naturaleza, inspiran un sentimiento religioso, como Litvak ha destacado con respecto a Pereda. En *Campos de Castilla* aparecen profusamente todo tipo de configuraciones montañosas. Pero aunque menciona los grandes picos que se divisan desde Soria —el Moncayo— prefiere como los impresionistas «las sierras calvas», «los cerros cenicientos». No contrapone, como los realistas, la grandeza natural y sublime al mundo urbano, sino que como Beruete, busca en ambos paisajes, sobre todo en el campo, destacar en un primer plano lo ignorado, lo pequeño y lo humilde.

Contrastando con las montañas, los pintores de la época se muestran interesados por los efectos atmosféricos: el agua, las nubes y, especialmente, la luz. El descubrimiento de las nubes fue una aportación del pintor inglés John Constable. Mucho antes en España, tanto El Greco como luego Velázquez les habían prestado gran atención, como se observa en las vistas toledanas del primero o en los fondos de sus retratos de El Pardo del último. También Haes y Beruete, entre otros pintores españoles, se interesan por ellas. La atracción por este tema continúa a principios del siglo XX, como vemos en los escritos de Azorín, especialmente en su relato «Las nubes», pero ahora aparecen vinculadas a la idea del eterno retorno. Las nubes en Machado suelen ir acompañadas de otros fenómenos atmosféricos, como la lluvia, el arco iris, la nieve o la niebla. Casi todos estos fenómenos suelen sucederse rápidamente materializando así la preocupación temporal, como vemos en «En abril, las aguas mil» (CV): «el viento achubascado», «el iris brilla», «la neblina, que forma la lluvia fina». Los cambios atmosféricos contrastan con las montañas del fondo:

> Hacia la sierra plomiza
> van rodando en pelotones
> nubes de guata y ceniza. (31-33)

La preocupación por la luz es un denominador común en paisajistas e impresionistas. Apunta Litvak que los pintores realistas prefieren la luz del atardecer por lo que tiene de simbólica: el morir del día. Éste es el tema del famosísimo cuadro *El ángelus* de Millet, y que también fue muy tratado por pintores realistas españoles[13]. Los impresionistas, todavía más obsesionados por la luz, pintan paisajes en diferentes horas del día, aunque prefieren la del mediodía. Machado había sentido una especial predilección por el atardecer en *Soledades. Galerías. Otros poemas*. En cambio, en *Campos de Castilla* anota la presencia del sol en todas sus variantes, en momentos diferentes del día, en distintos meses y estaciones del año: el cegador de un caluroso mediodía de julio y su progresivo atardecer hasta que «va declinando» en «A orillas del Duero» (XCVIII); el «débil sol de enero» que vislumbran los habitantes de «El hospicio» (C); o los juegos de luces y sombras del atardecer en «Orillas del Duero» (CII) como vemos en esta estrofa:

> Era una tarde, cuando el campo huía
> del sol, y en el asombro del planeta,
> como un globo morado aparecía
> la hermosa luna, amada del poeta. (26-29)

Es raro el poema que no cuenta con una referencia a la luz o una alusión a la hora del día o a la estación. Estos cambios alteran los colores, que para los impresionistas no son fijos. Las montañas son violetas al comenzar el día y azules al atardecer, y el cielo es cárdeno, gris, violeta o añil. Tampoco falta el contraste imprescindible de las sombras, tan buscado por los impresionistas: «los campos se oscurecen» cuando el sol declina; los «sombríos estepares» corroboran la imagen del loco errante que, en el poema CVI dedicado a esta figura, «vocifera / a solas con su sombra y su quimera» (13-14); y en Baeza, el río corre «entre sombrías huertas».

El tema de las estaciones, vinculado a las tareas y labores del campo, es típico de la iconografía realista, especialmente de escenas regionalistas, pero trasciende y llega también al modernismo, aunque éstos las sitúan en contextos burgueses diferentes, como vemos en las *Sonatas* de Valle-Inclán o en los poemas de Darío en *Azul*. Machado siente una gran predilección por este tema, ya presente en sus dos obras anteriores, pero ahora le da un tratamiento diferente. En *Campos de Castilla* parte del planteamiento realista —vincular las estaciones con las tareas del campo—, pero rompe con el distanciamiento de los seguidores de esa escuela. Casi como un campesino, se muestra muy sensible al efecto que el cambio de las estaciones tiene en relación con la tierra y en las vidas de quienes la trabajan, sin olvidar su impacto estético en el paisaje.

El ciclo de las estaciones, con sus cambios atmosféricos y de tonalidades de luz, figura en «Campos de Soria» (CXIII) y en «Las tierras de Alvargon-

---

[13] Ignacio Díaz de Olano tiene un cuadro sobre este tema: *Rezo del ángelus en el campo* (1899).

zález» (CXIV). En «A José María Palacio» (CXXVI) y en «Recuerdos» (CXVI) compara la llegada tardía y sobria de la primavera soriana, frente a la exuberante y temprana de la andaluza. A veces refiere a las estaciones por medio de la alusión, con expresiones sensoriales que resaltan la importancia de los sentidos. Así, describe la presencia del otoño en el segmento VIII de «Campos de Soria» (CXIII) describiendo a «los álamos dorados» y «el sonido de sus hojas secas» de los chopos; y anuncia la primavera, por medio de los álamos «que seréis mañana liras / del viento perfumado» (127-28). Otra técnica impresionista es el uso de las manchas, palabra que como señala J. J. Martín González, también aparece en el léxico machadiano (183), como vemos en CXV al retratar el tronco del olmo seco, al que «un musgo amarillento / le mancha la corteza blanquecina» (6-7), o en estos versos de «Orillas del Duero» (CII): «entre cerros de plomo y ceniza / manchados de roídos encinares» (35-36). El artista impresionista se caracteriza por pintar rápido, a pinceladas cortas, sin dibujar cada detalle. El poeta consigue este efecto mediante el uso de enumeraciones yuxtapuestas en asíndeton, dando con ello agilidad al verso, como vemos en el fragmento II de «Campos de Soria» (CXIII): «el huertecillo, el abejar; los trozos / de verde obscuro en que el merino pasta» (15-16).

En los poemas descriptivos como «Amanecer de otoño» (CIX) o «En abril, las aguas mil» (CV), crea composiciones paisajísticas sin anécdota. Son apuntes pictóricos de una escena en la que, a diferencia de los poemas narrativos de esta misma obra, no ocurre nada. Como los lienzos empleados por los pintores de paisajes que son de dimensiones más reducidas para facilitar el desplazamiento, estos poemas también son breves. En ellos predominan el cromatismo y la visión selectiva de unos detalles, aquellos que transmiten una impresión. Con frecuencia, Machado emplea el enfoque característico de los paisajistas e impresionistas: contemplar desde la distancia ofreciendo una vista panorámica desde un monte, desde las murallas de la ciudad moruna, o desde una colina. Como vimos, a veces representa paisajes despoblados, como hacen a veces los impresionistas. Pero en otras ocasiones, como los pintores de la escuela gala, incluye figuras humanas. En estos casos, los impresionistas franceses unas veces escogen campesinos pero otras prefieren mujeres, niños —como *Mujer con parasol, Madame Monet y su hijo* de Monet— o familias burguesas disfrutando al aire libre. Los paisajes con figuras de Machado están más próximos a los realistas ya que están fundamentalmente habitados por hombres. Son espacios esencialmente masculinos —de hombres trabajando y luchando con la tierra— y el paisaje no es bucólico ni pintoresco, sino el escenario de su trabajo cotidiano y eterno. Cuando la mujer aparece, suele representarla en sus trabajos domésticos —avivando el fuego de la marmita, como en el poema dedicado a Azorín; ordenando y administrando su casa, como en «La mujer manchega»

(CXXXIV)—, pero también, como en la escena IV de «Campos de Soria» (CXIII), trabajando en el campo. Su presencia subraya la falta de brazos, debido a la emigración, así como la pobreza de la tierra. Estas escenas recuerdan más a las pinturas realistas de Courbet o de Millet.

Influencia de las series impresionistas

El concepto de *suite* fue descubierto tardíamente por los impresionistas franceses. En 1891, cuando el grupo galo de impresionistas estaba ya prácticamente desintegrado, Claude Monet sorprendió al público con una serie de quince cuadros de pajares pintados a distintas horas del día. Inicialmente, cuenta John Rewald, Monet había pensado pintar sólo dos telas, una con cielo gris y otra con sol, pero mientras trabajaba, descubrió que los distintos efectos de la luz cambiaban sin cesar y para retenerlos, creó toda una *suite*, una serie de cuadros sobre los que iba trabajando sucesivamente a medida que se producían los cambios de luz (432). A la serie de los *Pajares* siguieron otras similares: la de los *Álamos*, la famosísima de las vistas de la *Catedral de Ruán* y la de los *Nenúfares* del jardín de su casa de Giverny. Aunque Beruete no adoptó las técnicas impresionistas hasta muy tarde y su obra no refleja esa obsesión de Monet por captar los incesantes cambios de luz y su efecto en los objetos, dedicó muchos lienzos a un mismo paisaje, contemplado desde ángulos diversos y en épocas diferentes, todos con títulos muy semejantes: *El Guadarrama desde la Moncloa* (c.1892), *El Guadarrama con neblina* (c.1905), *El Guadarrama desde el Plantío de los Infantes* (1911). Todos ellos representan imágenes de la sierra venerada por los institucionistas, contemplada desde distintas perspectivas y en años diferentes, en los que destaca sus tonos ocres y terrosos. Más interesante es su afición a pintar las riberas de los ríos, tema tratado también por su maestro Haes en sus aguafuertes, y que vemos en su serie dedicada a la orilla del río madrileño: *Orillas del Manzanares, Madrid desde el Manzanares, El Manzanares* y *Orillas del Manzanares*. Unos son todavía de corte realista, y otros ya claramente impresionistas, pero todos estos lienzos tienen en común que da siempre el protagonismo al mismo río y desde la misma vega. Además, casi todos incluyen un fondo en el que se reconocen algunos de los edificios más típicos de la capital: San Francisco el Grande, el Palacio Real. Beruete en esta *suite* intertextualiza y reinterpreta otra serie, la de las obras de Francisco de Goya, dedicadas al mismo río madrileño, de título semejante —*Merienda a orillas del Manzanares* y *Baile a orillas del Manzanares*—, y a otra obra goyesca, de título diferente pero situada en el mismo escenario —la tabla titulada *La pradera de San Isidro*—. No cabe duda que Beruete, en su *suite*, reconoce la pasión de Goya por este marco pictórico, la orilla del río Manzanares, donde se ubicaba la famosa quinta del Sordo del pintor aragonés y a la que también dedicó un lienzo. La novedad de la serie de Beruete, contrastándola con la de Goya, es que su mirada, por la *peripeteia* rescata a la naturaleza del plano del fondo, convirtiendo así al río en protagonista. Además, no destaca damas nobles vestidas de majas, sino el mundo cotidiano de campesinos o lavanderas, que a veces incluye en forma de figuras diminutas, mientras que los edificios históricos madrileños, cuando aparecen, quedan como en las obras de Goya, reducidos al plano del fondo. De esta forma, Beruete altera el punto de vista y nos ofrece un *bathos* pictórico: frente a la importancia de la Historia, representada por los monumentos o los juegos de los aristócratas de la capital, prefiere otra historia, la de la naturaleza —representada por el río y el paisaje— y la del pueblo, encarnada en esos seres insignificantes y anónimos y sus quehaceres cotidianos.

En mi opinión, Machado hace algo muy semejante en *Campos de Castilla*. Como demuestra Beceiro, el poeta presenta en muchos de sus versos el mismo marco geográfico: «la encrucijada entre el camino de Aragón y el Duero» (*Antonio Machado* 65). Es el lugar preferido, el escenario de sus constantes paseos cotidianos: la ribera del Duero entre la ermita de San Polo y San Saturio, con la vieja ciudad a sus espaldas, allí donde el río forma la hoz, entre los cerros del Mirón y el alto del castillo. Este paraje es ya el marco de su primer «Orillas del Duero» (IX), el que incluye en *Soledades. Galerías. Otros poemas*: «chopos de la carretera / y del río. El Duero corre, terso y mudo, mansamente» (10-11), vistos al iniciarse la primavera: «¡Chopos del camino blanco, álamos de la ribera» (16). Es la poesía de un paseante que recoge, como afirma Orozco, «la visión sucesiva y cambiante del paisaje» conforme la va experimentando en su caminar y en el transcurrir del tiempo (319).

De nuevo surge este mismo escenario en *Campos de Castilla* en «A orillas del Duero» (XCVIII), ahora ya no desde la orilla inmediata del río, sino desde la subida al castillo y bajo el sol plomizo del verano. La vista es panorámica: montañas, cielo, horizonte y río. La visión del paisaje suscita una meditación marcadamente histórica: «Yo divisaba, lejos, un monte alto y agudo / y una redonda loma cual recamado escudo» (15-16); «las serrezuelas calvas por donde tuerce el Duero / para formar la corva ballesta de un arquero» (19-20), y desde donde ve a los lejanos pasajeros «cruzar el largo puente, y bajo las arcadas / de piedra ensombrecerse las aguas plateadas / del Duero» (31-33).

Este mismo paisaje vuelve a aparecer, en tono muy distinto, en «Amanecer de otoño» (CIX), hora del día y estación del año anunciada por el mismo título: «Una larga carretera / entre grises peñascales» (1-2) y luego «y la alameda dorada / hacia la curva del río» (7-8). Resurge este escenario en dos de las partes que integran «Campos de Soria» (CXIII). Esta vez el paisaje sirve de marco a su «visión paradójica». En el segmento VII lo describe durante la primavera. En estos versos, primero hace una enumeración de montículos descritos entre signos de exclamación que denotan la sorpresa y afectividad que le despierta este paisaje en la primavera: «¡Colinas plateadas/ grises alcores, cárdenas roquedas» (99-100). Después, surge la constante presencia del Duero mediante la reiteración de una imagen feliz pero ya conocida: «por donde traza el Duero / su curva de ballesta» (101-02). La repetición de esta imagen, ahora descargada de novedad, produce un efecto de familiarización. A estos versos sigue otra enumeración de elementos del paisaje —encinares, pedregales, sierras— unidos en asíndeton, como pincelada rápida, pero que ahora producen una impresión desoladora: «obscuros encinares, / ariscos pedregales, calvas sierras, / caminos blancos y álamos del río» (104-105). En el segmento VIII de este mismo poema vuelve a aludir al mismo paraje de su paseo habitual, pero ahora es otoño:

> He vuelto a ver los álamos dorados,
> álamos del camino en la ribera
> del Duero, entre San Polo y San Saturio,
> tras las murallas viejas
> de Soria […]. (113-17)

Por último, surge una vez más este escenario en «Orillas del Duero» (CII), en un poema cuya referencia al río vuelve a figurar en el título. Es de nuevo primavera y, como en otras ocasiones, nos indica la hora: «Era una tarde, cuando el campo huía» (26). Su atención se fija en los cerros y, como siempre, en la presencia del río:

> Entre cerros de plomo y de ceniza
> manchados de roídos encinares,
> y entre calvas roquedas de caliza,
> iba a embestir los ocho tajamares
> del puente el padre río,
> que surca de Castilla el yermo frío. (35-40)

Además de la insistencia en un mismo paisaje, sorprende la continua repetición de títulos, casi idénticos: «Orillas del Duero» (IX), «A orillas del Duero» (XCVIII), «Orillas del Duero» (CII), a los que hay que añadir «Por tierras de España» (XCIX) que inicialmente apareció con el título «Por tierras del Duero». Títulos que obligatoriamente hacen recordar *En las orillas del Sar* de Rosalía de Castro, poeta que se encuentra entre sus predilectas, así como a los títulos de las obras de otros muchos pintores de la época. Entre otros, Martín Rico, maestro de Beruete, tiene un cuadro titulado *Orillas del Azañón*; Casimiro Sainz, su *Orillas del Manzanares*; Rafael Romero Barros, *Orillas del Guadaira*, y su maestro Beruete, como mencionamos antes, tiene la serie de *Orillas del Manzanares* y *Orillas del Avia*.

En la poesía machadiana, la reiteración de títulos semejantes o casi idénticos es una constante caracterizadora, como vemos en las «soledades» de sus dos primeras colecciones, y en «Noche de verano» (CXL) y «Una noche de verano» (CXXIII), en la obra castellana. La repetición de palabras en los títulos también es frecuente, como «tierra», «coplas», «campos» y «efímero»[14]; como también la semejanza del título y del epígrafe en los dos poemas dedicados a *Castilla* de Azorín; la reiteración de «proverbios y cantares»; y las muchas «canciones». Es éste un rasgo poco corriente en obras literarias pero se da con frecuencia en las pictóricas, especialmente en las series y, como hemos visto, en los paisajes[15]. Con respecto a los títulos empleados por Machado en sus poemas del Duero creo que, equivocadamente, se podría atribuir la repetición a pobreza léxica. En mi opinión, revela una intención representativa muy semejante a la de los pintores de la época: las *suites* de los impresionistas y las sucesiones de vistas casi idénticas del mismo paisaje, con título semejante, como en las obras del Guadarrama o del Manzanares de Beruete.

Las repeticiones en Machado no sólo se limitan a los títulos de los poemas o a la insistencia en reflejar un mismo paisaje, el de su paseo favorito. A lo largo de *Campos de Castilla*, dispersados por diferentes poemas, resurgen una y otra vez los mismos motivos humildes —las «grises peñas», «las decrépitas ciudades», «los roídos encinares»—. Por medio de este recurso, Machado subraya la idea de continuidad tanto espacial —la insistencia en los mismos elementos y el mismo paisaje—, como temporal —la perpetuidad azorinesca de que nada cambia, unido a su esperanzadora fe en el futuro del pueblo—. Además, estas repeticiones establecen una misma tonalidad unificadora entre poemas descriptivos diferentes, haciendo que tengan entre sí, como el paisaje cotidiano que describen, un aire familiar.

Todas estas múltiples visiones de un mismo escenario responden a una nueva concepción artística. Una visión que es, como afirma Orozco, muy

---

[14] El sustantivo «tierra» aparece en el título en «Sobre la tierra amarga» (XII) y en «Desnuda está la tierra» (LXXIX) de *Soledades. Galerías. Otros poemas*. Sobre los poemas que incluyen esta palabra en *Campos de Castilla*, véase la nota 10 del capítulo cuatro. En *Nuevas canciones*, aparece en «Hacia tierra baja» (CLV) y «Canciones de tierras altas» (CLVIII). Como ya mencioné, «coplas» aparece en su segunda colección en «Coplas elegíacas» (XXXIX), «Coplas mundanas», y en *Campos de Castilla* las famosas a la muerte de don Guido (CXXXIII). El adjetivo «efímero» aparece dos veces en su obra castellana, en «Del pasado efímero» (CXXXI) y en «El mañana efímero» (CXXXV).

[15] Siguiendo en la línea de préstamos terminológicos mencionados antes, señala Clark que Corot consiguió presentar algunos de sus innovadores paisajes en el Salón al catalogarlos como *études* a la manera de Chopin (160).

distinta a la del paisaje barroco, ocasional, aislada y meditativa, que surge al contemplar la decadencia del imperio (317). También se oponen diametralmente a la constante búsqueda de lo exótico de los modernistas. La visión machadiana del paisaje, como señala Orozco, es siempre la del caminante: «anotaciones sucesivas» de lo que encuentra a su paso, acompañadas de su reacción personal emocionada (317). Son anotaciones que recuerdan a las expediciones de geólogos y naturalistas, tan en boga en esa época, así como los estudios *en plein air* de la pintura paisajista o las excursiones didácticas introducidas por los institucionistas. De este modo, Machado construye sobre las diversas posibilidades de lo ordinario presentando una visión cotidiana, de alguien que pasea constantemente por ese mismo lugar, «contemplación repetida e insistente» en palabras de Orozco, aceptándolo e incorporándolo a su vivir (317).

Los pintores de la época se sirven de las repeticiones de un mismo escenario para estudiar la luz, el enfoque, el color, a la vez que muestran una realidad ordinaria y pobre pero conocida, aceptada y querida. Comenta Pena que una de las causas principales de la alienación de la conciencia nacional era la «falta de identificación con nuestro propio paisaje» (49). De ahí que cuando Beruete presenta a la Exposición Nacional en 1877 su obra *Orillas del Manzanares* y otros paisajes, logra con ellos transmitir el amor «a los más humildes e íntimos rincones de la geografía madrileña», ignorada hasta entonces (49). De la misma manera, Machado presenta una ruta predilecta, cotidiana y amada. La observa desde distintos enfoques temporales —en diferentes horas del día o estaciones del año— y la contempla en actitudes diferentes —meditativa, histórica, de entrañamiento y afinidad, de emoción y exaltación, de dolor y recuerdo—, pero siempre presenta un único paisaje, o en palabras de Beceiro, «un mismo lienzo literario de visión» (*Antonio Machado* 66).

El propósito de Machado es conocer esa tierra hasta sus más profundos entresijos: reconocerla tanto en la constitución de los materiales que la integran, como en su fauna y su flora, hasta llegar a la aceptación de su pobreza presente, de su pasado histórico, de sus consecuencias económicas y sociales, de su porvenir incierto. Además, la preferencia de este paisaje humilde y cotidiano supone el rechazo del monumental e histórico. De esta forma, Machado, como su maestro Beruete, también logra esa alteración de la perspectiva y presenta un nuevo *bathos* textual: frente a la grandeza y la falsedad de la Historia, opone la visión del pueblo. Este paisaje cotidiano revela, de acuerdo con Driever, la profundidad de la decadencia nacional (54). Pero Machado, por medio de la observación y de la reflexión, llega a la aceptación y al entrañamiento por la tierra castellana. De este modo, la aceptación de esta realidad modesta es el inicio de una reforma esperanzadora abierta al futuro.

El debate impresionista

Dámaso Alonso, en el capítulo que dedica a Machado en *Poetas españoles contemporáneos*, menciona lo que para él es el rasgo innovador de su poesía: la capacidad de seleccionar unos pocos elementos significativos (130). Esto le distingue, en su opinión, de la abundancia de datos del realismo y «del desenfrenado modernismo» del que procedía (131). Para Alonso, este fragmentarismo en la selección es una característica común con el grupo de pintores impresionistas, «tan combatido» entonces (131). El crítico alude al debate ocasionado por el discurso pronunciado por el escultor Mariano Benlliure, con motivo de su ingreso en la Academia de Bellas Artes de San Fernando. Manuel Machado informó sobre este suceso en la revista *Juventud*, en un artículo titulado «El arte y los artistas. Benlliure, académico». Manuel cuenta que Benlliure, ocupado en otros asuntos, debió encargar a un grupo de amigos escritores que le escribieran el discurso pidiéndoles que, como los académicos eran muy conservadores, atacaran al modernismo y al impresionismo y proclamaran «la eterna belleza, representada por modelos académicos». Al parecer, según informa indignado Manuel, el discurso afirmaba que los impresionistas eran «anarquistas artísticos», «propagandistas sin moral, sin ideales, sin disciplina», «capaces de destruir pero no de edificar», cuyo arte «es tétrico» y «es criminal, porque buscando formas nuevas mata la verdad del arte». Además, según Manuel, el discurso proponía que había que «acabar con esta raza de degenerados». El artículo de Manuel es un documento que ilustra sobre la recepción del impresionismo en España. La respuesta no se hizo esperar. La misma revista, el 30 de noviembre de 1901, publicó un manifiesto que, según informa una nota de la redacción, estaba escrito por Darío de Regoyos. Regoyos escribe en nombre de la Sociedad de Arte Modernista de Bilbao, y el documento aparece firmado por un grupo de artistas entre los que destacan los pintores Ignacio Zuloaga, Santiago Rusiñol, Daniel Zuloaga y Regoyos. El manifiesto resalta la rutina en la que había caído el arte español, o la crudeza a la que habían llegado los luministas españoles, con sus excesos de luz. En España, afirma Regoyos, todavía se ataca al «impresionismo como un defecto». Elogia a Delacroix, que supo ver en la técnica del brochazo una forma de «expresar un pensamiento en el arte de la pintura». Repasa una lista de pintores franceses —Millet, Courbet, Manet, Cézanne, Renoir, Monet, Pissarro, Sisley— atacados en sus comienzos pero que ya nadie discute. Reconoce los logros técnicos de esta escuela: la simplificación de la paleta de color, el brochazo, la pintura al aire libre. Destaca la seducción que sienten por los cambios de la naturaleza, reflejada por los artistas mediante la ejecución rápida. Concluye que si a los impresionistas se les atacó en Francia, «más natural es que se les ataque en España, donde el arte moderno se puede decir que no existe todavía».

Esta declaración de protesta es casi imposible que no fuera conocida por Antonio Machado. Él mismo afirmó, como dijimos, haber vivido en el París de los impresionistas, en donde probablemente conoció sus pinturas y las polémicas que años antes habían causado. Además, por su hermano Manuel, autor del artículo contra el discurso de Benlliure, debía estar informado de los pormenores de este debate. Es cierto que sus poemas descriptivos los escribe y, sobre todo, se publican, mucho más tarde. Sin embargo, aunque tardíamente, al incorporar a sus poemas formas de representación de los impresionistas, está tomando prestadas y haciendo suyas muchas de sus innovaciones, pero también está dando su apoyo a los firmantes de este manifiesto y a los controvertidos seguidores de esta nueva tendencia pictórica.

Los detalles nimios descriptivos de los poemas paisajísticos de *Campos de Castilla* introducen en el texto literario formas de representación de la realidad. En primer lugar, imponen una alteración de la perspectiva, dando importancia a lo modesto, lo sencillo, lo marginal. Además, incorporan al texto poético otros discursos del contexto, al tiempo que lo enriquecen: las contribuciones de las ciencias naturales y de la pintura. Pero, a la vez, son vehículo de la voz poética, ya que mediante lo nimio Machado incorpora aspectos sociales, económicos e históricos, esenciales en su visión de España.

Conclusión

La segunda edición de *Campos de Castilla*, con los poemas escritos en Baeza, se publica en 1917 incluida en sus *Poesías completas*. Por esos años ya había empezado a decaer en escritores, poetas e intelectuales la preocupación por la búsqueda de la identidad nacional española en la historia y el paisaje castellano. La vuelta nostálgica de los miembros del 98 al pasado medieval y la visión de las áridas tierras castellanas termina siendo en muchos de ellos, de acuerdo con Sebastian Balfour, «una huida ante los dilemas de la modernización» de la burguesía que queda atrapada entre las revueltas de la clase baja y el desarrollo del capitalismo (31). Además, en los últimos años de esa década, empiezan a hacerse oír los nacionalismos de la periferia, especialmente el catalán y el vasco, ignorados en el centro político del país y cuyas voces no habían sido recogidas por los escritores noventayochistas[1]. En este sentido, la preocupación de Antonio Machado por encontrar las señas de la personalidad española en el paisaje castellano le vinculan a una escuela de pensamiento ya superada. Sin embargo, a diferencia de otros miembros de su generación —como Azorín y Unamuno que terminan por caer en el esteticismo—, Machado en *Campos de Castilla* mantiene una postura crítica ante ese pasado histórico y ante la realidad que se materializa en su interés por lo nimio.

Esta visión de lo nimio —a través del paisaje diario, de las gentes de baja condición social o marginal y de las cosas de uso corriente— es consecuencia de una *peripeteia* o alteración de la perspectiva que le lleva a poner en primer plano detalles de representación de la realidad, movido no sólo por una estética del paisaje o de las cosas, sino también por el impacto económico, histórico y social en quienes lo habitan o las usan.

La lectura de lo nimio desde el prisma del Nuevo Historicismo resulta enriquecedora. En primer lugar, esta práctica crítica da primacía a lo anecdótico, convirtiéndolo en un instrumento de análisis de la representación social dentro de un texto literario. Estos pequeños fragmentos, casi imáge-

---

[1] De acuerdo con Geoffrey Ribbans, uno de los defectos fundamentales de los estudios del período noventayochista / modernista ha sido ignorar «las voces de la periferia» («No lloréis» 137). Los escritores de la época que escriben sobre Castilla también las ignoran.

nes microscópicas, permiten descubrir aspectos políticos y sociales de la cultura a la que pertenece el texto literario. En este sentido, muchos de los detalles nimios de los versos machadianos —el eterno retorno de las cigüeñas que recuerdan al turno político, el hospicio ruinoso o la ciudad decrépita— apuntan desde el texto a realidades del contexto. En segundo lugar, estas representaciones al incorporar al texto literario elementos del entorno social, rompen las barreras formalistas entre el texto y su contexto. En este sentido, hemos visto cómo los textos literarios circulan junto a otros no literarios y, como afirma Brannigan, «esta vertiginosa circularidad de representaciones, literaria y no literaria, visual, arquitectónica, entre otras, es el objeto de estudio, así como el medio, del Nuevo Historicismo» (62). Así, Machado introduce en el texto poético signos de otros discursos, especialmente del geológico y pictórico. Son elementos que no sólo configuran su modo de representación, también dan voz y expresan su apoyo a dos debates de la época: el reconocimiento de la geología y demás ciencias naturales y al impresionismo. Además, esta corriente crítica desmitifica la autonomía de los textos literarios y, a la vez, los convierte en instrumentos históricos. El texto literario disfruta de una nueva relación con la historia. La historia ya no sirve como marco de fondo que se limita a proveer datos que complementan al texto literario. Ambos son co-textos y juntos revelan las estructuras de una cultura. Por eso, los nuevo historicistas rechazan la historia única, lineal y de verdades objetivas. Machado, como Azorín, anticipa este planteamiento reemplazando a la Historia con mayúsculas por microhistorias de gentes sencillas y paisajes ordinarios. En lugar de monumentos, fechas y héroes, Machado propone un tiempo geológico y de la naturaleza más próximo a los habitantes de las tierras castellanas. Por último, como Azorín, su visión historicista le lleva a buscar en otros textos literarios del pasado, que se convierten en instrumento de crítica, para demostrar que sus representaciones siguen perpetuándose en el presente. Como ejemplo, veíamos los comentarios que Machado hace sobre los nobles leoneses del texto cidiano y su posterior reelaboración en el burgués en «Del pasado efímero» (CXXXI).

Por medio de lo nimio, Machado construye una poesía basada en la reflexión personal, pero también en la búsqueda del «otro»: en el pueblo, sus cosas y su entorno cotidiano. Además, la representación de lo nimio en *Campos de Castilla* conforma una nueva arquitectura poética: la inclusión en el texto de detalles anecdóticos y descriptivos del contexto no le lleva a la sublimación o la trascendencia de la experiencia individual, sino que, por el contrario, revierte ese mecanismo y crea una nueva vía estética y social hacia «el otro» y, al mismo tiempo, conforma la base de su reflexión y de su emoción humana.

Así, aunque la preocupación nacional esté superada, sobrevive en su poesía un nuevo *bathos* textual: el cambio de perspectiva que da protagonismo a lo ordinario y lo humilde, haciendo de ella base de su meditación individual y del diálogo de un hombre con su tiempo —como él mismo diría por boca de Mairena— mientras ignora lo histórico o lo heroico (4: 1946). Perspectiva que pervive en en el arte del siglo XX.

Obra posterior

En 1924 Machado publica *Nuevas canciones* (1917-1920), obra que siguió ampliando en sucesivas ediciones. Es una colección heterogénea de composiciones, la mayoría muy breves, en la que predominan poemas de contenido filosófico, aforismos y cantares de tipo popular, en la línea de «Proverbios y cantares» (CXXXVI) incluidos al final de *Campos de Castilla*. El romance, que tanta influencia había tenido en su obra castellana, es ahora reemplazado por el cantar, la copla y las cancioncillas populares. Los poemas narrativos y descriptivos ceden su puesto a los de contenido gnómico. Los personajes humildes y las cosas pierden protagonismo frente a la voz colectiva y folklórica del pueblo. El paisaje sigue estando presente aunque en menor escala, tanto el andaluz en «Apuntes» (CLIV), «Hacia tierra baja» (CLV) y «Viejas canciones» (CLXVI), como el recordado de Soria en «Canciones de tierras altas» (CLVIII) y «Canciones del Alto Duero» (CLX). Un ejemplo son estos versos del fragmento II de «Canciones de tierras altas»:

> Ya habrá cigüeñas al sol,
> mirando la tarde roja,
> entre Moncayo y Urbión.

Una mayor selección de los detalles hace que aparezcan todavía más concentrados que en la colección anterior. Las descripciones están más comprimidas por el uso del metro de arte menor y la estrofa corta, quedando reducidas a una serie de imágenes fugaces en las que domina la expresión afectiva, como se observa en el fragmento IV. En estos versos, el poeta todavía se sirve de lo nimio —«la parda encina» y «el yermo de piedra»— para su representación del paisaje recordado:

> Es la parda encina
> y el yermo de piedra.
> Cuando el sol tramonta,
> el río despierta.
> ¡Oh montes lejanos
> de malva y violeta!

Siguiendo las pautas de la poesía popular, Machado también comparte el gusto por las imágenes, en lugar de las metáforas que son más propias de la poesía culta. En línea con los versos tradicionales, el poeta andaluz prefiere los detalles que abren el texto a la realidad y comunican la temporalidad y la emoción humana, a la desrealización metafórica. Sin embargo, en esta nueva etapa los detalles de la realidad abandonan el primer plano y su mayor preocupación es ahora el contenido metafísico.

Literatura y discursos sociales

El poeta crea en *Campos de Castilla* un espacio en el que el texto literario se conjunta con otros discursos del contexto social, especialmente la geología y la pintura. A medida que avanza el siglo, se produce el divorcio entre las ciencias naturales y la sociedad. El impacto artístico y social que habían tenido estas ciencias a finales del siglo XIX, sobre todo la geología, va desapareciendo debido a su mayor especialización, que terminará por hacerlas inasequibles a artistas, escritores y al público en general. El aficionado a recoger, clasificar y coleccionar minerales, cuya imaginación había estado cautivada por los grandes debates decimonónicos, como el geológico sobre la edad de la Tierra y el científico sobre el origen de las especies, ya no está preparado para entender los nuevos problemas planteados por estas ciencias que, de acuerdo con Bedell, cuando se van profesionalizando empiezan a requerir conocimientos especializados y sofisticados equipos técnicos (148).

La novedad de Machado en su obra castellana no era sólo la inclusión de detalles de la realidad adoptados de un discurso contextual entonces en boga, como la geología, sino el que dichos elementos pasaran a ocupar el primer plano de un texto poético como ocurría con su interés por las piedras, las moscas o las encinas. En este sentido, si bien las ciencias naturales dejan de gozar la atención de artistas, escritores y público, son reemplazadas por otros discursos nuevos. Los avances tecnológicos, los nuevos inventos, como la cámara fotográfica y después el cinematógrafo, el rápido desarrollo y expansión del tren y la construcción de nuevas vías férreas que facilitan la comunicación y el intercambio de bienes materiales y económicos, entre otros, empiezan a asomar en los versos machadianos[2] y están todavía mucho más presentes en la poesía de los jóvenes poetas de la siguiente generación. Elementos de esta nueva realidad contextual, unidos al gusto por el futurismo y las nuevas vanguardias, se irán introduciendo en los textos y se convierten en tema poético en los versos de Pedro Salinas, como vemos en

---

[2] El tren, que ya había aparecido en los versos de *Campos de Castilla*, vuelve a estar presente en *Nuevas canciones*.

sus poemas al cinematógrafo, a la bombilla, a la máquina de escribir, al teléfono o al radiador[3]. Machado incorpora al texto literario signos del discurso pictórico del momento. En España, la llegada tardía del movimiento impresionista coincide con la primera década del siglo XX. La versión española de este movimiento abraza el paisaje mesetario y árido, como vimos en los cuadros de Aureliano de Beruete, que tanto influyeron en Azorín y en Machado. Por su parte, Darío de Regoyos, considerado el pintor de la generación noventayochista, había pintado los paisajes del norte, la vida cotidiana de los pueblos o su famoso gallinero de Sarriá. Ambos mueren en 1912 y 1913, respectivamente. Otro pintor de muerte prematura es el catalán Isidro Nonell, que se inició como modernista pero evolucionó hacia una preocupación por los objetos, la materia y los tipos marginales de la sociedad, como su serie de las gitanas. Todos ellos coinciden en su interés por esa nueva estética de lo nimio que da categoría artística a lo cotidiano, a los objetos más sencillos, a lo marginal, dejando representadas en los lienzos pictóricos las mismas preocupaciones estéticas que interesan a Machado en *Campos de Castilla*.

El paisajismo, que había adquirido su reconocimiento como género pictórico en el siglo XIX, sufrirá distintos vaivenes a lo largo del siglo XX. El impresionismo, movimiento que había dado tanto protagonismo al paisaje natural, introduce otros tipos de paisaje que le irán reemplazando en décadas sucesivas: el paisaje urbano y el de interiores. La atención progresiva por el hombre ordinario y su mundo urbano, así como el rechazo del paisaje por las vanguardias —cubismo, surrealismo, futurismo y expresionismo— hacen que, poco a poco, los paisajes vayan desapareciendo dejando paso a las naturalezas muertas, a los paisajes urbanos y a los espacios interiores. Sin embargo, el paisaje no desaparece del todo en la literatura española del siglo XX. En poesía, está presente en *Versos de Guadarrama* de Leopoldo Panero, obra en la que hay un balance entre observación y vuelta a la emoción de inspiración machadiana. El paisaje castellano también pervive en la narrativa, como puede verse en la obra de Miguel Delibes, en la que defiende una postura original ante la amenaza de la civilización industrial que está sufriendo el campo y la lucha por la supervivencia del mundo rural.

Debicki se adelantó hace tiempo proclamando que las nuevas aproximaciones de la crítica literaria podrían contribuir a aclarar «el impacto extraordinario» de las descripciones machadianas (165). En este sentido, el estudio de Krogh propone una lectura de la poesía paisajística de Machado desde

---

[3] Ángel del Río considera que Salinas es el poeta de su generación que mejor percibe los objetos de la vida actual y los temas de la experiencia diaria (340). Para Pierre Darmangeat la poesía de Salinas parte precisamente del borde de las cosas; es, simultáneamente, espectador y actor en el que el yo impone al mundo su verdad o éste termina por crear un universo sin forma.

una aproximación dialógica, mediante una lectura que explora la propia experiencia lectora y pone de relieve la percepción colectiva de Castilla a través de un lenguaje sensorial. Desde fines del siglo XX, el interés por la conservación de la naturaleza y por la protección del medio ambiente están renovando el interés de la sociedad por el paisaje. Estas tendencias «verdes» están abriendo nuevas vías en los estudios culturales proyectándose en la forma de interpretar las concepciones de la naturaleza en los textos literarios. En este campo, la primera aproximación es el artículo de Driever, cuyo objetivo es la «presentación poética» de los paisajes sorianos (44). El ecocriticismo o crítica ecológica, centrado en la interrelación entre medio ambiente y cultura, analiza la función que la percepción y la representación desempeñan en la visión del entorno natural. Futuras lecturas ecocríticas permitirán explicar las implicaciones de este debate en los versos descriptivos machadianos.

A lo largo de este trabajo, hemos visto que aunque Machado en *Campos de Castilla* prefiere el paisaje natural, también describe algunos paisajes urbanos o escenarios de interior, en los que muestra el mundo de las cosas diarias, y mediante ellas, como Azorín, presenta una nueva estética de las cosas. Machado se sirve del protagonismo de los objetos personales —gafas, libros, bombilla, reloj, gabán— para retratar el tedio de la vida baezana en su «Poema de un día» (CXXVIII). En esta línea, las cosas alcanzan un protagonismo todavía mayor en la poesía de Jorge Guillén[4]. De acuerdo con Juan Cano Ballesta, la «orientación hacia el objeto» es el rasgo dominante de *Cántico* y de la sensibilidad poética del momento (9). Para Dámaso Alonso, la poesía de Jorge Guillén arranca de «cualquier hecho trivial de nuestro vivir», y este partir de la anécdota, de lo diario, de lo mínimo es carácter esencial y definidor de su poesía (*Poetas*, 224). Ambos poetas parten de planteamientos muy diferentes ante la realidad y dan tratamientos muy distintos a las cosas pero, en ocasiones, usan procedimientos semejantes. Machado emplea lo nimio para actualizar con acierto un tema poético clásico, como veíamos que hace con el *fugit irreparabili tempus* en «Las moscas» (XLVIII). Guillén sigue un procedimiento parecido y recupera otro tema clásico, en esta ocasión el del *beatus ille*, adaptándolo a la exaltación de la realidad cotidiana en su famoso «Beato sillón».

Un procedimiento semejante vemos en otro poeta posterior, Rafael Morales. Si Machado se sirve de detalles del paisaje cotidiano de Soria como

---

[4] Pierre Darmangeat analiza la importancia que tiene en su poesía lo real, las cosas cotidianas, y cómo se sirve de ellas para transmitirnos los conceptos de espacio y tiempo. Pedro Salinas afirma que es poesía de la realidad en las realidades, con un repertorio numerosísimo de cosas concretas del mundo que le sirven de instrumento de transmutación de la realidad material a la poética (190-91).

base a su elegía en el poema «A José María Palacio» (CXXVI), Morales utilizará las cosas personales —una prenda de ropa casera— al escribir un soneto elegíaco a su propia muerte en «Soneto a mi última chaqueta». Además Morales, en su afán por dar importancia a lo insignificante, dedica una canción a unos zapatos viejos y escribe un cántico a un humilde cubo de la basura. De manera similar, al otro lado del Atlántico, Gabriela Mistral publica sus poemas a la sal, al pan y al agua, y Pablo Neruda dará tratamiento de oda a objetos humildes de la vida ordinaria como la cebolla, el tomate o la alcachofa. Este tema podría ser objeto de un estudio comparativo contrastando las diferentes maneras en que estos poetas se posicionan, perciben y transmiten los objetos de la realidad cotidiana.

Machado, «falso apócrifo»

En esta investigación hemos visto que, a través del paisaje cotidiano y de las cosas, Machado sale al encuentro del hombre común. Mediante los detalles insignificantes refleja su vida y su entorno, desprovisto de sofisticación, al mismo tiempo que reafirma y humaniza su vivir ordinario. A la vez, esta visión del hombre y su mundo le sirve para expresar su visión de Castilla y su protesta política ante la situación de España. Este doble aspecto, de humanización poética y de denuncia, le convierte en el poeta más influyente de la posguerra. La novedad de su postura estética, que le aleja de la poesía deshumanizada y pura de los poetas del 27, así como su crítica ética y su independencia política, son la causa de su enorme influencia, durante varias décadas, en la poesía española del siglo XX. Esto explica que Machado haya sido aclamado por poetas de escuelas diferentes, incluso de tendencias radicalmente opuestas, y que su figura llegara a rozar la categoría de mito aun a costa de la manipulación y el falseamiento de su propia historia personal o de su obra, rechazando unos y otros aspectos esenciales de ambas.

Al año de su muerte y tras el fin de la guerra civil, fue reivindicado por los «escorialistas»[5] que, en su huida de la realidad política exterior, iniciaron la vuelta hacia «el intimismo y la rehumanización», según expresión de Araceli Iravedra (33). Estos poetas buscaban, en palabras de Cano, «plasmar la vida en el poema» de forma directa, y ese planteamiento estético de acercar la poesía a la vida les conduce a Machado (148). No obstante, para recuperarlo como poeta del Régimen era necesario ofrecer una versión manipulada de su ideología, hasta convertirlo, de acuerdo con la acertada expresión

---

[5] En relación a este tema, Araceli Iravedra acaba de publicar su estudio sobre la influencia de Machado en la poesía del grupo *Escorial*.

acuñada por Valente, en un «falso apócrifo»[6] (94). Por otra parte, durante casi tres lustros, Machado se convirtió en bandera de los seguidores de la poesía social[7]. Los poetas preocupados por el compromiso ignoraron su obra anterior y posterior y se centraron sólo en los versos de dolor y denuncia de *Campos de Castilla*. Así convirtieron a Machado, en palabras de Valente, en «pancarta y propaganda» (94). Esta deformación de la obra y figura del poeta alcanzó tales extremos que Jorge Guillén denunció esta manipulación llamándole irónicamente «San Antonio de Colliure»[8].

Más interesante es el esfuerzo de los poetas de la llamada generación de medio siglo —Ángel González, Claudio Rodríguez, Francisco Brines, Gloria Fuertes, Jaime Gil de Biedma y José Ángel Valente— por intentar recuperar una imagen íntegra del poeta. Prueba de la honda influencia que tuvo Machado en los poetas de esta generación son tanto los poemas de homenaje que le dedican, como «Colliure» de Ángel González, como la intertextualidad, presente por ejemplo en los versos de Jaime Gil de Biedma.

Frente a estos rescates, secuestros, mitificaciones y falsificaciones, los poetas de la siguiente generación, también llamados los «novísimos», iniciaron un distanciamiento de su poesía moral y humanista, criticando su lenguaje sencillo y su anacronismo estético. Esta reacción, como el propio Pere Gimferrer señalaría años más tarde, fue más bien contra la imagen deformada de Machado que contra su obra. El mismo Gimferrer, que había criticado inicialmente la tentación costumbrista de *Campos de Castilla*, llegaría a afirmar que «el silencio calcinado de Castilla y su vida inmemorial son para Machado la base de una reflexión sobre el sentido de nuestra existencia» (citado por José O. Jiménez 205).

La presencia de lo nimio se ha convertido en habitual en muchas representaciones artísticas del siglo XX, aunque con propósitos muy distintos, como vemos en las latas de sopa de Andy Warhol, los cuartos de baño de Antonio López o la cama deshecha de Tracey Emin. Desde el hiperrealismo de finales del siglo pasado y comienzos del XXI, los detalles anecdóticos de

---

[6] José Ángel Valente fue el primero en denunciar el falseamiento de la figura machadiana en «Machado y sus apócrifos», ensayo incorporado a *Las palabras de la tribu*. Valente distingue entre los apócrifos creados por Machado —los «verdaderos»— y los que luego le fueron sobrepuestos —los «falsos»— (94). Estos «apócrifos falsos» corresponden a los distintos rescates de la figura de Machado que sucesivamente se fueron poniendo en circulación en España después de su muerte: el Machado despojado de sus valores éticos, el Machado pancarta y propaganda, entre otros (94-95). La bibliografía sobre estas falsificaciones es abundante y está recogida en los trabajos de Iravedra y Jiménez.

[7] Sobre este tema, véase el estudio de José Olivio Jiménez, *La presencia de Antonio Machado en la poesía española de posguerra*.

[8] Palabras reproducidas en el trabajo de José Luis Cano, *Españoles de dos siglos,* y citadas por José O. Jiménez (27).

la obra castellana de Machado no resultan una novedad. Sin embargo, en su contexto histórico, la incorporación literaria de lo nimio supuso la introducción de una nueva estética pero también la alteración y adopción de una nueva perspectiva. Los detalles insignificantes responden a la intención de Machado de abrir el texto a la realidad, desde lo personal a lo colectivo, incorporando junto al yo poético, otros discursos y otras voces del contexto social. De este modo, adaptando una idea de Gallagher y Greenblatt, lo nimio es, a la vez, un fragmento representativo del texto, pero también de la cultura en que se ha producido (35).

Bibliografía

Aguirre, José María. *Antonio Machado, poeta simbolista*. 2.ª ed. Madrid: Taurus, 1982.

Alborg, Juan Luis. *Historia de la literatura española*. Vol. 1. Madrid: Gredos, 1967.

Albornoz, Aurora de. *La presencia de Miguel de Unamuno en Antonio Machado*. Madrid: Gredos, 1968.

Alonso, Dámaso. *Cuatro poetas españoles. Garcilaso. Góngora. Maragall. Antonio Machado*. Madrid: Gredos, 1976.

—. *Poetas españoles contemporáneos*. Madrid: Gredos, 1965.

Angulo, Diego de. *Resumen de historia del arte*. Madrid: EISA, 1970.

Arcipreste de Hita. *Libro de Buen Amor*. Ed. G. B. Gybbon-Monypenny. Madrid: Castalia, 1988.

Armistead, Samuel G., Estudio preliminar. *Romancero*. Ed. Paloma Díaz-Mas. Barcelona: Crítica, 1998. ix-xxi.

Auerbach, Erich. *Mimesis. La representación de la realidad en la literatura occidental*. México: Fondo de Cultura Económica, 1979.

Azcárate Ristori, José María. «A. Machado y la ciudad medieval». *Curso en homenaje a Antonio Machado*. Ed. Eugenio de Bustos. Salamanca: Universidad de Salamanca, 1975. 29-52.

Azorín. *Al margen de los clásicos. Obras selectas*. Madrid: Biblioteca Nueva, 1962.

—. *Antonio Azorín. Obras selectas*. Madrid: Biblioteca Nueva, 1962.

—. «Los árboles y el agua». *Fantasías y devaneos (Política, literatura, naturaleza). Obras completas*. Ed. Ángel Cruz Rueda. 2.ª ed. Vol. 4. Madrid: Aguilar, 1961.

—. *Castilla*. Ed. E. Inman Fox. 6.ª ed. Madrid: Austral, 1999.

—. *Clásicos y modernos. Obras selectas*. Madrid: Biblioteca Nueva, 1962.

—. *Las confesiones de un pequeño filósofo*. Ed. José María Martínez Cachero. 9.ª ed. Madrid: Austral, 1997.

—. *Los dos Luises y otros ensayos. Obras completas*. Ed. Ángel Cruz Rueda. 2.ª ed. Vol. 4. Madrid: Aguilar, 1961.

—. *De Granada a Castelar. Obras completas*. Ed. Ángel Cruz Rueda. 2.ª ed. Vol. 4. Madrid: Aguilar, 1961.

—. *Lecturas españolas. Obras completas*. Ed. Ángel Cruz Rueda. Vol. 2. Madrid: Aguilar, 1947.

—. *Madrid. Obras selectas*. Madrid: Biblioteca Nueva, 1962.

—. *Un pueblecito. Riofrío de Ávila. Obras selectas*. Madrid: Biblioteca Nueva, 1962.

—. *Los pueblos. Obras selectas*. Madrid: Biblioteca Nueva, 1962.

—. *Rivas y Larra. Obras completas*. Ed. Ángel Cruz Rueda. 2.ª ed. Vol. 3. Madrid: Aguilar, 1961.

—. *La ruta de Don Quijote. Obras selectas*. Madrid: Biblioteca Nueva, 1962.

—. *Tiempos y cosas*. Zaragoza: Librería General, 1929.

—. *Los valores literarios. Obras completas*. Ed. Ángel Cruz Rueda. 2.ª ed. Vol. 4. Madrid: Aguilar, 1961.

—. *La voluntad*. Ed. E. Inman Fox. 5.ª ed. Madrid: Castalia, 1989.

Balfour, Sebastian. «The Loss of Empire, Regeneracionism, and the Forging of a Myth of National Identity». *Spanish Cultural Studies: An Introduction: The Struggle for Modernity*. Ed. Helen Graham and Jo Labanyi. Oxford: Oxford UP, 1995. 25-31.

Barbagallo, Antonio. «Spain, Landscape, Time and Other Themes in the Poetry of Antonio Machado. (God, Solitude, Envy, Injustice, Emigration.)» Diss. Middlebury College, 1986.

Bataillon, Marcel. «A traque barraque. Ciencia y arte de lo vulgar». *Papeles de Son Armadans* 70 (1973): 253-56.

Beceiro, Carlos. *Antonio Machado, poeta de Castilla*. Valladolid: Ámbito, 1984.

—. «Antonio Machado y su visión paradójica de Castilla». *Celtiberia* 15 (1958): 127-42.

Bedell, Rebecca. *The Anatomy of Nature. Geology and American Landscape Painting, 1825-1875*. Princeton: Princeton UP, 2001.

Beltrán de Heredia, Pablo. *Azorín en su inmortalidad*. Madrid: Taurus, 1973.

Berceo, Gonzalo de. *Milagros de Nuestra Señora*. 7.ª ed. Madrid: Espasa-Calpe, 1976.

—. *Vida de santo Domingo de Silos*. Ed. Teresa Labarta de Chaves. Madrid: Castalia, 1973.

Beruete, Aureliano de. *Velázquez*. London: Methuen, 1906.

Blanco Aguinaga, Carlos. *Juventud del 98*. Madrid: Siglo XXI, 1970.

Boudreau, H. L. «Antonio Machado's "Un olmo seco": The Critical Use and Abuse of Biography». *Studies in Honor of Sumner M. Greenfield*. Ed. H. L. Boudreau and Luis González del Valle. Lincoln: Society of Spanish and Spanish-American Studies, 1985. 33-47.

Bousoño, Carlos. *Teoría de la expresión poética*. Madrid: Gredos, 1966.

Brannigan, John. *New Historicism and Cultural Materialism*. New York: St. Martin's Press, 1998.

Brotherston, Gordon. *Manuel Machado. A Revaluation*. Cambridge: Cambridge UP, 1968.

Brown, Bill. *A Sense of Things. The Object Matter of American Literature*. Chicago: Chicago UP, 2003.

Brown, Jonathan. *Velázquez. Pintor y cortesano*. Madrid: Alianza, 1986.

Bryson, Norman. *Looking at the Overlooked. Four Essays on Still Life Painting*. Cambridge: Harvard UP, 1990.

Butt, John. «Embarrassed Readings of Machado's "A orillas del Duero"». *Modern Languages Review* 86 (1991): 322-36.

Cacho Viu, Vicente. *La Institución Libre de Enseñanza. I. Orígenes y etapa universitaria (1860-1881)*. Pról. F. Pérez-Embid. Madrid: Rialp, 1962.

Calvo Serraller, Francisco. «El festín visual. Una introducción a la historia del bodegón». *El bodegón*. Introd. Fernando Checa. Barcelona: Galaxia Gutenberg, 2000. 15-31.

—. *Paisajes de luz y muerte. La pintura española del 98*. Barcelona: Tusquets, 1998.

Cano, José Luis. *Españoles de dos siglos: de Valera a nuestros días*. Madrid: Seminarios y Ediciones, 1974.

Cano Ballesta, Juan. *La poesía española entre pureza y revolución (1920-1936)*. Madrid: Siglo XXI, 1996.

Cardwell, Richard. «Antonio Machado, la Institución y el idealismo finisecular». *Antonio Machado, hoy. Actas del congreso internacional conmemorativo del cincuentenario de la muerte de Antonio Machado*. Ed. Jorge Urrutia. Vol. 1. Sevilla: Alfar, 1990. 381-404.

—. «"Una hermandad de trabajadores espirituales": Los discursos del poder del modernismo en España». *¿Qué es el modernismo? Nueva encuesta nuevas lecturas*. Eds. Richard A. Cardwell y Bernard McGuirk. Boulder: Society of Spanish and Spanish-American Studies, 1993. 165-98.

Carpintero, Heliodoro. *Antonio Machado en su vivir*. Soria: Centro de Estudios Sorianos, 1989.

Carvalho Neto, Paulo de. *La influencia del folklore en Antonio Machado*. Madrid: Demófilo, 1975.

Casalduero, Joaquín. *Estudios de literatura española*. Madrid: Gredos, 1973.

Castañares, Wenceslao y José Luis González Quirós. *Diccionario de citas*. Madrid: Nóesis, 1993.

Castro, Américo. *España en su historia. Cristianos, moros y judíos*. Buenos Aires: Losada, 1949.

—. «Manuel B. Cossío». *Semblanzas y estudios españoles*. Selec. y notas Juan Marichal. Princeton: Princeton UP, 1956. 421-35.

—. *Origen, ser y existir de los españoles*. Madrid: Taurus, 1959.

—. «Poesía y realidad en el *Poema del Cid*». *Semblanzas y estudios españoles*. Selec. y notas Juan Marichal. Princeton: Princeton UP, 1956. 3-15.

Castro, Rosalía. *En las orillas del Sar*. Ed. Marina Mayoral. 2.ª ed. Madrid: Castalia, 1983.

Cerezo Galán, Pedro. *Palabra en el tiempo. Poesía y filosofía en Antonio Machado*. Madrid: Gredos, 1975.

Cernuda, Luis. *Estudios sobre poesía española contemporánea*. Madrid: Guadarrama, 1970.

Certeau, Michel de. *The Practice of Everyday Life*. Trans. Steven F. Rendell. Berkeley: California UP, 1984.

Cervantes, Miguel de. *Novelas ejemplares*. 19.ª ed. Madrid: Espasa-Calpe, 1979.

Ciplijauskaité, Biruté. «Espejos cóncavos y tiempo circular». *La Generación del 98 frente al nuevo fin de siglo*. Ed. Jesús Torrecilla. Amsterdam-Atlanta: Rodopi, 2000. 15-35.

—. «Las sub-estructuras en *Campos de Castilla*». *Estudios sobre Antonio Machado*. Ed. José Ángeles. Barcelona: Ariel, 1977. 97-119.

Clark, Kenneth. *Landscape into Art*. New York: Harper & Row, 1979.

Coello, Francisco y Pascual Madoz. *Atlas de España y sus posesiones de ultramar*. Madrid: s.e., 1848-1868.

Cossío, Manuel B. *De su jornada. (Fragmentos)*. Madrid: Imprenta de Blass, 1929.

Covarrubias Horozco, Sebastián. *Tesoro de la lengua castellana o española*. Ed. Martín de Riquer. Barcelona: Alta Fulla, 1987.

Darío, Rubén. *Azul. Cantos de vida y esperanza*. Ed. José María Martínez. Madrid: Cátedra, 1995.

—. *El canto errante*. 3.ª ed. Madrid: Espasa-Calpe, 1965.

—. *Prosas profanas y otros poemas*. Ed., introd. y notas Ignacio Zuleta. Madrid: Castalia, 1983.

Darmangeat, Pierre. *Antonio Machado, Pedro Salinas, Jorge Guillén*. Pról. J. M. Blecua. Madrid: Ínsula, 1969.

Darwin, Charles. *El origen de las especies*. 1877. Madrid: Alba, 2000.

Debicki, Andrew P. «La perspectiva y el punto de vista en poemas descriptivos machadianos». *Estudios sobre Machado*. Ed. José Ángeles. Barcelona: Ariel, 1977. 163-75.

Delibes, Miguel. *El camino*. 4.ª ed. Barcelona: Destino, 1963.

—. *Diario de un cazador*. 7.ª ed. Barcelona: Destino, 1974.

—. *El disputado voto del señor Cayo*. Barcelona: Destino, 1979.

—. *Las perdices del domingo*. 2.ª ed. Barcelona: Destino, 1981.

—. *Los santos inocentes*. 1.ª ed. Barcelona: Planeta, 1981.

—. *El último coto*. 3.ª ed. Barcelona: Destino, 1992.

Deyermond, Alan, ed. «Temas y problemas de la literatura medieval». *Edad Media. Historia y crítica de la literatura española*. Ed. Francisco Rico. Vol. 1. Barcelona: Crítica, 1980. 1-14.

Díaz-Mas, Paloma, ed. *Romancero*. Estudio preliminar Samuel G. Armistead. Barcelona: Crítica, 1998.

Doménech, Jordi. «Antonio Machado». *Ínsula* 622.10 (1998): 26-27.

—, ed. *Prosas dispersas (1893-1936)*. De Antonio Machado. Introd. Rafael Alarcón Sierra. Madrid: Páginas de Espuma, 2001.

—. «Sobre la publicación de *Campos de Castilla*». *Ínsula*, 594.6 (1996): 3-7.

Domínguez Caparrós, José. *Diccionario de métrica española*. Madrid: Paraninfo, 1992.

Driever, Steven L. «The Signification of the Sorian Landscapes in Antonio Machado's *Campos de Castilla*». *Isle* 4.1 (1997): 42-70.

Elaine, Katherine. «Man in the Landscape of Antonio Machado». *Spanish Thoughts and Letters in the Twentieth Century: An International Symposium Held at Vanderbilt University to Commemorate the Centenary of the Birth of Miguel de Unamuno. 1864-1964*. Ed. German Bleiberg and E. Inman Fox. Nashville: Vanderbilt UP, 1966. 271-86.

Enciclopedia universal ilustrada europeo-americana. Madrid: Espasa-Calpe [1907?-c. 1930].

Enguídanos, Miguel. *Fin de siglo. Estudios literarios sobre el período 1870-1930 en España*. Madrid: José Porrúa Turanzas, 1983.

Escalante y Prieto, Amós. *Costas y montañas. Libro de un caminante*. Madrid: Imprenta de M. Tello, 1871.

Ferreres, Rafael. *Los límites del modernismo y del 98*. Madrid: Taurus, 1981.

Fiesta de Aranjuez en honor de Azorín. Madrid: Residencia de Estudiantes, 1915.

Fineman, Joel. «The History of the Anecdote: Fiction and Fiction». *The New Historicism*. Ed. H. Aram Veeser. New York: Routledge, 1989. 49-76.

Fish, Stanley. «Commentary: The Young and the Restless». *The New Historicism*. Ed. H. Aram Veeser. New York: Routledge, 1989. 303-16.

Foucault, Michel. *Discipline and Punish: The Birth of the Prison*. New York: Pantheon Books, 1977.

—. *Las palabras y las cosas. Una arqueología de las ciencias humanas*. Trad. Elsa Cecilia Frost. Madrid: Siglo XXI, 1978.

Fox, E. Inman. «Azorín y la nueva manera de mirar las cosas». *José Martínez Ruiz (Azorín). Actes du premier colloque international* [France]: Ed. J & D, 1993. 299-304.

—, ed. Introducción. *Castilla*. De Azorín. 6.ª ed. Madrid: Austral, 1999. 11-77.

—. «"La Generación de 1898" como concepto historiográfico». *Divergencias y unidad: Perspectivas sobre la generación del 98 y Antonio Machado*. Ed. John P. Gabriele. Madrid: Orígenes, 1990. 23-38.

—. *La invención de España. Nacionalismo liberal e identidad nacional.* Madrid: Cátedra, 1997.

—. «Lectura y literatura. (La inspiración libresca de Azorín)». *Cuadernos Hispanoamericanos* 205 (1967): 5-27.

—, ed. *Meditaciones sobre la literatura y el arte (La manera española de ver las cosas).* De José Ortega y Gasset. Madrid: Clásicos Castalia, 1987.

—. «Spain as Castile: Nationalism and National Identity». *The Cambridge Companion to Modern Spanish Culture.* Ed. David T. Gies. Cambridge: Cambridge UP, 1999. 21-36.

Gabriele, John P., ed. *Nuevas perspectivas sobre el 98.* Frankfurt am Main: Vervuert; Madrid: Iberoamericana, 1999.

Gallagher, Catherine, and Stephen Greenblatt. *Practicing New Historicism.* Chicago: Chicago UP, 2000.

Galmés de Fuentes, Álvaro. *Épica árabe y épica castellana.* Barcelona: Ariel, 1978.

Gaos, Vicente. «En torno a un poema de Antonio Machado». *Homenaje a Antonio Machado.* Montevideo: Fundación de Cultura Universitaria, 1969. 77-98.

García Lorca, Federico. *Bodas de sangre: Tragedia en tres actos y siete cuadros.* Ed. Mario Hernández. Madrid: Alianza, 1984.

—. *La casa de Bernarda Alba.* Ed. Francisco Ynduráin. 14.ª ed. Madrid: Espasa-Calpe, 1989.

—. *Romancero gitano (1924-1927).* 20.ª ed. Buenos Aires: Losada, 1978.

Gil y Carrasco, Enrique. *El señor de Bembibre. El lago de Carucedo.* 1844. Ed. Ramón Carnicer. Valladolid: Ámbito, 1992.

Gil de Biedma, Jaime. *Las personas del verbo.* Barcelona: Seix Barral, 1982.

Giner de los Ríos, Francisco. «Paisaje». *La Lectura* 1 (1915): 161-70.

Glick, Thomas F. *Einstein in Spain. Relativity and the Recovery of Science.* Princeton: Princeton UP, 1988.

Gómez Redondo, Fernando, ed. *Poesía española. Edad Media: Juglaría, Clerecía y Romancero.* Barcelona: Crítica, 1996.

González, Ángel. *Antonio Machado.* Madrid: Júcar, 1986.

—. *Poemas.* Ed. del autor. Madrid: Cátedra, 1980.

Gould, Hazel. «Small talk: Towards a Poetic of the Detail in Galdós». *Revista Hispánica Moderna* 47 (1994): 30-46.

Graham, Helen and Jo Labanyi. «Culture and Modernity: The Case of Spain». *Spanish Cultural Studies: An Introduction: The Struggle for Modernity.* Ed. H. Graham and J. Labanyi. Oxford: Oxford UP, 1995. 1-19.

Granell, Manuel. *Estética de Azorín.* Madrid: Biblioteca Nueva, 1949.

Granjel, Luis. *Panorama de la generación del 98.* Madrid: Guadarrama, 1959.

Grant, Helen F. «Ángulos de enfoque en la poesía de Antonio Machado». *La Torre* 12 (1964): 455-81.

Greenblatt, Stephen. «Introduction». *Genre* 15 (1982): 3-6.

—. *Marvelous Possessions. The Wonder of the New World.* Chicago: Chicago UP, 1991.

—. «Towards a Poetics of Culture». *The New Historicism.* Ed. H. Aram Veeser. New York: Routledge, 1989. 1-14.

Guillén, Claudio. «Estilística del silencio». *Antonio Machado.* Ed. Ricardo Gullón y Allen W. Phillips. Madrid: Taurus, 1973. 445-90.

Guillén, Jorge. *Cántico.* 1936. Ed. José Manuel Blecua. Barcelona: Labor, 1970.

Gullón, Ricardo, y Allen W. Phillips, eds. *Antonio Machado.* Madrid: Taurus, 1973.

—. *Una poética para Antonio Machado.* Madrid: Gredos, 1970.

Gutiérrez-Girardot, Rafael. *Poesía y prosa de Antonio Machado.* Madrid: Guadarrama, 1969.

Highmore, Ben. *Everyday Life and Cultural Theory.* London: Routhledge, 2002.

—. *The Everyday Life Reader.* London: Routledge, 2002.

Horányi, Mátyás. *Las dos Soledades de Antonio Machado.* Budapest: Akadémiai Kiadó, 1975.

Iravedra, Araceli. *El poeta rescatado. Antonio Machado y la poesía del «grupo de Escorial».* Madrid: Biblioteca Nueva, 2001.

Jerez-Farrán, Carlos. «Paralelos noventayochistas entre "La tierra de Alvargonzález" y las *Comedias bárbaras». Divergencias y unidad: perspectivas sobre la Generación del 98 y Antonio Machado.* Ed. John P. Gabriele. Madrid: Orígenes, 1990. 191-204.

Jiménez, José Olivio y Carlos Javier Morales. *Antonio Machado en la poesía española. La evolución interna de la poesía española 1939-2000.* Madrid: Cátedra, 2002.

—. *Presencia de Antonio Machado en la poesía española de postguerra.* Lincoln: Society of Spanish and Spanish-American Studies, 1983.

Jiménez, Juan Ramón. *Jardines lejanos.* Pról. Ignacio Prat. Vol. 3. Madrid: Taurus, 1982.

—. *Pastorales.* Ed. Antonio Campoamor y Ricardo Gullón. Vol. 7. Madrid: Taurus, 1982.

Jiménez Aguilar, María Dolores y Joaquín Agudelo Herrero. «La personalidad y la obra científica de Antonio Machado Núñez (1812-1896)». *Antonio Machado hoy. Actas del congreso internacional conmemorativo del cincuentenario de la muerte de Antonio Machado.* Ed. Jorge Urrutia. Vol. 1. Sevilla: Alfar, 1990. 166-89.

Johnson, Roberta. «El método arqueológico en la novelística de Azorín». *Hispania* 84 (2001): 767-73.

Johnston, Philip Gerard. «Paradox in the Works of Antonio Machado». Diss. Queen's U of Belfast, 1991.

Joly, Susan Jane. «Journey into the Soul: The Unconscious in Antonio Machado». Diss. Kentucky U, 1994.

Jurkevich, Gayana. *In Pursuit of the Natural Sign. Azorín and the Poetics of Ekphrasis*. Lewisburg: Bucknell UP, 1999.

Krogh, Kevin. *The Landscape Poetry of Antonio Machado. A Dialogical Study of Campos de Castilla*. Lewiston: Edwin Mellen, 2001.

Labanyi, Jo. *Gender and Modernization in the Spanish Realist Novel*. Oxford: Oxford UP, 2000.

Lafuente Ferrari, Enrique. «Antonio Machado y su mundo visual». *Antonio Machado y Soria. Homenaje en el primer centenario de su nacimiento*. Madrid: Consejo Superior de Investigaciones Científicas, 1976. 73-112.

Laín Entralgo, Pedro. *La generación del noventa y ocho*. Madrid: [Distribuidor E. María Alonso], 1945.

Lapesa, Rafael. *Introducción a los estudios literarios*. 18.ª ed. Madrid: Cátedra, 1981.

—. «Símbolos en la poesía de Antonio Machado». *Antonio Machado y Soria. Homenaje en el primer centenario de su nacimiento*. Madrid: Consejo Superior de Investigaciones Científicas, 1976. 115-28.

Lazarillo de Tormes. Ed. Francisco Rico. 4.ª ed. Madrid: Cátedra, 1989.

Lázaro e Ibiza, Blas. *Botánica descriptiva; compendio de la flora española*. Madrid: Hernando, 1896.

—. *Regiones botánicas de la Península Ibérica*. Madrid: Fortanet, 1895.

«Lázaro e Ibiza, Blas». *Enciclopedia universal ilustrada*. Vol. 29. [1907?–c.1930]. 1220-21.

Lefebvre, Henri. *Critique of Everyday Life*. Trans. John Moore. London: Verso, 1991.

Libro de Alexandre. Ed. Jesús Cañas. 2.ª ed. Madrid: Cátedra, 1995.

Lissorges, Yvan. «Amor y mitos en la visión de Castilla de Antonio Machado (1907-1914)». *La crisis española de fin de siglo y la generación del 98. Actas del simposio internacional (Barcelona, noviembre 1998)*. Ed. Antonio Vilanova y Adolfo Sotelo Vázquez. Barcelona: Universitat de Barcelona, 1999. 219-40.

Litvak, Lily. «Geología y metafísica: Las montañas en *Peñas arriba* de Pereda». *Anales galdosianos* 21 (1986): 231-43.

—. «Ruskin y el sentimiento de la naturaleza en las obras de Unamuno». *Cuadernos de la cátedra Miguel de Unamuno* 23 (1973): 211-20.

—. *El tiempo de los trenes. El paisaje español en el arte y la literatura del realismo (1849-1918)*. Madrid: Ediciones del Serbal, 1991.

—. *Transformación industrial y literatura en España (1895-1905)*. Madrid: Taurus, 1980.

López Bustos, Carlos. *La naturaleza en la obra de Antonio Machado*. Madrid: Icona, 1989.

López Estrada, Francisco. «Berceo, el primero de los poetas de Antonio Machado». *Antonio Machado, verso a verso*. Ed. Francisco López Estrada. Sevilla: Universidad de Sevilla, 1975. 183-211.

—. *Los «primitivos» de Manuel y Antonio Machado*. Madrid: Cupsa Ensayos/Planeta, 1977.

López Morillas, Juan. «Antonio Machado y la interpretación temporal de la poesía». *Antonio Machado*. Ed. Ricardo Gullón y Allen W. Phillips. Madrid: Taurus, 1973. 251-66.

Lozano Marco, Miguel Ángel. «La "ciudad muerta" en la poesía de Antonio Machado». *Antonio Machado hoy. Actas del congreso internacional conmemorativo del cincuentenario de la muerte de Antonio Machado*. Ed. Jorge Urrutia. Vol. 1. Sevilla: Alfar, 1990. 465-73.

—. «Una lectura de Un pueblecito: Riofrío de Ávila». *José Martínez Ruiz (Azorín). Actes du premier colloque international* [France]: Ed. J & D, 1993. 139-49.

Luis, Leopoldo de. *Antonio Machado. Ejemplo y lección*. Madrid: Fundación Banco Exterior, 1988.

Lyell, Charles. *Principles of Geology*. 1847. Introd. Martin J. S. Rudwick. 3 vols. Chicago: Chicago UP, 1990-91.

Macrì, Oreste, ed. *Poesía y prosa*. De Antonio Machado. Colab. Gaetano Chiappini. 4 vols. Madrid: Espasa-Calpe / Fundación Antonio Machado, 1989.

Machado Álvarez, Antonio. *Cantos populares españoles*. Ed. Francisco Rodríguez Marín. 5 vols. Sevilla: Álvarez, 1882-83.

—. *Colección de enigmas y adivinanzas*. Sevilla: Imp. R. Baldaraque, 1880.

Machado y Ruiz, Antonio. *Campos de Castilla (1907-1917)*. Ed. Geoffrey Ribbans. 7.ª ed. Madrid: Cátedra, 1997.

—. *Poesías completas*. 13.ª ed. Madrid: Espasa-Calpe, 1971.

—. *Poesía y prosa*. Ed. Oreste Macrì. 4 vols. Madrid: Espasa-Calpe / Fundación Antonio Machado, 1989.

—. *Prosas dispersas (1893-1936)*. Ed. Jordi Doménech. Madrid: Páginas de Espuma, 2001.

—. *Soledades. Galerías. Otros poemas*. Ed. Geoffrey Ribbans. 15.ª ed. Madrid: Cátedra, 1998.

Machado y Ruiz, José. *Últimas soledades del poeta Antonio Machado. Recuerdos de su hermano José*. Madrid: De la Torre, 1999.

Machado y Ruiz, Manuel. «El arte y los artistas. Benlliure, académico». *Juventud. Revista Popular Contemporánea* 1 (1901): S.P.

—. *Poesía. Opera Omnia Lyrica*. 2.ª ed. Madrid: Editora Nacional, 1942.

MacPherson, José. «Ensayo evolutivo de la Península Ibérica». *Anales de la Real Sociedad Española de Historia Natural* 30 (1901): 158-59.

—. *Enciclopedia universal ilustrada.* 1st ed. Vol. 31. [1907?-c. 1930]. 1229.

Madoz, Pascual. *Diccionario geográfico-estadístico-histórico de España y sus posesiones de ultramar.* 1845-1850. Madrid: Agualarga, 1999.

Mallada, Lucas. *Los males de la patria y la futura revolución española.* 1890. Madrid: Alianza, 1969.

Maravall, José Antonio. «Azorín, idea y sentido de la microhistoria». *Cuadernos Hispanoamericanos* 76 (1968): 28-77.

Marías, Julián. «Antonio Machado y su interpretación poética de las cosas». *Homenaje a Antonio Machado.* Montevideo: Fundación de Cultura Universitaria, 1969. 12-29.

Martín González, Juan José. «Poesía y pintura en el paisaje castellano de Antonio Machado». *Curso en homenaje a Antonio Machado.* Ed. Eugenio de Bustos. Salamanca: Universidad de Salamanca, 1975. 179-93.

Martinengo, Alessandro. «Prehistoria e historia del "Garabato de la cigüeña" machadiano». *Hispanic Studies in Honour of Geoffrey Ribbans.* Ed. Ann L. Mackenzie and Dorothy Severin. Liverpool: Liverpool UP, 1992. 205-14.

McMullan, Terence. «Machado, Guillén and the Castilian Countryside». *Neophilologus* 84. 4 (2000): 541-54.

Menéndez Pidal, Ramón. *En torno al Poema del Cid.* Barcelona: Edhasa, 1963.

—. *Flor nueva de romances viejos.* Madrid: Espasa-Calpe, 1976.

—. *El romancero español.* New York: Hispanic Society of America, 1910.

—. *Romancero hispánico (Hispano-portugués, americano y sefardí). Teoría e historia.* Madrid: Espasa-Calpe, 1953.

Menocal, María Rosa. *The Arabic Role in Medieval Literary History. A Forgotten Heritage.* Philadelphia: Pennsylvania UP, 1987.

Miller, Daniel, ed. *Material Cultures: Why Some Things Matter.* Chicago: Chicago UP, 1998.

Mistral, Gabriela. *Tala.* Buenos Aires: Losada, 1946.

Molero Pintado, Antonio. *La Institución Libre de Enseñanza: Un proyecto español de renovación pedagógica.* Madrid: Anaya, 1985.

Moliner, María. *Diccionario de uso del español.* 2 vols. Madrid: Gredos, 1979.

Montrose, Louis A. «The Poetics and Politics of Culture». *The New Historicism.* Ed. H. Aram Veeser. New York: Routledge, 1989. 15-36.

Morales, Rafael. *Poesías completas (1940-1967).* Madrid: Giner, 1967.

Moreno Hernández, Carlos. «Precisiones sobre *Campos de Castilla* de Antonio Machado». *Celtiberia,* 64 (1982): 233.

Mostaza, Bartolomé. «El paisaje en la poesía de Antonio Machado». *Cuadernos Hispanoamericanos* 11-12 (1949): 623-41.

Navajas, Gonzalo. «El 98 para un español de veinte años». *Nuevas perspectivas sobre el 98*. Ed. John P. Gabriele. Frankfurt am Main: Vervuert; Madrid: Iberoamericana, 1999. 179-86.

—. «La ética del 98 ante el siglo XXI: de Unamuno a Antonio Muñoz Molina». *La Generación del 98 frente al nuevo fin de siglo*. Ed. Jesús Torrecilla. Amsterdam-Atlanta: Rodopi, 2000. 174-97.

Navarro Tomás, Tomás. *Métrica española*. Barcelona: Labor, 1995.

—. *Los poetas en sus versos: Desde Jorge Manrique a García Lorca*. Barcelona: Ariel, 1973.

Neruda, Pablo. *Odas elementales*. Ed. Jaime Concha. 6.ª ed. Madrid: Cátedra, 1995.

Newton, Nancy. «History by Moonlight: Esthetic and Social Vision in Machado's "Campos de Soria"». *Kentucky Romance Quarterly* 26 (1979): 15-24.

Nissenson, Marilyn and Susan Jonas. *Jeweled Bugs and Butterflies*. New York: Harry N. Abrams, 2000.

Orozco, Emilio. *Paisaje y sentimiento de la naturaleza en la poesía española*. Madrid: Prensa Española, 1968.

Ortega y Gasset, José. *Meditaciones sobre la literatura y el arte (La manera española de ver las cosas)*. Ed. E. Inman Fox. Madrid: Clásicos Castalia, 1987.

Panero, Leopoldo. *Poesía, 1932-1960*. Madrid: Cultura Hispánica, 1963.

Pardo Bazán, Emilia. «Una pasión». *Cuentos completos*. Ed. Juan Paredes Núñez. 4 vols. Vol 4. [La Coruña]: Fundación «Pedro Barrié de la Maza, Conde de Fenosa», 1990. 142-48.

Paz, Octavio. *Los hijos del limo. Del romanticismo a la vanguardia*. Barcelona: Seix Barral, 1998.

Pena, María del Carmen. *Pintura de paisaje e ideología. La generación del 98*. Madrid: Taurus, 1982.

Pereda, José María. *Peñas arriba*. Ed. Demetrio Estébanez Calderón. Barcelona: Plaza & Janés, 1984.

Pérez-Firmat, Gustavo. «Antonio Machado and the Poetry of Ruins». *Hispanic Review* 56 (1988): 1-16.

Pérez-Rioja, José Antonio. «Soria, en la poesía de Antonio Machado». *Antonio Machado y Soria. Homenaje en el primer centenario de su nacimiento*. Madrid: Consejo Superior de Investigaciones Científicas, 1976. 33-53.

Persin, Margaret. «Antonio Machado's "La tierra de Alvargonzález" and the Questioning of Cultural Authority». *Nuevas perspectivas sobre el 98*. Ed. John P. Gabriele. Frankfurt am Main: Vervuert; Madrid: Iberoamericana, 1999. 99-106.

Pineda, Daniel. «La familia de Machado en la Sevilla de la época». *Antonio Machado, hoy. Actas del congreso internacional conmemorativo del cincuen-

tenario de la muerte de Antonio Machado. Ed. Jorge Urrutia. Vol. 1. Sevilla: Alfar, 1990. 191-200.

—. *Antonio Machado y Álvarez, «Demófilo»: Vida y obra del primer flamencólogo español*. Madrid: Cinterco, 1991.

Poema del Mio Cid. Ed. Pedro Salinas. 8.ª ed. Buenos Aires: Losada, 1963.

Prado, Casiano del. *Descripción física y geológica de la provincia de Madrid*. Madrid: Imprenta Nacional, 1864.

Pratt, Dale J. *Signs of Science. Literature, Science, and Spanish Modernity since 1868*. West Lafayette: Purdue UP, 2001.

Predmore, Michael P. *Una España jóven en la poesía de Antonio Machado*. Madrid: Ínsula, 1981.

—. «Emoción e historia en la poesía de Antonio Machado: Expresión y superación del 98». *La Generación del 98 frente al nuevo fin de siglo*. Ed. Jesús Torrecilla. Amsterdam-Atlanta: Rodopi, 2000. 221-34.

Predmore, Richard L. «El tiempo en la poesía de Antonio Machado». *PMLA* 63 (1948): 696-711.

Rand, Marguerite C. *Castilla en Azorín*. Madrid: Revista de Occidente, 1956.

Real Academia Española. *Diccionario de la lengua española*. 21.ª ed. 2 vols. 1992.

Regoyos, Darío. «El impresionismo en Francia. Protesta de los impresionistas españoles contra el discurso de Benlliure». *Juventud. Revista Popular Contemporánea* 1.6 (1901): S.P.

Rewald, John. *Historia del impresionismo*. Barcelona: Seix Barral, 1972.

Reynolds, Joshua. *Discourses on Art*. Ed. Robert R. Wark. New Haven: Yale UP, 1997.

Ribbans, Geoffrey, ed. Introducción. *Campos de Castilla (1907-1917)*. De Antonio Machado. 7.ª ed. Madrid: Cátedra, 1997. 11-96.

—. «De *Soledades* a *Campos de Castilla*». *Actas del X Congreso de la Asociación Internacional de Hispanistas*. Ed. Antonio Vilanova. Vol. 4. Barcelona: Universitat de Barcelona, 1992. 1367-82.

—. «Machado's "Ciclo de Leonor"». *Negotiating Past and Present. Studies in Spanish Literature for Javier Herrero*. Ed. David Thatcher Gies. Charlottesville: Rookwood Press, 1996. 76-91.

—. *Niebla y soledad. Aspectos de Unamuno y Machado*. Madrid: Gredos, 1971.

—. «"No lloréis, reíd, cantad": Some Alternative Views on the Generation of 98 / *Modernismo* Debate». *Nuevas perspectivas sobre el 98*. Ed. John P. Gabriele. Frankfurt am Main: Vervuert; Madrid: Iberoamericana, 1999. 131-59.

—, ed. Introducción. *Soledades. Galerías. Otros poemas*. De Antonio Machado. 15.ª ed. Madrid: Cátedra, 1998. 13-78.

—. «Recaptured Memory in Juan Ramón Jiménez and Antonio Machado». *Studies in Modern Spanish Literature and Art. Presented to Helen F. Grant.* Ed. Nigel Glendinning. London: Tamesis, 1972. 149-61.

Ribera i Faig, Estanislao. *Historia del interés anglosajón por la geología de España.* Pról. J. Vernet Ginés. Madrid: Consejo Superior de Investigaciones Científicas, 1988.

Rico, Francisco, ed. *Historia y crítica de la literatura española.* 8 vols. Barcelona: Crítica, 1980.

Risco, Antonio. *Azorín y la ruptura con la novela tradicional.* Madrid: Alhambra, 1980.

Río, Ángel del. *Historia de la literatura española.* Vol. 2. Barcelona: Bruguera, 1982.

—. *Pedro Salinas: vida y obra, bibliografía, antología.* New York: Hispanic Institute, 1942.

Rodríguez Santibáñez, Marta. *El intimismo en Antonio Machado (Estudio de la evolución de la obra poética de Antonio Machado).* Madrid: Visor, 1998.

Rojas, Fernando de. *La Celestina.* Ed. Dorothy Severin. 6.ª ed. Madrid: Cátedra, 1992.

Rute, Luis de. *La Sierra Nevada.* París: s.e., 1889.

Said, Edward. *The World, the Text and the Critic.* Cambridge: Harvard UP, 1983.

Salinas, Pedro. *Ensayos de literatura hispánica (Del Cantar de Mio Cid a García Lorca).* Madrid: Aguilar, 1967.

—. *Jorge Manrique o tradición y originalidad.* Buenos Aires: Sudamericana, 1962.

—. *Literatura española siglo XX.* México: Antigua Librería Robredo, 1949.

—. *Poesías completas.* Pról. Soledad Salinas de Marichal. Madrid: Alianza, 1989.

—. *Reality and the Poet in Spanish Poetry.* Baltimore: Johns Hopkins UP, 1966.

—. «El romancismo y el siglo XX». *Estudios hispánicos. Homenaje a Archer M. Huntington.* Wellesley: Wellesley UP, 1952. 499-527.

Sánchez Barbudo, Antonio. *Los poemas de Antonio Machado. Los temas. El sentimiento y la expresión.* Barcelona: Lumen, 1967.

Sánchez Romeralo, Antonio. «Antonio Machado, Juan Ramón Jiménez y el Romancero». *Actas del VIII Congreso de la Asociación Internacional de Hispanistas.* Ed. David Kossoff. Madrid: Ed. Istmo, 1986. 557-65.

Santullano, Luis. *El pensamiento vivo de Cossío.* Buenos Aires: Losada, 1946.

Schama, Simon. *Landscape and Memory.* New York: Vintage Books, 1996.

Schor, Naomi. *Reading in Detail. Aesthetics and the Feminine.* New York: Methuen, 1987.

Serrano Poncela, Segundo. *Antonio Machado. Su mundo y su obra*. Buenos Aires: Losada, 1954.

Sesé, Bernard. *Claves de Antonio Machado*. Trad. Soledad García Mouton. Madrid: Espasa-Calpe, 1990.

Seseña, Natacha. «Rango de la cerámica en el bodegón». *El bodegón*. Introd. Fernando Checa. Barcelona: Galaxia Gutenberg, 2000. 129-48.

Smith, Colin. «Formas y técnicas narrativas en el *Cantar del Cid*». *Edad Media*. Ed. A. Deyermond. *Historia y crítica de la literatura española*. Ed. Francisco Rico. Vol. 1. Barcelona: Crítica, 1980. 115-18.

Sobejano, Gonzalo. «Auge y repudio del 98». *La crisis española de fin de siglo y la generación del 98. Actas del simposio internacional (Barcelona, noviembre 1998)*. Ed. Antonio Vilanova y Adolfo Sotelo Vázquez. Barcelona: Universitat de Barcelona, 1999. 15-31.

Solana, Guillermo. *El impresionismo*. Madrid: Anaya, 1991.

Terry, Arthur. *Antonio Machado. «Campos de Castilla»*. Critical Guides to Spanish Texts 8. London: Grant & Cutler, 1973.

Torrecilla, Jesús, ed. *La Generación del 98 frente al nuevo fin de siglo*. Amsterdam-Atlanta: Rodopi, 2000.

Torres Campos, Rafael. *Estudios geográficos*. Madrid: Fortanet, 1895.

«Torres Campos, Rafael». *Enciclopedia universal ilustrada*. Vol. 62. [1907?-c.1930]. 1437.

Tudela, José. «El primer escrito de Machado sobre Soria». *Celtiberia* (1961): 65-79.

Tuñón de Lara, Manuel. *Antonio Machado, poeta del pueblo*. Barcelona: Laia, 1975.

Unamuno, Miguel de. *En torno al casticismo*. Ed. Luciano González Eguido. 12.ª ed. Madrid: Austral, 1998.

—. *Paisajes*. Ed. Manuel Alvar. Madrid: Alcalá, 1966.

—. *Poesías*. Ed. Manuel Alvar. Madrid: Cátedra, 1997.

Underwood, Ted. «Romantic Historicism and the Afterlife». *PMLA* 117.2 (2002): 237-51.

Urrutia, Jorge, ed. *Antonio Machado, hoy. Actas del congreso internacional conmemorativo del cincuentenario de la muerte de Antonio Machado*. 3 vols. Sevilla: Alfar, 1990.

Valbuena Prat, Ángel. *Historia de la literatura española*. 8.ª ed. Vol. 1. Barcelona: Gustavo Gili, 1968.

Valente, José. *Las palabras de la tribu*. Barcelona: Tusquets, 1994.

Valverde, José María. *Antonio Machado*. Madrid: Siglo XXI, 1975.

—. *Azorín*. Barcelona: Planeta, 1971.

Vázquez Medel, Manuel Ángel y Ángel Acosta Romero. «"Demófilo", Antonio Machado y la poesía popular». *Antonio Machado, hoy. Actas del congreso internacional conmemorativo del cincuentenario de la muerte de*

Antonio Machado. Ed. Jorge Urrutia. Vol. 1. Sevilla: Alfar, 1990. 151-66.

Veeser, H. Aram, ed. *The New Historicism.* New York: Routledge, 1989.

Vernet Ginés, J. Prólogo *Historia del interés anglosajón por la geología de España.* De Estanislao Ribera i Faig. Madrid: Consejo Superior de Investigaciones Científicas, 1988. ix-xii.

White, Hayden. *Tropics of Discourse. Essays in Cultural Criticism.* Baltimore: The Johns Hopkins UP, 1978.

Whitman, Walt. *Leaves of Grass.* Philadelphia: David McKay, c. 1900.

Zamora Vicente, Alonso. «Apostillas a un poema de Antonio Machado». *Curso en homenaje a Antonio Machado.* Salamanca: Universidad de Salamanca, 1975. 315-34.

Zardoya, Concha. «Los caminos poéticos de Antonio Machado». *Antonio Machado.* Ed. Ricardo Gullón y Allen W. Phillips. Madrid: Taurus, 1973. 327-41.

—. *Poesía española del siglo* XX. Madrid: Gredos, 1974.

Zubiría, Ramón de. *La poesía de Antonio Machado.* Madrid: Gredos, 1955.

Índice de nombres y obras

Caballero, Fernán, 127, 128
Cacho Viu, Vicente, 139, 140, 155
Calderón, Laureano, 138
Calderón, Salvador, 141
Calderón de la Barca, Pedro, 59
Calvo Serraller, Francisco, 24n
Campoamor, Ramón de, 14, 15
Camps, Juan, 157n, 158n
Cano, José Luis, 176n
Cano Ballesta, Juan, 174, 175
Cánovas del Castillo, Antonio, 138
Caricatura, La, 100n
Carlos, infante, 31
Carpintero, Heliodoro, 156n, 157n
Carvalho Neto, Paulo de, 75n
Casal, Julián del, 89n
Casalduero, Joaquín, 39, 42
Castelar, Emilio, 37
Castro, Américo, 48-50, 75n
Castro, Rosalía de, 164
En las orillas del Sar, 164
Celestina, La, 97, 102n, 103
Centro de Estudios Históricos, 51n
Cerezo Galán, Pedro, 21, 58n, 129
Cernuda, Luis, 14n
Certeau, Michel de, 27
Cervantes, Miguel de, 103, 104, 156n
Cézanne, Paul, 167
Chançon de Roland, 48
Chopin, Frédéric, 165n
Ciplijauskaité, Biruté, 35
Clarín, 106, 116
Superchería, 106
Clark, Kenneth, 42, 43, 153, 165n
Coello, Francisco, 138
Constable, John, 159
Corbière, Tristan, 24
Corot, Camille, 165n
Cossío, Manuel Bartolomé, 75n, 140, 141n, 154, 156, 157
Costa, Joaquín, 141
Courbet, Gustave, 31, 153, 162, 167